Correntes

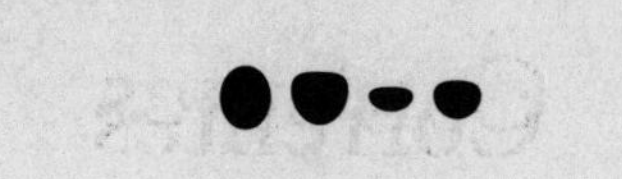

Olga Tokarczuk

Correntes

tradução
Olga Bagińska-Shinzato

todavia

EXISTO

Tenho poucos anos. Estou sentada no parapeito, à minha volta há brinquedos espalhados, torres de blocos derrubadas, bonecas de olhos esbugalhados. A casa está imersa na escuridão, o ar nos cômodos arrefece lentamente, se apaga. Não há ninguém; foram embora, desapareceram. Os seus passos ecoam e aos poucos as suas vozes, os chiados e as risadas distantes vão se esvaecendo. Atrás da janela, um quintal vazio. A escuridão se derrama suavemente do céu e pousa em tudo como se fosse um orvalho negro.

O mais incômodo é a inércia espessa e visível — um crepúsculo frio e a luz fraca das lâmpadas de vapor de sódio atolada na penumbra a apenas um metro de sua fonte.

Nada acontece, a marcha da penumbra cessa diante da porta da casa, todo o tumulto do escurecer silencia, forma uma capa espessa como leite quente esfriando. Os contornos dos edifícios contra o pano de fundo do céu se estendem infinitamente, aos poucos perdem os ângulos, as quinas e as extremidades agudas. A luz que se apaga absorve o ar — já não há com o que respirar. Agora a penumbra penetra em minha pele. Os sons se recolheram, retraíram os olhos de caracol; a orquestra do mundo partiu e sumiu no parque.

Esta noite é o confim do mundo, eu acabei por descobri-la por acaso, sem querer, enquanto brincava. Descobri porque me deixaram sozinha por um instante, sem ninguém me olhando. Está claro que acabei de cair numa cilada e não posso sair. Tenho poucos anos, estou sentada no parapeito, olho para o quintal arrefecido. As luzes na cozinha da escola já foram apagadas, todos foram embora. A penumbra permeou as lajes de concreto do quintal e elas desapareceram. Portas trancadas, alçapões arriados, venezianas fechadas. Queria sair, mas não tenho para onde ir. Agora a minha própria presença é a única coisa com contornos nítidos que estremecem, ondulam, e isso machuca. Num instante descubro a verdade: nada mais pode ser feito. Existo.

O MUNDO NA CABEÇA

Fiz a minha primeira viagem a pé, atravessando os campos. Demoraram a perceber a minha ausência, por isso consegui chegar relativamente longe. Atravessei todo o parque e depois fui andando pelas veredas no campo, no meio do milharal e dos prados úmidos e cheios de malmequeres-do-brejo, divididos em quadrados pelas valas de drenagem até chegar ao rio. Embora, claro, o rio fosse onipresente nesse vale, absorvendo a cobertura do solo e deslizando pelos campos.

Depois de subir no dique, avistei a faixa flutuante, um caminho que escorria para fora da moldura, para fora do mundo. E se alguém tivesse sorte, podia ver nela barcaças, grandes embarcações planas que deslizavam em ambos os sentidos ignorando as margens, as árvores, as pessoas sobre os diques, tratando-as certamente como pontos de orientação temporários que não mereciam atenção, testemunhas de seu movimento gracioso. Sonhava que quando chegasse à idade adulta, trabalharia numa barcaça assim, ou, melhor ainda, me tornaria uma delas.

O rio não era nada grande, era apenas o Oder; no entanto, eu também era pequena na época. Ele tinha a sua posição relativamente secundária, embora notável, na hierarquia dos rios, o que mais tarde verifiquei nos mapas. Era um visconde provinciano na corte do rei Amazonas. Mas era mais que o suficiente para mim. Parecia enorme. Fluía como queria, essencialmente desimpedido, sujeito às cheias, imprevisível. Em alguns pontos próximos da margem, enganchava-se em alguns obstáculos submersos e surgiam redemoinhos. Seguia correndo, desfilando, ocupado apenas com as suas metas ocultas além do horizonte, em algum lugar distante ao norte. Era impossível encravar os olhos na água, que puxava seu olhar para além do horizonte até que você perdesse o equilíbrio.

O rio não prestava atenção em mim, ocupado consigo mesmo, uma água mutável e errante, na qual jamais se podia entrar duas vezes, como aprendi depois.

Todos os anos, ele cobrava um preço alto por carregar o peso das barcaças — sempre havia alguém que se afogava nele, fosse uma criança que se banhava nos dias quentes de verão, ou um bêbado, que por azar cambaleava numa ponte e caía na água, apesar das grades. As buscas pelos afogados sempre eram demoradas e barulhentas, mantendo toda a redondeza sob tensão. Vinham mergulhadores e lanchas militares. De acordo com os relatos dos adultos que interceptávamos, os corpos encontrados estavam inchados e pálidos — a água havia desmanchado qualquer vestígio de vida, desfigurado tanto as feições que os próprios familiares tinham dificuldade em reconhecer os cadáveres.

Enquanto estava parada sobre o dique olhando para a correnteza, me dei conta de que, apesar dos perigos envolvidos, uma coisa em movimento sempre será melhor do que uma coisa em repouso; que a mudança sempre será mais nobre do que a estabilidade; que o imóvel precisa se decompor, degenerar e virar pó. E aquilo que se movimenta pode durar por toda a eternidade. Desde então o rio se tornou uma agulha enfiada na paisagem antes segura e estável, da qual fazia parte o parque, os canteiros onde os legumes cresciam em fileiras tímidas e a calçada feita de lajes de concreto onde pulávamos amarelinha. Essa agulha percorria todo o caminho, indicando uma terceira dimensão vertical; de tão perfurada, a paisagem do meu mundo de criança acabou se revelando apenas um brinquedo de borracha do qual escapava todo o ar.

Meus pais não eram de uma tribo completamente sedentária. Mudavam-se inúmeras vezes de um lugar para outro, até que finalmente decidiram se estabelecer e passar mais tempo numa escola provinciana, longe de uma boa estrada e de uma estação ferroviária. O ato de sair e atravessar a divisa entre os campos já parecia uma viagem, assim como uma excursão para a cidadezinha mais próxima para fazer compras, entregar documentos na sede das autoridades municipais. O cabeleireiro da praça junto à prefeitura estava sempre lá usando o mesmo avental, lavado e alvejado em vão, porque a tinta de cabelo das freguesas deixava ali manchas como caligrafias chinesas. Minha mãe tingia o cabelo e o meu pai esperava por ela no Café Novo, numa das duas mesas postas do lado de fora. Lia o jornal da região, onde a coluna policial era sempre a mais interessante — potes de doce de ameixa e pepinos em conserva roubados de porões.

E aquelas viagens de turismo acanhadas na época das férias num Škoda abarrotado até o teto, preparadas demoradamente, planejadas durante as noites no começo da primavera quando a neve mal acabava de derreter e a terra ainda não havia despertado. Era preciso esperar que ela finalmente devolvesse o seu corpo aos arados e às enxadas e permitisse se fecundar. E, daquele momento em diante, isso preencheria todo o tempo deles, da manhã até a noite.

Eles pertenciam a uma geração que viajava com os seus motor homes, puxando atrás de si uma vida doméstica. Um fogão para acampar, mesas e cadeiras dobráveis. Uma corda de plástico para estender a roupa durante as paradas, prendedores de roupa. Toalhas de mesa impermeáveis. Um conjunto de piquenique para viagem — pratos de plástico coloridos, talheres, saleiros e taças.

Em algum lugar no caminho, num mercado das pulgas que eles gostavam particularmente de visitar (quando não tiravam fotos diante das igrejas e dos monumentos), meu pai comprou um bule militar — um utensílio de cobre, um recipiente com

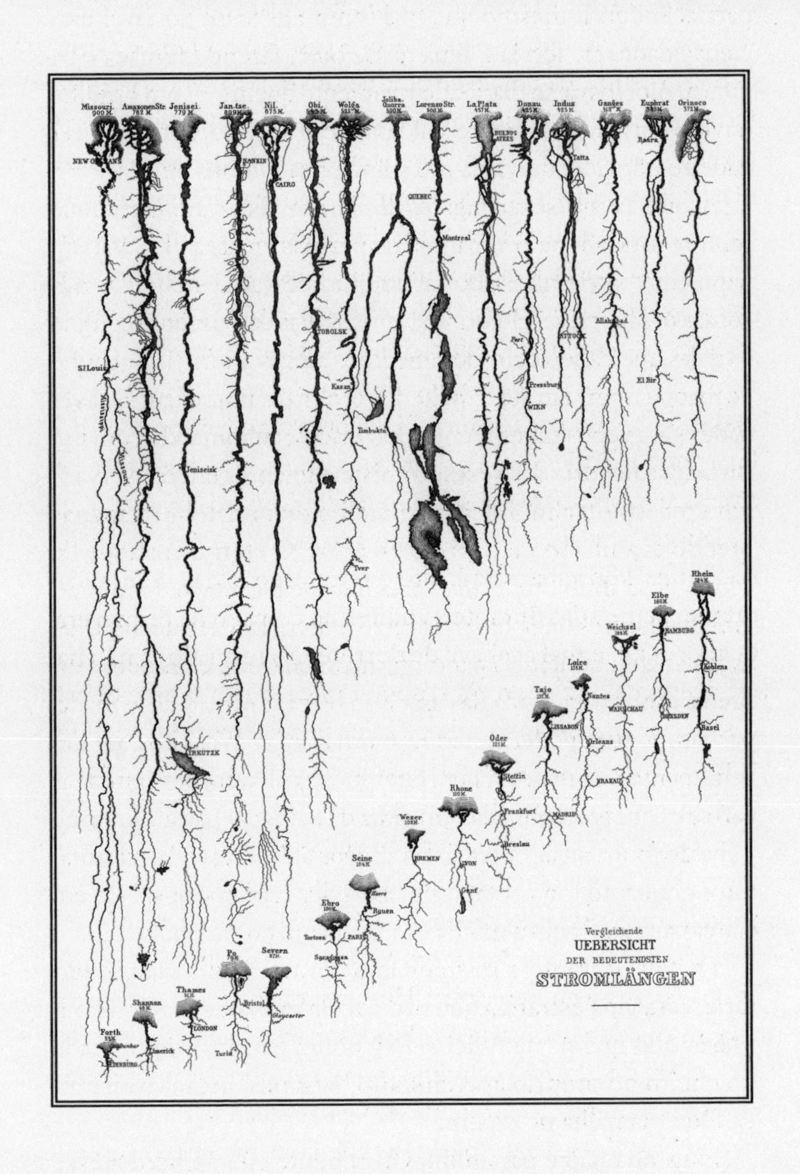

Missouri.
900 M.
Amazonen Str.
782 M.
Jenisei.
779 M.
Jan-tse.
Nil.
675 M.
Obi.
Wolga
Joliba-Quorra
500 M.
Lorenzo Str.
500 M.
La Plata
457 M.
Donau
425 M.
Indus
425 M.
Ganges
Euphrat
Orinoco
372 M.
NEW ORLEANS
NANKIN
CAIRO
BUENOS AYRES
Tatta
Basra
QUEBEC
Montreal
TOBOLSK
Kasan
Timbuktu
Allahabad
Pressburg
WIEN
El Bir
St. Louis
Jeniseisk
Tver
IRKUTZK
Rhein
Elbe
160 M.
HAMBURG
Weichsel
Loire
Tajo
Nantes
Koblenz
WARSCHAU
DRESDEN
LISSABON
Orleans
Basel
Oder
125 M.
Stettin
KRAKAU
Rhone
110 M.
Frankfurt
MADRID
Weser
Breslau
BREMEN
Seine
LYON
Genf
Ebro
Rouen
Tortosa
PARIS
Saragossa
Po
Severn
Bristol
Gloucester
Shannon
Thames
LONDON
Limerick
Forth
Turin
Vergleichende
UEBERSICHT
DER BEDEUTENDSTEN
STROMLÄNGEN

um tubo interno no qual se enfiava um punhado de gravetos para acender. E mesmo que nos campings fosse possível usar eletricidade, ele fervia a água nesse bule, fazendo fumaça e bagunça. Ajoelhava-se diante do recipiente quente e com orgulho ouvia o gorgolejo da água escaldante. Em seguida, como um verdadeiro nômade, derramava-a sobre os saquinhos de chá.

Acomodavam-se em lugares designados, em campings, onde sempre estavam na companhia de pessoas iguais a eles. Batiam papo com os vizinhos sob meias que secavam estendidas nas cordas das barracas. Determinavam as rotas das viagens segundo os guias, marcando cuidadosamente as atrações turísticas. Banho de mar ou num lago até o meio-dia, e, à tarde, uma excursão às cidades para ver os monumentos históricos, culminando com um jantar. Na maioria das vezes, comiam alimentos em conserva — um goulash ou almôndegas ao molho de tomate. Era apenas preciso cozinhar o macarrão ou o arroz. O eterno costume de economizar dinheiro, o *złoty* está fraco, é o centavo do mundo. Procurar lugares onde haveria acesso à eletricidade, e depois fazer as malas com relutância para continuar a viagem. Contudo, sempre na órbita metafísica da casa. Não eram viajantes de verdade: partiam só para poder voltar. E retornavam com alívio, com um sentimento de um dever bem cumprido. Voltavam para juntar as cartas e contas empilhadas em cima da cômoda. Lavar a enorme pilha de roupa suja. Entediar os amigos até a morte, mostrando fotos enquanto todos tentavam esconder seus bocejos. Nós em Carcassonne. E aqui a minha esposa diante do Acrópole.

Depois, durante o resto do ano, levavam uma vida sedentária, essa vida estranha que não é nada mais que voltar de manhã àquilo que haviam deixado à noite, a roupa impregnada do cheiro do próprio apartamento, e os pés, incansáveis, traçando uma trilha no tapete.

Essa vida não é para mim. Claramente eu não herdei esse gene que faz a pessoa criar raízes ao permanecer em algum lugar por mais tempo. Tentei várias vezes, mas as minhas raízes sempre foram superficiais e o mínimo sopro do vento me derrubava. Não sei germinar, fui privada dessa capacidade vegetal. Não consigo extrair a seiva do solo, sou um Anteu às avessas. Minha energia vem do movimento — do chacoalhar dos ônibus, do barulho dos aviões, do balançar das balsas e dos trens.

Sou prática, bem-disposta e não sou grande. Tenho um estômago pequeno, pouco exigente, pulmões potentes, uma barriga enxuta e os músculos dos braços fortes. Não tomo nenhum tipo de medicamento, não uso óculos, tampouco tomo hormônios. Corto meu cabelo à máquina, uma vez a cada três meses, quase não uso maquiagem. Tenho uma dentição saudável, talvez um pouco torta, mas inteira, e apenas uma obturação antiga, parece que no sexto dente de baixo, do lado esquerdo. O meu fígado está bem. O pâncreas — também. O rim direito e o esquerdo — excepcionalmente bem. Minha aorta abdominal apresenta um quadro clínico regular. A bexiga está funcionando corretamente. Hemoglobina — 12,7. Leucócitos — 4,5. Hematócritos — 41,6. Trombócitos — 228. Colesterol — 204. Creatinina — 1,0. Bilirrubina — 4,2, e assim por diante. Meu QI — se acreditar nessas coisas — 121; é suficiente. Tenho uma imaginação espacial, quase eidética, mas uma lateralidade muito fraca, o perfil de personalidade instável, ou não totalmente confiável. Idade — psicológica. Sexo — gramatical. Compro livros em brochura, assim posso deixá-los sem pena nas plataformas de trens para que possam ser lidos por outros olhos. Não coleciono nada.

Terminei a faculdade, mas, essencialmente, não aprendi nenhuma profissão, do que me arrependo muito; meu bisavô foi tecelão, alvejava telas tecidas estendendo-as nas encostas, expondo-as aos raios ardentes do sol. Me agradaria muito entrelaçar o urdume e a trama. Contudo, não existem teares portáteis, a tecelagem é a arte dos povos sedentários. Tricoto durante as viagens. Infelizmente, algumas companhias aéreas proibiram o uso de agulhas de tricô ou de crochê a bordo. Como já falei, não aprendi nenhuma profissão, no entanto, ao contrário daquilo que os meus pais sempre falaram, consegui sobreviver, sem cair por terra, exercendo diversos tipos de trabalhos.

Quando meus pais voltaram para a cidade depois de uma experiência romântica que durou vinte anos, quando ficaram cansados das secas e do frio, da alimentação saudável que definhava no porão durante os invernos, e da lã das suas próprias ovelhas enfiada nas bocas largas dos travesseiros e das cobertas, eles me deram um pouco de dinheiro, e pela primeira vez caí na estrada.

Fazia bicos nos lugares aonde chegava. Numa manufatura internacional localizada nos arredores de uma enorme metrópole, montava antenas de iates exclusivos. Havia muita gente como eu. Éramos contratados ilegalmente, sem perguntar de onde vínhamos e quais eram os nossos planos para o futuro. Recebíamos o pagamento às sextas-feiras e quem não estivesse satisfeito não comparecia mais na segunda. Havia lá estudantes que aproveitavam o período de intervalo entre o exame de conclusão do ensino médio e os exames de ingresso na faculdade. Imigrantes que viviam à procura de um país ideal e justo em algum lugar no Ocidente, onde todos eram irmãos e irmãs, e onde o Estado poderoso desempenhava o papel de um genitor protecional; fugitivos evadindo-se das famílias — esposas, maridos, pais; os infelizes no amor, os confusos, os melancólicos e os eternamente resfriados. Perseguidos pela lei por não conseguirem pagar as dívidas contraídas. Andarilhos, vagabundos. Loucos que acabariam no hospital na próxima reincidência da doença e de lá seriam deportados para o país de origem, em virtude de leis pouco claras.

Apenas um certo hindu trabalhava lá permanentemente havia anos, mas, para dizer a verdade, a sua situação não era muito diferente da nossa. Não tinha nem seguro nem direito a qualquer tipo de férias. Trabalhava em silêncio, com paciência, sistematicamente. Nunca se atrasava, nunca procurava motivos para pedir um atestado. Convenci algumas pessoas a formar um sindicato — foi na época da Solidariedade — mesmo que fosse apenas para ele, mas ele não quis. Comovido com a minha preocupação, todos os dias me oferecia um curry apimentado que trazia numa marmita. Hoje nem sequer me lembro do seu nome.

Fui garçonete, camareira num hotel de luxo e babá. Vendi livros, vendi bilhetes. Num certo teatro pequeno trabalhei como assistente de figurino e dessa forma sobrevivi um longo inverno por entre os bastidores de pelúcia, figurinos pesados, capas de veludo e perucas. Depois de me formar na faculdade, trabalhei também como pedagoga, consultora de reabilitação e, mais recentemente, numa biblioteca. E assim que conseguia ganhar algum dinheiro, caía na estrada de novo.

A SUA CABEÇA NO MUNDO

Estudei psicologia numa grande e sombria metrópole comunista. Minha faculdade ficava num prédio que funcionou como a sede de uma unidade da SS durante a guerra. Essa parte da cidade foi construída sobre as ruínas do gueto. Ao olhar atentamente, era fácil perceber isso — todo o bairro ficava um metro acima do resto da cidade. Um metro de escombros. Nunca me senti bem lá; ventava sempre entre os novos prédios e as míseras praças, e o ar gelado parecia especialmente penoso, fazia o rosto arder. E essencialmente, mesmo com os edifícios, continuava a ser um lugar que pertencia aos mortos. O prédio do instituto ressurge nos meus sonhos até hoje — os seus corredores largos esculpidos em pedra, lustrados com pés anônimos, as beiradas dos degraus desgastadas, os corrimões polidos com as mãos, rastros gravados no espaço. Talvez por isso fôssemos assombrados por espíritos.

Quando soltávamos as ratazanas no labirinto, sempre havia uma cujo comportamento contrariava a teoria, zombando das nossas hipóteses inteligentes. Ficava sobre as duas patas, completamente desinteressada da recompensa no fim da rota experimental; desdenhava dos privilégios do reflexo de Pavlov, nos lançava um olhar e depois dava meia-volta ou se entregava sem pressa ao teste de labirinto. Procurava algo nos corredores laterais, tentava chamar a atenção para si própria. Guinchava desorientada e, nessas horas, contrariando as regras, as meninas a retiravam do labirinto e a seguravam no colo.

Os músculos de uma rã morta, estirada, se dobravam e se estendiam sob o comando de impulsos elétricos, mas de uma forma ainda não descrita em nossos manuais — nos enviavam sinais, seus membros executavam gestos óbvios de ameaça e deboche, o que contrariava a fé consagrada na inocência mecânica dos reflexos fisiológicos.

Lá nos ensinaram que o mundo pode ser descrito, ou mesmo explicado, por meio de respostas simples a perguntas inteligentes. Que em sua essência ele é inerte e morto, regido por leis relativamente simples que devem ser explicadas e explícitas — de preferência através de um diagrama. Exigiam que fizéssemos experiências. Que formulássemos hipóteses. E verificássemos. Nos iniciavam nos mistérios da estatística, acreditando que através dela era possível descrever, de uma maneira perfeita, todas as regularidades do mundo — e que noventa por cento é mais significativo que cinco.

Mas se há uma coisa que eu sei agora é que aquele que procura a ordem deve evitar a psicologia. É melhor que opte pela fisiologia ou a teologia, pelo menos terá assim uma base sólida — podendo se apoiar ou na matéria ou no espírito; não escorregará na psique. A psique é um objeto de estudo muito incerto.

Tinham razão aqueles que diziam que não se escolhia a psicologia por causa da profissão futura, da curiosidade ou da vocação para ajudar os outros, mas por outro motivo muito simples. Suspeito que todos nós tínhamos um defeito profundamente escondido, embora parecêssemos jovens inteligentes e saudáveis. O defeito estava oculto, camuflado habilmente nos exames de ingresso. Um novelo de emoções emaranhadas se desfazendo como aqueles estranhos tumores que de vez em quando são encontrados no corpo humano e que podem ser vistos em qualquer museu de anatomia patológica que se preze. Ou será que os nossos examinadores eram pessoas do mesmo tipo e na realidade sabiam o que faziam? Seríamos então os seus herdeiros. No segundo ano, quando falávamos sobre o funcionamento dos mecanismos de defesa e descobríamos, admirados, o poder dessa parte da nossa psique, começávamos a entender que se não existissem os mecanismos da racionalização, sublimação e repressão — todos aqueles truques aos quais recorremos —, e fosse possível olhar para o mundo sem nenhum tipo de proteção, sincera e corajosamente, os nossos corações explodiriam.

Aprendemos naquela faculdade que somos compostos de defesas, escudos e armaduras, que somos cidades cuja arquitetura se resume a muralhas, paredes e fortificações: países de bunkers.

Conduzíamos todos os exames, as anamneses e pesquisas entre nós mesmos, mutuamente. Assim, depois do terceiro ano da faculdade, eu já sabia dar um nome para o que havia de errado comigo; foi como descobrir o meu próprio nome secreto, o nome com o qual se invoca a iniciação.

Não exerci a profissão para a qual me preparei por tanto tempo. Em uma das minhas viagens, quando fiquei presa sem dinheiro numa grande cidade e trabalhei como camareira, comecei a escrever um livro. Era uma história para ser lida em viagem, num trem — um livro que parecia ter sido escrito para mim mesma. Um livro-canapé para ser engolido de uma vez, sem mastigar.

Eu conseguia focar e me concentrar, e por algum tempo me tornei um orelhão monstruoso que escutava ruídos, ecos e sussurros; vozes distantes vindas de trás de alguma parede. No entanto, nunca virei uma verdadeira escritora — ou, melhor dizendo, escritor, pois é nesse gênero que essa palavra soa melhor. A vida sempre me escapava. Topava apenas com os seus rastros, a pele que se desprendia. Quando conseguia determinar a sua localização, ela já estava em outro lugar. Achava apenas sinais, como aquelas inscrições sobre a casca das árvores nos parques: "Estive aqui". Em minha escrita, a vida se transformava em histórias incompletas, contos oníricos, temas pouco claros, aparecia à distância em maravilhosas perspectivas deslocadas ou em cortes transversais — e era difícil tirar quaisquer conclusões referentes ao todo.

Quem já tentou escrever um romance sabe quão árdua é a tarefa, definitivamente um dos piores tipos de ocupações autônomas. É preciso permanecer trancado dentro de si o tempo todo, numa cela individual, em total solidão. É uma psicose controlada, paranoia e obsessão algemadas para funcionarem, privadas de penas, anquinhas ou máscaras venezianas, pelas quais as conhecemos. Em vez disso, andam vestidas de avental de açougueiro e galochas, com uma faca para evisceração na mão. Desse porão do escritor se enxerga apenas as pernas dos que passam, e se ouve o barulho dos saltos batendo contra o chão. De vez em quando alguém para, se inclina e dá uma olhada para o interior. Nessas horas é possível ver um rosto humano e até trocar algumas palavras. No entanto, na verdade, a mente está ocupada com o jogo que ela mesma executa diante de si num panóptico esboçado às pressas com riscos a lápis, distribuindo as figuras num palco provisório — autor e protagonista, narradora e leitora, aquele que descreve e a personagem descrita; pés, sapatos, saltos e rostos, cedo ou tarde, meros componentes desse jogo.

Não me arrependo de ter me dedicado a essa atividade particular: eu não seria uma boa psicóloga. Nunca soube como explicar, revelar fotografias de família da câmara escura das mentes. Lamento admitir, mas as confissões dos outros muitas vezes me deixavam entediada. Para ser honesta, com frequência preferiria inverter as relações e começar a falar sobre mim mesma. Precisava me vigiar para não segurar de repente uma paciente pela manga e interrompê-la no meio da frase: "O que a senhora está dizendo! Eu sinto isso de um modo completamente diferente! Aliás, deixe eu contar o sonho que tive!". Ou: "O que o senhor sabe sobre a insônia? Realmente é isso o que chama de um ataque de pânico? Deve estar brincando. O ataque que eu tive não faz muito tempo, por outro lado...".

Não sabia ouvir. Não respeitava os limites, caía em transferências. Não acreditava nas estatísticas ou em verificação de teorias. O postulado de uma personalidade para uma pessoa sempre me parecia demasiado minimalista. Tinha a tendência a borrar o óbvio, pôr em dúvida os argumentos irrefutáveis — era um vício, uma ioga perversa do cérebro, um prazer sutil de experimentar um movimento interno. Suspeitar de cada julgamento, sentir o seu gosto debaixo da língua e descobrir, por fim, que nenhum deles estava certo, eram todos falsos, imitações. Não queria ter opiniões fixas, seriam uma bagagem desnecessária. Nas discussões, nunca me posicionava só de um dos lados, e sei que os meus interlocutores não gostavam de mim por causa disso. Estava consciente de um fenômeno estranho que se desdobrava em minha cabeça: quanto mais argumentos "a favor" eu achava, tanto mais argumentos "contra" me vinham à mente. E quanto mais eu me prendia aos primeiros, tanto mais atraentes me pareciam os segundos.

Como poderia examinar os outros se eu própria tinha dificuldades em fazer qualquer teste? Diagnósticos de personalidade, pesquisas, várias colunas de perguntas e respostas de múltipla escolha me pareciam difíceis demais. Notei rapidamente essa minha deficiência, e por isso, quando examinávamos uns aos outros durante o estágio na faculdade, eu dava respostas aleatórias, ao acaso. Resultavam disso perfis estranhos — curvas em eixos de coordenadas. "Você acredita que a melhor decisão é aquela que pode ser mudada com a maior facilidade?" Será que eu acredito? Que decisão? Mudar? Quando? Com que facilidade? "Ao entrar num cômodo você toma a posição central ou periférica?" Em que cômodo? E quando? O cômodo está vazio ou junto da parede há sofás vermelhos de pelúcia? E as janelas — para onde dão? A pergunta sobre um livro: se eu prefiro ler em vez de ir a uma festa, ou se isso depende do tipo de livro e da festa em questão?

Que metodologia é essa! Parte-se, tacitamente, da premissa de que as pessoas não conhecem a si mesmas, mas se você as munir de perguntas espertas o suficiente, elas serão capazes de se descobrir. Elas se farão uma pergunta e darão a si mesmas uma resposta. Então, sem querer, revelarão a si mesmas o segredo de cuja existência não sabiam até ali.

E há aquela outra premissa, mortalmente perigosa — que somos constantes, e nossas reações são previsíveis.

A SÍNDROME

As crônicas das minhas viagens poderiam ser, na verdade, as crônicas de uma doença. Sofro de uma síndrome que pode ser facilmente encontrada em qualquer atlas de síndromes clínicas e que, de acordo com as fontes especializadas, está se tornando cada vez mais comum. O melhor seria darmos uma olhada na antiga edição (publicada nos anos 1970) de *As síndromes clínicas*, uma espécie de enciclopédia de síndromes. Para mim, ela também é uma fonte inesgotável de inspirações. Alguém mais teria coragem de descrever o homem em toda a sua integralidade, total e objetivamente? Usando com convicção o conceito de personalidade e atentando contra a tipologia inequívoca? Acho que não. O conceito da síndrome combina perfeitamente com a psicologia de viagem. A síndrome é pequena, portátil, episódica, e não tem o peso da teoria. É possível explicar algo por meio dela e depois jogá-la no lixo. É uma ferramenta cognitiva de uso único.

A minha se chama Síndrome de Detoxificação Perseverativa. Se traduzir isso literalmente, grosso modo, ela se resumiria apenas à seguinte definição: em sua essência, a consciência volta insistentemente a certas imagens, ou até as procura de modo compulsivo. É uma das variantes da Síndrome do Mundo Cruel (The Mean World Syndrome), bastante bem descrita na literatura neuropsicológica como um tipo particular de infecção propagada pela mídia. É, essencialmente, uma moléstia muito burguesa. O paciente passa longas horas diante da televisão percorrendo todos os canais com o controle remoto até encontrar aqueles com as notícias mais terríveis: guerras, epidemias e catástrofes. Fascinado com aquilo que vê, já não consegue desgrudar os olhos.

Os próprios sintomas não são perigosos e permitem viver tranquilamente caso se consiga manter distanciamento. Essa triste síndrome não costuma ser tratada, e a ciência se limita apenas a constatar amargamente a sua existência. Quando um paciente assustado o suficiente com seu próprio comportamento recorrer, enfim, à consulta de um psiquiatra, ele o aconselhará a cuidar mais da qualidade de vida — largar o café e o álcool, dormir num quarto bem arejado, trabalhar no jardim, tecer ou tricotar.

Meus sintomas se manifestam da seguinte forma: eu me sinto atraída por aquilo que poderia ser considerado quebrado, imperfeito, deficiente, roto. Interesso-me pelas formas indistintas, pelos erros na obra de criação, por becos sem saída. Por aquilo que devia ter se desenvolvido, mas por algum motivo permaneceu imaturo; ou pelo contrário — o que excedeu o planejamento inicial. Tudo o que não entra na norma, o que é pequeno ou grande demais, exuberante ou incompleto, monstruoso ou repugnante. Formas que não mantêm simetria, que se multiplicam, crescem para os lados, brotam, ou pelo contrário, reduzem a multiplicidade à unidade. Não me interessam acontecimentos repetitivos, sobre os quais a estatística se debruça com tanta atenção, celebrados por todos com um sorriso contente e familiar no rosto. Minha sensibilidade é teratológica, movida pelo gosto do monstruoso. Tenho uma convicção incessante e perturbadora de que dessa forma o ser verdadeiro sai para a superfície e revela a sua natureza. Uma revelação repentina e casual. Um vergonhoso "ai", a ponta da roupa íntima aparecendo debaixo de uma saia cuidadosamente plissada. Um esqueleto metálico e asqueroso que aparece de repente debaixo do estofado de veludo; a erupção da mola de dentro de uma poltrona acolchoada que desmascara descaradamente a ilusão de qualquer maciez.

O GABINETE DE CURIOSIDADES

Nunca fui uma grande fã de museus de arte e, se dependesse de mim, eu os substituiria com prazer pelos gabinetes de curiosidades onde se coleciona e expõe objetos raros, únicos, bizarros e disformes. Aquilo que existe na sombra da consciência e que, quando você espia, foge do seu campo de visão. Sim, com certeza sou portadora dessa síndrome infeliz. Não me atraem as coleções nos centros das cidades, mas me cativam as pequenas, localizadas junto dos hospitais, muitas vezes transferidas para os porões, tidas como indignas de exposições de valor, indícios do gosto duvidoso dos antigos colecionadores. Uma salamandra com duas caudas num vidro oval, com o focinho apontando para cima, à espera do Dia do Juízo Final, quando todos os seres preservados para a posterioridade enfim ressuscitarão. O rim de um golfinho em formol. A cabeça de uma ovelha, pura anomalia, com um duplo par de olhos, orelhas e focinhos, bela como a imagem de uma antiga deidade de natureza multifacetada. Um feto humano adornado com miçangas subscrito com uma letra caligrafada cuidadosamente: "*Fetus aethiopis 5 mensium*". Aberrações da natureza de duas cabeças ou mesmo desprovidas delas, que nunca nasceram e flutuam sonolentas na solução de formol. Ou o caso de *Cephalothoracopagus monosymetro*, até hoje exposto em certo museu na Pensilvânia, onde a morfologia patológica do feto de uma única cabeça e dois corpos põe em xeque os fundamentos da lógica 1 = 2. E, por fim, uma comovente amostra caseira e culinária: maçãs do verão de 1848 adormecidas em álcool, todas esquisitas, deformadas; alguém, aparentemente, chegou à conclusão de que todas essas aberrações da natureza merecem ser imortalizadas, e que sobreviverá apenas o que for diferente.

E eu, em minhas viagens, avanço pacientemente ao encontro desse tipo de coisa, rastreando os erros e as mancadas da criação.

Aprendi a escrever em trens, hotéis e salas de espera. Sobre mesas retráteis em aviões. Faço anotações durante o almoço debaixo da mesa ou no banheiro. Escrevo sentada sobre as escadarias nos museus, em cafés, num carro estacionado no acostamento. Faço anotações em pedaços de papel, em blocos de notas, em cartões-postais, na pele da mão, em guardanapos, nas margens dos livros. Na maioria das vezes são frases curtas, imagens, mas às vezes transcrevo trechos retirados dos jornais. Às vezes me sinto seduzida por alguma figura pescada na multidão e então desvio do meu itinerário para segui-la por um instante, e começar a contar uma história. É um bom método; estou aperfeiçoando-o. Com o passar dos anos, como acontece com todas as mulheres, o tempo virou meu aliado: eu me tornei invisível, transparente. Posso me deslocar feito um fantasma, olhar por cima dos ombros das pessoas, escutar as suas brigas e observá-las dormindo com a cabeça apoiada sobre a mochila, falando sozinhas, inconscientes da minha presença, movendo apenas os lábios, articulando palavras que eu pronunciei por elas.

VER É SABER

O propósito de minha peregrinação é sempre um outro peregrino. Desta vez um peregrino aleijado, aos pedaços.

Aqui, por exemplo, está uma coleção de ossos — mas apenas aqueles com algum defeito; colunas vertebrais retorcidas, pedaços de costelas que devem ter sido retirados de corpos igualmente retorcidos, dissecados, ressecados e até mesmo envernizados. Um pequeno algarismo ajudará a achar a descrição da doença em registros que deixaram de existir há muito tempo. Qual seria, então, a durabilidade do papel em comparação com a dos ossos? Deveriam ter feito as inscrições sobre os próprios ossos.

Eis um fêmur que algum curioso serrou na longitudinal para espiar o que havia dentro. Deve ter ficado desiludido com o que viu, pois amarrou ambas as partes com uma corda de cânhamo e, já pensando em outra coisa, guardou de volta no mostruário.

No mostruário há algumas dezenas de pessoas sem relação umas com as outras, separadas pelo tempo e pelo espaço. No entanto, agora estão num belíssimo túmulo, espaçoso e seco, bem iluminado, condenadas à eternidade museológica. Os ossos que travam uma eterna luta livre com a terra devem sentir inveja. E será que alguns deles — os ossos dos católicos — não se preocupam em não conseguir se encontrar no Juízo Final e não serem capazes de recompor esses corpos que pecavam e praticavam boas ações?

Caveiras com saliências de todas as estruturas imagináveis, perfuradas por balas, esburacadas, atrofiadas. Ossos das mãos degenerados por reumatismo. Um braço com fraturas múltiplas que se regenerou natural e aleatoriamente, uma dor persistente petrificada.

Ossos longos demasiado curtos e ossos curtos demasiado longos, tísicos, estampados por alterações. Você pode pensar que foram comidos pelas brocas. Pobres caveiras humanas dispostas em vitrines vitorianass iluminadas onde mostram as dentaduras em sorrisos largos. Esta, por exemplo, tem um enorme buraco no meio da testa, mas possui dentes lindos. O buraco teria sido mortal? Não necessariamente. Houve um homem, um engenheiro que construía ferrovias, que teve o cérebro perfurado por uma vara de metal e viveu com uma ferida assim por muitos anos. Dessa forma prestou, é evidente, um belo serviço à neuropsicologia, que anunciava que a nossa existência está contida no cérebro. Não morreu, mas mudou completamente. Segundo diziam, virou outra pessoa. E já que o cérebro determina aquilo que somos, então passemos logo à esquerda, para o corredor dos cérebros. Aqui estão eles! Anêmonas-do-mar cor de creme mergulhadas em soluções! Grandes e pequenas, algumas geniais e outras que não conseguiam contar até dois.

Mais adiante há uma área destinada aos fetos, seres humanos em miniatura: bonequinhos, corpinhos conservados em formol; tudo miniaturizado. Assim, um homem inteiro cabe dentro de um pequeno pote de vidro. Os menores — embriões quase invisíveis — são como alevinos, girinos, suspensos em uma crina de cavalo no abismo da solução de formol. Os maiores nos revelam a ordem do corpo humano, o seu maravilhoso embrulho. Pinguinho de gente, bebezinhos semi-hominídeos, a sua vida nunca passou do limite mágico da potencialidade. Possuem forma, no entanto, ainda não cresceram o suficiente para ganhar um espírito, talvez a presença dele dependa do tamanho da forma. Neles, com uma persistência sonolenta, a matéria começou a se organizar para a vida — se revestir de tecidos, formar sistemas de órgãos, consolidar redes; já começou a estruturar o olho e a preparar o pulmão, mesmo mantendo-se distantes da luz e do ar.

Em outra fileira estão os mesmos órgãos, mas agora já maduros, felizes que as circunstâncias lhes permitiram atingir o seu devido tamanho. Seu devido tamanho? Como eles sabiam o quão grandes deveriam ficar, e quando parar de crescer? Alguns não sabiam: esses intestinos continuavam a crescer, e os nossos professores tiveram dificuldade em achar um vidro em que coubessem. Tanto mais difícil é a tarefa de imaginar como cabiam dentro da barriga do homem que figura na etiqueta em forma de iniciais.

O coração. Todo o seu mistério foi desvendado para sempre — é uma massa amorfa do tamanho de um punho e sua cor é um marrom-claro encardido. Pois essa é a cor do nosso corpo — cor de creme parda, marrom pardo —, é feia, precisa ser gravada na memória. Não iríamos querer que essa fosse a cor das paredes da nossa casa ou a cor do nosso carro. É a cor das entranhas, da escuridão, dos lugares aonde o sol não chega, onde a matéria se esconde na umidade do olhar alheio, pois assim não precisa se exibir. A única extravagância que pôde ser oferecida foi para o sangue: o sangue é um aviso, a vermelhidão, o indício de que a concha do nosso corpo se abriu. E que a malha dos tecidos se rompeu.

Na realidade, por dentro, somos desprovidos de cor. O coração todo esvaziado do sangue parece mesmo uma meleca.

SETE ANOS DE VIAGEM

“Todo ano nós fazemos uma viagem, fazemos isso há sete anos, desde que nos casamos”, contava um jovem no trem. Ele estava usando uma capa preta longa e elegante e carregava uma pasta rígida que lembrava um sofisticado estojo para faqueiro.

"Temos um monte de fotos", explicava, "todas bem organizadas. O sul da França, a Tunísia, Turquia, Itália, Creta, Croácia, mesmo a Escandinávia." Dizia que costumavam ver as fotos várias vezes: primeiro com a família, a seguir no trabalho, e, enfim, com os amigos. Depois, durante anos, as fotos permaneciam guardadas, seguras em envelopes de plástico, como provas no armário de um detetive confirmando o fato de que "estivemos" lá.

Ficou pensativo e olhou através da janela para as paisagens que fugiam para algum lugar como se já estivessem atrasadas. Por acaso, não teria pensado: mas o que exatamente quer dizer "estivemos"? O que aconteceu com aquelas duas semanas na França que hoje podem ser comprimidas a apenas algumas lembranças — um repentino ataque de fome ao pé da muralha de uma cidade medieval e o vislumbre de uma noite passada numa taverna com o telhado coberto de parreira. O que aconteceu com a Noruega? Dela sobrou apenas a sensação da água gelada no lago e o dia que não queria terminar, e ainda a alegria de uma cerveja comprada um instante antes de a loja fechar, ou o deslumbramento ao ver um fiorde pela primeira vez.

"Ninguém pode tirar de mim aquilo que eu vi", o jovem resumiu, de repente animado, dando uma palmada na própria coxa.

ADIVINHAÇÃO À LUZ DE CIORAN

Outro homem, tímido e meigo, sempre que viajava a trabalho levava consigo o livro de Cioran, um daqueles com textos muito curtos. Nos hotéis, deixava-o sobre a mesa de cabeceira e logo depois de acordar abria ao acaso à procura do mote para o dia que começava. Achava que os exemplares da Bíblia de quarto de hotel na Europa deveriam ser trocados o quanto antes pela obra de Cioran. Desde a Romênia até a França. E que a Bíblia já perdera a sua atualidade para a adivinhação. Por exemplo, qual seria a utilidade do seguinte versículo quando, inadvertidamente, se revelasse numa sexta-feira em abril ou numa quarta em dezembro: "Todos os acessórios para o serviço geral da Habitação, todas as suas estacas e todas as estacas do átrio serão de bronze" (Êxodo 27,19). Qual poderia ser a interpretação disso? Aliás, ele próprio dizia que não precisaria ser necessariamente Cioran. Havia um tom desafiador em seu olhar quando ele continuou:

"Por que a senhora não propõe outra coisa?"

Não me ocorreu nada. Foi então que tirou da sua mochila um livro finíssimo e desgastado, abriu-o ao acaso e num instante o seu rosto resplandeceu.

"Em vez de prestar atenção nos rostos das pessoas que passavam, eu olhei para os seus pés, e todos aqueles tipos ocupados foram reduzidos a passos apressados — em direção a quê? E ficou claro para mim que a nossa missão era pastar na poeira em busca de um mistério despojado de qualquer coisa séria", ele leu com satisfação.

KUNICKI: ÁGUA I

Ainda não é meio-dia, ele não sabe exatamente que horas são, não olhou para o relógio, mas parece que está à espera há menos de quinze minutos. Recosta-se confortavelmente no banco e fecha os olhos; o silêncio é penetrante como um som alto e implacável. Não consegue pensar direito. Ainda não sabe que o silêncio ressoa feito um alarme. Afasta o banco do volante e estende as pernas. A sua cabeça pesa, o corpo segue o seu fardo e desaba no ar branco e escaldante. Ele não vai se mover. Vai apenas esperar.

Deve ter fumado um cigarro, talvez até dois. Depois de alguns minutos, saiu do carro e mijou num barranco à beira da estrada. Parece que nenhum carro passou por ele, mas agora já não tem certeza disso. Depois voltou para dentro e bebeu água de uma garrafa de plástico. Por fim, começou a ficar inquieto. Buzinou com vontade e um som ensurdecedor precipitou uma onda de raiva que o trouxe de volta à realidade. Desanimado, ele agora vê tudo com mais clareza: sai do carro de novo e vai atrás deles seguindo a trilha, repetindo na cabeça, distraidamente, as palavras que dirá em seguida: "Droga, por que vocês estão demorando tanto? O que estão fazendo?".

É um campo de oliveiras, seco que nem pó. A grama crepita debaixo dos sapatos. Por entre as oliveiras retorcidas crescem amoreiras silvestres, os brotos tentam se meter na trilha e agarrar sua perna. Há lixo por todos os lados: lenços de papel, absorventes que despertam asco, excrementos humanos cheios de moscas. Outras pessoas também param na beira da estrada para fazer as necessidades. Não se dão ao trabalho de adentrar o mato, mesmo ali têm pressa.

Não há vento. Nem sol. O céu branco e imóvel lembra o teto de uma barraca. O ar está abafado. As partículas de água incham no ar e o cheiro do mar está por toda parte — de eletricidade, de ozônio, de peixe.

Ele percebe um movimento, não por entre as árvores, mas aqui, aos seus pés. Um enorme besouro negro atravessa a trilha; por um momento examina o ar com as antenas e para, visivelmente consciente da presença humana. O céu branco se reflete em sua carapaça perfeita como uma mancha leitosa e, por um instante, Kunicki tem a impressão de que um olho peculiar o fita a partir do solo, um olho que não pertence a nenhum corpo, desprendido, abnegado. Kunicki roça levemente a terra com a ponta da sandália. O besouro percorre a trilha, a grama seca farfalha sob o seu movimento. Ele desaparece por entre as amoreiras. É tudo.

Kunicki volta para o carro xingando e ainda mantém a esperança de que ela e o menino tenham regressado por um caminho mais longo. Sim, tem certeza disso. Vai lhes dizer: "Estou procurando vocês faz uma hora! O que estavam fazendo, diabos?".

Ela disse: "Pare o carro". E quando parou, ela desceu e abriu a porta de trás. Tirou o menino da cadeirinha, pegou a sua mão e foram andando juntos. Kunicki não tinha vontade de sair do carro, estava com sono, cansado, embora tivessem percorrido uma distância de poucos quilômetros. Apenas olhou para eles com o canto do olho, desatento, não sabia que devia olhar. Agora está tentando evocar essa imagem embaçada, torná-la mais nítida, aproximá-la e retê-la. Então ele os vê de costas andando pela trilha crepitante. Parece que ela está usando uma calça clara de linho e uma blusa preta, o menino, uma camiseta de malha com a imagem de um elefante — tem certeza disso porque foi ele quem o vestiu de manhã.

Enquanto andam, conversam, mas ele não pode ouvir o que dizem: não sabia que devia prestar atenção. Então eles desaparecem no meio das oliveiras. Não sabe quanto tempo se passou, mas provavelmente pouco. Quinze minutos, talvez um pouco mais, está perdido no tempo, não olhou para o relógio. Não sabia que devia verificar as horas. Detestava quando ela perguntava: "Em que você está pensando?". Respondia que em nada, mas ela não acreditava. Dizia que é impossível não pensar, ficava irritada. Mas, sim, agora Kunicki sente uma espécie de satisfação, consegue não pensar em nada. Sabe fazê-lo.

No entanto, mais tarde, ele para de repente no meio do matagal de amoreiras, fica imóvel, como se seu corpo, ao tentar alcançar os rizomas da amoreira, tivesse encontrado involuntariamente um novo ponto de equilíbrio. O zum-zum de moscas e o zunido na cabeça acompanham o silêncio. Por um instante ele se vê de cima: um homem trajando uma calça cargo banal, camiseta branca, uma pequena calvice no topo da cabeça, parado no meio de uma moita, um intruso, hóspede numa casa alheia. Um homem exposto a uma fuzilaria, liberado no meio de um cessar-fogo momentâneo durante uma batalha na qual estão envolvidos o céu ardente e a terra ressecada. Está em pânico; queria se esconder agora, fugir para o carro, mas o seu corpo o ignora, não consegue mexer o pé, se obrigar a fazer qualquer movimento, a dar um passo. Não sabia que isso era tão difícil, as conexões foram cortadas. O pé dentro da sandália virou uma âncora que o segura junto à terra, ficou preso. Conscientemente, com esforço, surpreso consigo mesmo, o obriga a fazer um movimento. Não há nenhuma outra forma de sair daquele espaço quente e ilimitado.

Eles chegaram no dia 14 de agosto. A balsa vinda de Split estava lotada — muitos turistas, mas a maioria moradores locais que levavam compras feitas no continente, onde os preços são mais acessíveis. As ilhas são pouco férteis. Foi possível distinguir os turistas com muita facilidade. Quando o sol começou a submergir no mar, eles passaram para estibordo e apontaram as máquinas fotográficas para ele. A balsa passava devagar por ilhas esparsas, e depois pareceu zarpar para o alto-mar — era um sentimento desagradável, um breve e irrisório momento de pânico.

Acharam sem dificuldade a pousada onde estavam ficando, chamada Posídon. O proprietário barbudo, Branko, vestindo uma camiseta estampada com uma concha, pediu para tratá-lo pelo primeiro nome. Deu um tapinha amigável nas costas de Kunicki e os guiou ao andar superior de uma estreita casa de pedra à beira-mar e, orgulhoso, mostrou o apartamento. Tinham à sua disposição dois quartos e num canto uma pequena copa mobiliada tradicionalmente com armários laminados. As suas janelas davam para a praia e para o mar. Debaixo de uma delas tinha acabado de brotar uma agave. A flor presa a um caule firme erguia-se triunfalmente sobre a água.

Ele pega o mapa da ilha e pondera as possibilidades. Ela pode ter perdido a orientação e simplesmente saído para a estrada em outro ponto. Deve estar em outro lugar agora, talvez até pare algum carro, peça carona e siga viagem, mas para onde? De acordo com o mapa, a estrada traça uma linha tortuosa que atravessa toda a ilha, de modo que você pode percorrer o caminho inteiro sem nunca se aproximar do mar. Foi assim que visitaram Vis há poucos dias.

Ele coloca o mapa no banco dela, sobre a sua bolsa, e liga o motor. Segue devagar, tentando avistá-los no meio das oliveiras. Mas, depois de alguns quilômetros, a paisagem muda: o campo de oliveiras cede lugar a terrenos baldios pedregosos, cobertos de grama seca e amoreiras. As pedras brancas de calcário estão arreganhadas como se fossem enormes dentes perdidos por alguma criatura selvagem. Retorna depois de alguns quilômetros. À sua direita avista videiras de um verde deslumbrante e no meio delas, aqui e acolá, pequenos casebres de pedra para guardar as ferramentas, vazios e sombrios. No melhor dos casos, ela se perdeu, ou talvez tenha desmaiado, ela ou o menino, está muito abafado, um calor infernal. Talvez estejam precisando de ajuda urgente, e ele, em vez de fazer algo, anda à toa pela estrada. Que idiota, ele pensa — como não percebeu isso antes? O seu coração começa a bater com mais força. Talvez ela tenha tido uma insolação. Ou pode ter quebrado a perna.

Volta e buzina algumas vezes. Passam dois carros alemães. Verifica o horário. Já se passou mais ou menos uma hora e meia, o que significa que a balsa já partiu: engoliu os carros, fechou as portas e zarpou para o alto-mar, um poderoso navio branco. A cada minuto que passa, extensões cada vez mais vastas daquele mar indiferente o separam da balsa. Kunicki tem um mal pressentimento que seca sua boca. É um pressentimento relacionado com esse lixo à margem da estrada, com as moscas e os excrementos humanos. Entendeu. Eles desapareceram. Sumiram. Sabe que não estão no meio das oliveiras, mas mesmo assim corre para lá pela trilha queimada e os chama sem acreditar que irão lhe responder.

É a hora da sesta, a cidadezinha já está quase vazia. Na praia, junto da estrada, três mulheres soltam uma pipa azul. Ele as vê nitidamente ao estacionar o carro. Uma delas tem calças cor de creme que apertam as suas grandes nádegas.

Ele encontra Branko sentado à mesa de um pequeno café acompanhado de dois outros homens. Estão tomando *pelinkovac* com gelo, como se fosse uísque. Branko sorri ao vê-lo, surpreso.

"Você se esqueceu de algo?", ele pergunta.

Eles lhe oferecem uma cadeira, mas Kunicki não senta. Quer contar tudo em ordem cronológica, passa a falar em inglês, mas ao mesmo tempo, em uma outra parte da cabeça, fica imaginando, como se fosse um filme, o que se faz numa situação dessa. Diz que eles desapareceram, Jagoda e o menino. Diz onde e quando. Diz que os procurou e não achou. Então Branko pergunta:

"Vocês brigaram?"

Responde que não, o que é verdade. Os dois homens bebem o resto de *pelinkovac*. Ele também fica com vontade. Sente na boca aquele sabor agridoce. Branko recolhe da mesa, devagar, o maço de cigarros e o isqueiro. Os outros também se levantam relutantemente, como se estivessem se concentrando antes de uma luta, ou talvez preferissem ficar sentados ali, à sombra do toldo. Todos irão lá, mas Kunicki insiste que precisa chamar a polícia primeiro. Branko hesita. Fios de cabelos brancos despontam na sua barba. Em sua camiseta amarela, o desenho da concha e o letreiro "Shell" começam a ficar vermelhos.

"Talvez ela tenha descido para a praia?"

Talvez sim. Eles chegam a um acordo: Branko e Kunicki voltarão ao mesmo local na estrada, e os dois outros irão à delegacia para telefonar para Vis. Branko explica que há apenas um policial em Komiža, e que só em Vis se encontra uma autêntica delegacia. Os copos com o gelo derretido ficam sobre a mesa.

Kunicki reconhece sem nenhuma dificuldade uma pequena baía junto à estrada onde havia parado anteriormente. Parece que aquilo aconteceu há séculos, agora o tempo flui de forma diferente, está denso e acre, composto de sequências. O sol aparece de trás de nuvens brancas, e de repente surge uma onda de calor.

"Buzine", diz Branko, e Kunicki aperta a buzina.

O som é prolongado, lastimoso, como a voz de um animal. Então silencia e se desfaz em ecos minúsculos de cigarras.

Eles adentram o mato de oliveiras, berrando de vez em quando. Encontram-se apenas na altura do vinhedo e, depois de uma rápida conversa, decidem atravessá-lo. Vão avançando pelas fileiras sombrias, chamando a mulher desaparecida pelo nome: "Jagoda, Jagoda!".* Kunicki está consciente do significado desse nome, já havia se esquecido disso, e subitamente tem a impressão de participar de um antigo ritual, embaçado, grotesco. Debaixo dos arbustos pendem bagos roxos, escuros e inchados, perversos mamilos multiplicados, e ele está perdido no meio de labirintos de folhas, gritando: "Jagoda, Jagoda!". A quem ele está se dirigindo? Por quem está procurando?

Precisa parar por um momento, sente pontadas no flanco; se dobra ao meio por entre fileiras de plantas. Mergulha a cabeça numa sombra refrescante, a voz de Branko silencia, abafada pela folhagem, e Kunicki ouve o zunido de moscas — o familiar urdume do silêncio.

* Mirtilo em polonês. [N. T.]

Depois do vinhedo começa outro, separado apenas por uma trilha estreita. Eles param e Branko liga do seu celular. Repete duas palavras "*žena*" e "*dijete*", "esposa" e "filho" — Kunicki é capaz de entender apenas essas duas. O sol fica alaranjado, enorme, inchado, e desvanece rapidamente diante dos seus olhos. Em pouco tempo será possível olhar para ele de frente. Os vinhedos, por sua vez, estão adquirindo uma cor verde intensamente escura. Duas figuras humanas permanecem impotentes nesse mar verde listrado.

Ao cair da tarde, alguns carros e um pequeno grupo de homens já estão na estrada. Kunicki está sentado num carro identificado como "*Policija*" e com a ajuda de Branko responde a perguntas de um policial grande e suado que lhe parecem caóticas. Fala usando um inglês rudimentar. "*We stopped. She went out with the child. They went right, here.*" Aponta com a mão. "*I was waiting, let's say, fifteen minutes. Then I decided to go and look for them. I couldn't find them. I didn't know what have happen.*" Recebe uma água mineral morna e a toma em goles desesperados. "*They are lost.*" E depois acrescenta outra vez: "*Lost*". O policial liga para alguém do seu celular. "*It is impossible to be lost here, my friend*", diz para ele, esperando pela ligação. Kunicki fica impressionado com o "*my friend*". Depois ressoa o walkie-talkie. Antes que avancem numa linha frontal irregular para o interior da ilha, se passará mais uma hora.

Durante esse tempo, o sol inchado vai se pôr sobre os vinhedos, e quando eles subirem para o alto da montanha, descobrirão que ele já está roçando a superfície do mar. Gostem ou não, viram testemunhas de uma demora operística de seu poente. Por fim, os homens ligam as suas lanternas. Na escuridão descem para a margem alta e escarpada da ilha onde há uma miríade de pequenas enseadas e verificam duas delas. Em cada uma há casas de pedra habitadas por turistas mais excêntricos que não gostam de hotéis e preferem pagar mais pela falta de acesso à água potável e à eletricidade. As pessoas cozinham em fogões de pedra ou levam consigo botijões de gás. Pescam peixes que vão diretamente do mar para a grelha. Não, ninguém viu uma mulher com uma criança. Daqui a pouco vão jantar — sobre as mesas surgem pães, queijos, azeitonas e os coitados dos peixes que ainda à tarde se entregavam às suas frívolas atividades no mar. De tempos em tempos Branko liga para o hotel em Komiža — Kunicki lhe pede isso, pois tem a impressão de que ela pode estar perdida e que pode ter conseguido chegar lá por outro caminho. Mas depois de cada telefonema, Branko apenas lhe dá um tapinha nas costas.

Por volta de meia-noite o grupo de homens se dispersa. Entre os restantes há dois que Kunicki havia visto sentados à mesa em Komiža. Enquanto se despedem aproveitam para se apresentar: chamam-se Drago e Roman. Vão juntos para o carro. Kunicki agradece a ajuda, não sabe como demonstrar a gratidão, se esqueceu de como se fala "obrigado" em croata; deve ser algo parecido com "*djakuju*" ou "*djakuje*". Na verdade, com um pouco de boa vontade poderiam inventar juntos alguma "*koiné*" eslava, um conjunto de palavras semelhantes, versáteis, usadas sem a gramática, em vez de mergulhar na versão dormente e simplificada do inglês.

No meio da noite um barco atraca a sua casa. Precisam ser evacuados por causa da enchente. A água já subiu até o primeiro andar dos edifícios. Na cozinha, já se infiltra nas juntas dos azulejos e se derrama pelas tomadas elétricas em fluxos mornos. Os livros incharam por causa da umidade. Abre um e vê que as letras se desmancham feito maquiagem, deixando as folhas vazias, borradas. Descobre que todos já haviam sido evacuados no transporte anterior, ficou apenas ele.

Em seu sono, ele ouve as gotas de água caindo vagarosamente do céu, prestes a ser tornar um aguaceiro violento e breve.

BENEDICTUS, QUI VENIT

Abril na rodovia, raios de um sol vermelho no asfalto, o mundo revestido de um glacê da chuva recente como se fosse um bolo de Páscoa. Vou dirigindo o carro numa Sexta-Feira Santa, no crepúsculo, em algum lugar entre a Bélgica e a Holanda, não sei exatamente onde pois a fronteira desapareceu; sem uso, se apagou por completo. A rádio toca um réquiem. No Benedictus, os postes ao longo da rodovia se acendem como se quisessem legitimar a bênção que recebo involuntariamente.

Mas, para dizer a verdade, isso deve significar apenas uma coisa: que entrei na Bélgica, onde, para a alegria dos viajantes, há o costume amável de iluminar todas as rodovias.

PANOPTICUM

Panopticum e *Wunderkammer*, de acordo com o que aprendi no guia do museu, constituem uma dupla respeitável que antecedeu a existência dos museus. Eram exposições de coleções das mais diversas curiosidades trazidas pelos seus proprietários das viagens próximas e distantes.

No entanto, não se pode esquecer que Bentham chamou de panóptico o seu genial sistema de vigilância prisional, que tinha como objetivo criar um espaço que permitisse a observação constante de cada um dos presos.

KUNICKI: ÁGUA II

"A ilha não é assim tão grande", diz Djurdżica, a esposa de Branko, enquanto derrama um café forte e espesso na sua xícara pela manhã.

Todos repetem isso como se fosse um mantra. Kunicki entende o que eles estão tentando lhe dizer, ele próprio sabe que a ilha é pequena demais para alguém se perder nela. Tem pouco mais que dez quilômetros de comprimento e apenas duas cidadezinhas maiores, Vis e Komiža. É possível explorá-la detalhadamente, centímetro por centímetro, como uma gaveta. E em ambas as cidadezinhas as pessoas se conhecem bem. As noites são cálidas, as vinhas cobrem os campos, e os figos já estão quase maduros. Mesmo que tivessem se perdido, estariam bem — não teriam morrido de fome ou de frio, e dificilmente seriam devorados por animais silvestres. Teriam passado a noite sobre uma grama seca, aquecida pelo sol, debaixo de uma oliveira, ouvindo o murmúrio sonolento do mar. Uma distância de menos de três ou quatro quilômetros separa todos os pontos na ilha. Nos campos, há casinhas de pedra com prensas e barris para guardar vinho, algumas abastecidas com comida e velas. No café da manhã, comeriam um cacho de uvas maduras ou uma refeição normal com os turistas numa das enseadas.

Eles descem para a frente do hotel onde um outro policial, mais jovem, os espera. Por um instante, Kunicki tem esperança de que ele veio com boas novas, mas o oficial pede o seu passaporte. Anota os dados cuidadosamente e diz que irão procurá-los também no continente, em Split. E em outras ilhas vizinhas.

"Ela pode ter seguido pela costa", explica.

"Não tinha dinheiro. *No money*. Está tudo aqui", Kunicki mostra a bolsa e tira dela a carteira vermelha, bordada com miçangas. Ele a abre e mostra para o policial, que dá de ombros e anota o endereço deles na Polônia.

"Quantos anos tem a criança?"

Kunicki responde que tem três.

Dirigem pela estrada sinuosa que os leva de volta para o mesmo lugar. O dia promete ser quente e ensolarado, tudo parece superexposto como numa fotografia. Todas as imagens desaparecerão dela ao meio-dia. Kunicki pensa na possibilidade de fazer a busca de cima, de um helicóptero, pois a ilha é quase toda descampada. Pensa também nos chips implantados em animais, nos pássaros migratórios, nas cegonhas e nos grous, que não estão disponíveis para as pessoas. Todos deveriam ter um chip assim, para a sua própria segurança. Depois, seria possível rastrear qualquer movimentação humana pela internet — os trajetos, as paradas para descanso, quando as pessoas começam a se perder. Quantas vidas poderiam ser salvas! Tem diante de seus olhos a imagem da tela de um computador — linhas coloridas demarcadas pelas pessoas, rastros contínuos, sinais. Círculos e elipses, labirintos. Talvez mesmo oitos deitados e inacabados, ou espirais interrompidas inesperadamente.

Há um cachorro, um pastor preto; eles lhe mostram o suéter dela que estava no banco de trás. O cachorro fareja ao redor do carro, e depois avança pela trilha que leva por entre as oliveiras. Subitamente, Kunicki sente um surto de energia, tudo está prestes a ser esclarecido. Correm atrás do cachorro. O pastor para no local onde os dois devem ter feito as necessidades, embora não haja nenhum vestígio deles. Parece satisfeito — mas peraí, cachorro, isso não é tudo. Onde estão as pessoas, aonde foram? O cachorro não entende o que querem dele, mas relutantemente prossegue, agora para o outro lado, na estrada, afastando-se dos vinhedos.

Então ela foi andando pela estrada principal, pensa Kunicki, deve ter se enganado. Pode ter saído num ponto mais adiante e esperado por ele umas centenas de metros dali. Não teria ouvido a buzina? E depois? Talvez alguém tenha lhes dado carona, mas já que ainda não tinham aparecido, para onde esse desconhecido os teria levado? Esse alguém. Uma figura indistinta, embaçada, de ombros e nuca largos. Um sequestro. Teria batido neles e os metido no porta-malas? Levou-os na balsa para o continente, agora devem estar em Zagreb ou Munique ou em qualquer outro lugar. Mas como teria conseguido atravessar a fronteira com dois corpos inconscientes no porta-malas?

No entanto, o cachorro vira e entra correndo num barranco vazio transversal à estrada, numa cavidade profunda e pedregosa, dirigindo-se para baixo, ao longo das pedras. Pode-se ver um pequeno vinhedo abandonado lá embaixo, e uma casinha de pedras que parece um quiosque coberto com uma chapa ondulada e enferrujada. Diante da porta há uma pilha de gravetos secos de parreiras, talvez para queimar. O cachorro dá voltas ao redor da casa e retorna para a porta, mas ela está trancada. Eles levam um momento para perceber isso. O vento espalhou gravetos secos até a soleira. Obviamente ninguém poderia ter entrado por lá. O policial olha para dentro pelos vidros sujos e então começa a sacudir a janela, cada vez mais forte, até arrombá-la. Todos olham para dentro, atingidos pelos cheiros de mosto e de mar.

O walkie-talkie chia, dão água para o cachorro e o fazem cheirar o suéter outra vez. Agora ele dá três voltas ao redor da casa, retorna para a estrada e, depois de alguma hesitação, segue pelo mesmo caminho na direção de algumas rochas nuas, cobertas apenas parcialmente com gramas secas. Do precipício é possível avistar o mar. Todos os homens que participam das buscas estão parados ali com os rostos virados para a água.

O cachorro perde o rastro, dá a volta e, enfim, deita no meio da trilha.

"*To je zato jer je po noči padała kiša*", diz alguém em croata e Kunicki entende que eles discutem o fato de que choveu na noite passada.

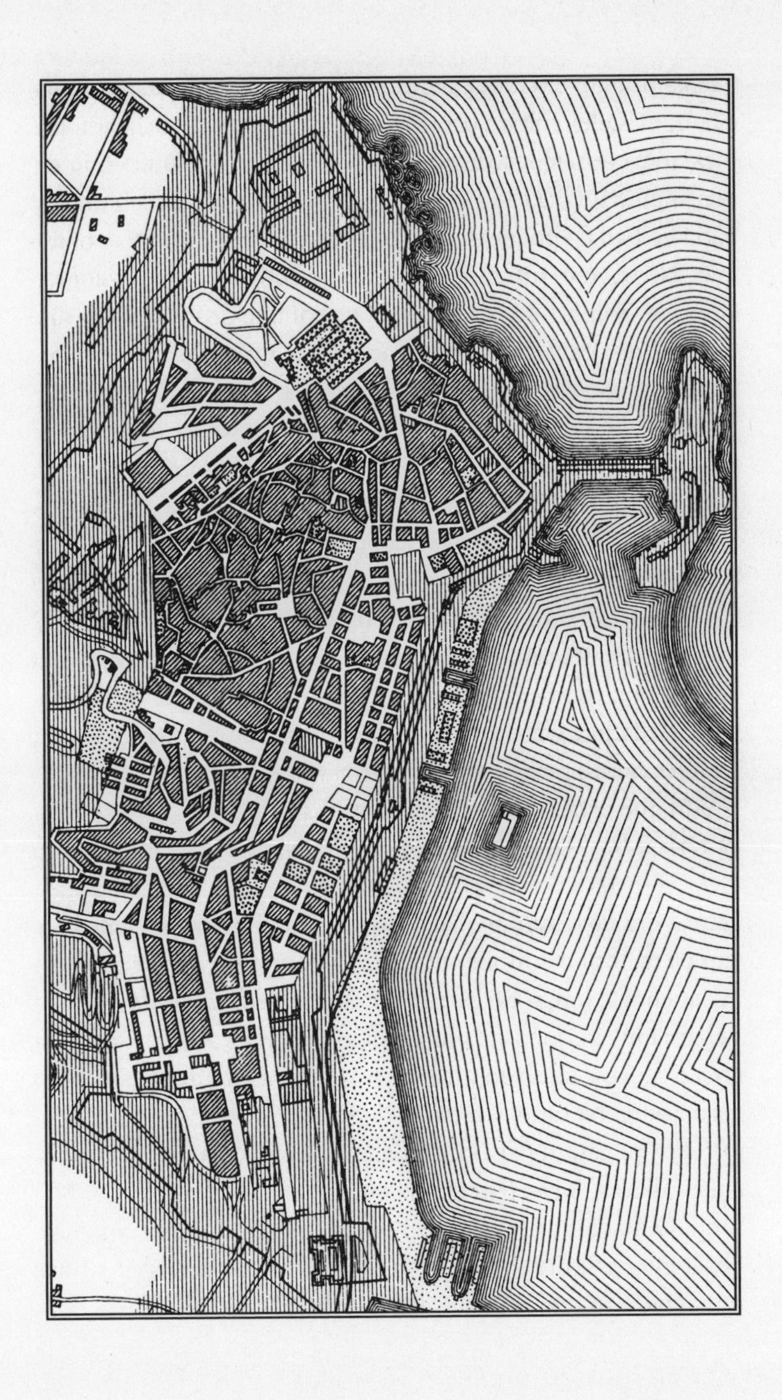

Chega Branko e o leva para um almoço tardio. A polícia ainda fica lá, mas eles voltam para Komiža. Quase não conversam. Kunicki tem consciência de que Branko não sabe o que dizer, ainda mais numa língua estrangeira. Tudo bem, então, é melhor que não fale nada. Pedem um peixe frito num restaurante à beira-mar. Não é nem um restaurante, mas a cozinha de uns conhecidos de Branko. Todos ali são seus conhecidos. Também são fisicamente parecidos, têm traços bem definidos, rostos fustigados pelo vento, uma tribo de lobos do mar. Branko põe vinho no copo de Kunicki e o incentiva a beber tudo. Ele próprio também bebe num trago só. Depois não lhe deixa pagar a conta. Recebe um telefonema.

"*They manage to got a helicopter, an airplane. Police*", diz Branko.

Eles elaboram um plano de busca ao longo da costa da ilha no barco de Branko. Kunicki liga para os seus pais na Polônia. Ouve a voz rouca, familiar de seu pai e lhe diz que precisam ficar ainda por três dias. Não dirá a verdade. Está tudo bem, simplesmente precisam ficar. Liga também para o trabalho dizendo que está com uns probleminhas e pede mais três dias de férias. Não sabe por que diz "três dias".

Ele espera por Branko no cais. Branko surge usando a mesma camiseta com o símbolo da concha vermelha, mas é uma camiseta nova, limpa e fresquinha — deve ter muitas desse tipo. Acham uma pequena chalupa entre os barcos atracados. A inscrição azul bastante desajeitada no bordo da embarcação anuncia o nome: Netuno. E é então que Kunicki lembra que a balsa que eles pegaram para chegar ali se chamava *Posídon*. Muitas coisas, bares, lojas, barcos são chamados de Posídon. Ou Netuno. O mar lança esses dois nomes como se fossem conchas. Seria interessante saber como se consegue o copyright com um deus, Kunicki pensa. Com que lhe pagam?

Acomodam-se na chalupa pequena e apertada que lembra uma lancha com uma cabine de madeira fajuta feita com tábuas. Branko guarda lá garrafas de água cheias e vazias. Em algumas delas há vinho de sua vinícola, um vinho branco bom e forte. Todos na ilha têm a sua vinícola e o seu vinho. Branko tira o motor da cabine e monta-o na popa. Consegue ligá-lo na terceira vez e a partir daquele momento precisam gritar para se comunicar. O barulho é insuportável, mas um instante depois o cérebro se acostuma como se fosse uma roupa quente de inverno que separa o corpo do resto do mundo. Esse ruído o faz imergir devagar na vista da enseada e do porto, que vão se encolhendo à medida que se afastam. Kunicki avista a casa em que se hospedaram, inclusive as janelas da cozinha e a flor de agave apontada para o céu como se fosse um fogo de artifício petrificado, uma ejaculação triunfante.

Em seus olhos tudo se encolhe e se desmancha: as casas numa linha escura e irregular, o porto numa nódoa branca caótica atravessada pelos riscos dos mastros; e sobre a cidadezinha se erguem as montanhas, nuas, cinzentas, salpicadas com o verde das vinícolas. E elas crescem, se tornam enormes. De dentro, a partir da estrada, a ilha parecia pequena, mas agora é possível ver a sua potência: as rochas formando um cone monumental, um punho lançado para fora da água.

Quando viram à esquerda, ao sair da enseada para o alto-mar, o litoral da ilha parece íngreme e assustador.

As cristas brancas das ondas que se chocam contra as rochas e os pássaros alarmados pela presença do barco são a fonte de movimento. Quando voltam a ligar o motor, os pássaros espantados desaparecem. A linha vertical de um jato rasga o céu, dividindo-o em duas folhas. O avião se dirige para o sul.

Zarpam. Branko acende dois cigarros e passa um para Kunicki. Fumar se torna difícil, gotículas de água respingam debaixo da proa e pousam em tudo.

"Olhe para a água", Branko grita. "Para tudo que flutua."

Quando se aproximam da enseada com a gruta, avistam um helicóptero que se desloca na direção oposta. Branko fica em pé no meio da chalupa e acena com as mãos. Kunicki olha para a aeronave, quase feliz. A ilha é pequena, pensa pela centésima vez, não há nada que possa se esconder do olhar daquela enorme libélula mecânica, tudo poderá ser visto como na palma da mão.

"Vamos até o Posídon", grita para Branko, mas ele não parece convencido.

"Não há como passar lá", grita de volta.

No entanto, a chalupa vira e reduz a velocidade. Eles passam no meio das rochas com o motor desligado.

Esta parte da ilha deveria se chamar Posídon, como tudo, pensa Kunicki. Deus construiu aqui as suas próprias catedrais: naves, cavernas, colunas e coros. As linhas são imprevisíveis, o ritmo, falso e irregular. As rochas negras e magnéticas brilham com a água, como se tivessem sido revestidas de um raro metal escuro. Agora, ao crepúsculo, essas construções são impressionantemente tristes, é a quintessência do abandono, ninguém jamais rezou neste lugar. De repente, Kunicki tem a sensação de que está vendo os protótipos das igrejas humanas, de que todas as excursões deveriam passar por ali antes de visitarem Reims ou Chartres. Ele quer compartilhar essa descoberta com Branko, mas o barulho é demasiado alto para conversar. Avistam um barco maior com a inscrição "Polícia, Split" que está navegando ao longo da costa íngreme. As duas embarcações se aproximam e Branko fala com os policiais. Não há quaisquer vestígios, nada. Ao menos é o que Kunicki acha, pois o ruído do motor abafa a conversa. Parece que se comunicam através do movimento dos lábios e do gesto suave, desesperançado de dar de ombros que não combina com suas camisas brancas ornadas com dragonas. Pedem para retornar porque vai escurecer em breve. É a única coisa que Kunicki ouve: "Retornem". Branko acelera e isso soa como uma explosão. A água fica dormente, as ondas se dispersam no mar, miúdas como calafrios.

Atracar à ilha agora é muito diferente do que durante o dia. Primeiro, avistam luzes cintilantes que se tornam cada vez mais desiguais entre si, formando fileiras. Crescem enquanto a noite cai, ganham singularidade, distinção. As luzes dos iates que atracam ao cais não são as mesmas luzes nas janelas das casas. Os letreiros iluminados são distintos das luzes dos carros em movimento. Uma vista segura de um mundo domado.

Por fim, Branko desliga o motor e a chalupa segue em direção à costa. De repente, o fundo do barco arranha as pedras. Eles chegaram à pequena praia municipal ao pé do hotel, longe do cais. Agora Kunicki vê por quê. Junto da rampa e da praia há uma viatura da polícia. Dois homens de camisas brancas estão claramente esperando por eles.

"Parece que querem falar com você" — diz Branko e abalroa o barco. De repente, Kunicki desfalece, está com medo do que pode ouvir. Que os corpos foram achados. É disso que tem medo. Vai até eles com as pernas bambas.

Graças a Deus se trata de um simples interrogatório. Não, não tem nada de novo. No entanto, já se passou tanto tempo que o caso tornou-se sério. Levam-no para a delegacia pela mesma e única estrada em Vis. Já está completamente escuro, mas parece que conhecem bem o caminho, pois não diminuem a velocidade nem nas curvas. Rapidamente passam pelo local onde ele os perdeu.

Na delegacia, outras pessoas esperam por ele: o tradutor, um homem alto e vistoso que fala, com toda a sinceridade, um polonês rudimentar, e um oficial de polícia. Fazem perguntas rotineiras com certa indiferença, e ele percebe que virou um suspeito.

Levam-no de volta para o hotel. Ele desce da viatura e faz menção de entrar. Mas só está disfarçando. Espera no pequeno corredor escuro até eles partirem e o barulho do motor da viatura silenciar. Depois, sai para a rua. Vai em direção à maior concentração das luzes, ao calçadão junto do cais onde estão todos os cafés e restaurantes. Mas já está tarde e, apesar de ser uma sexta-feira, o lugar não está cheio. Deve ser uma ou duas horas da madrugada. Ele procura por Branko entre os poucos clientes sentados às mesas, mas não o encontra lá, não vê a camiseta com a concha. Há alguns italianos, uma família inteira, estão terminando de comer, vê também duas pessoas mais idosas que bebem alguma coisa com um canudo e observam a ruidosa família italiana. Duas mulheres de cabelos claros, viradas de frente uma para a outra, roçam os seus ombros, entretidas com a conversa. Os homens locais, pescadores, um casal. Que alívio que ninguém lhe dê atenção... Vai pela margem da sombra, junto da orla, sentindo o cheiro dos peixes e a brisa morna, salgada, vinda do mar. Tem vontade de virar e subir por uma das ruazinhas que levam para a casa de Branko, mas não se atreve. Devem estar dormindo. Senta-se, então, a uma mesa pequena na ponta do terraço de um restaurante. O garçom o ignora.

Ele observa os homens que chegam à mesa ao lado. Sentam-se e colocam uma cadeira a mais, estão em cinco. Antes que o garçom vá até eles, e antes que peçam os aperitivos, já estão unidos por um pacto silencioso e invisível.

Têm idades diferentes, dois deles têm barbas espessas, mas todas as suas diferenças logo desaparecem no círculo que acabaram de formar involuntariamente. Falam, mas não importa o quê. É quase como se estivessem se preparando para cantarem juntos, fazendo o aquecimento vocal. O riso preenche o espaço dentro do círculo — as piadas, mesmo as conhecidas, são bem-vindas, ou mesmo exigidas. A risada é grave, vibrante, domina o espaço e obriga as turistas, senhoras de meia-idade sentadas à mesa vizinha, a se calarem. O riso atrai olhares curiosos.

Estão preparando a sua plateia. A chegada do garçom com uma bandeja cheia de aperitivos vira uma abertura, e o próprio garçom, um moço, se torna um apresentador inconsciente que anuncia a dança, a ópera. Eles se animam ao vê-lo, uma mão se ergue e lhe aponta o lugar — aqui. Um instante de silêncio e em seguida as bordas dos copos de vidro são levadas às bocas. Alguns deles, os mais impacientes, não conseguem manter os olhos abertos, exatamente como na igreja, quando o padre coloca solenemente a hóstia branca na língua estendida. O mundo está pronto para uma virada — apenas por conveniência o chão está debaixo dos pés e o teto sobre as cabeças. O corpo já não pertence a ele mesmo, no entanto, faz parte de uma cadeia viva, constitui um pedaço de um círculo vivo. Assim, os copos se dirigem para as bocas e o próprio momento de esvaziá-los é quase imperceptível, é um ato definido por uma impressionante concentração e uma breve solenidade. A partir de então os homens vão se segurar neles — nos copos. Os corpos sentados ao redor da mesa começarão a traçar os seus círculos, os topos das cabeças desenharão anéis no ar, a princípio pequenos, depois maiores. Começarão a se entrelaçar, desenhando novos arcos. Por fim, as mãos se erguerão, primeiro testando a sua própria força no ar, em gestos para ilustrar suas palavras, e em seguida irão para os braços dos companheiros, para seus ombros e costas, dando tapinhas e encorajando-os. Serão toques essencialmente amorosos. A confraternização das mãos e das costas não é nada importuno, é uma dança.

Kunicki olha para isso com inveja. Queria sair da sombra e se juntar a eles. Não conhece essa intensidade. Ele tem mais afinidade com o Norte, onde a comunhão masculina é mais tímida. Mas no Sul, lá onde o sol e o vinho abrem os corpos mais rápido e sem constrangimento, essa dança se torna completamente real. Depois de uma hora, o primeiro corpo desaba e para no encosto da cadeira.

Kunicki é atingido pela pata morna da brisa noturna que o empurra para as mesas como se estivesse tentando convencê-lo:

"Vá, vá lá". Queria se juntar a eles, aonde quer que estejam indo. Queria que eles o levassem junto.

Ele retorna para o hotel pelo lado escuro do calçadão, cuidando para não atravessar a fronteira da penumbra. Antes que adentre a escadaria estreita e abafada, toma fôlego e permanece imóvel por um instante. Depois sobe as escadas, tateando os degraus na escuridão, e logo se lança sobre a cama sem tirar a roupa, de bruços, com os braços estendidos para os lados, como se alguém lhe tivesse dado um tiro nas costas, e ele, por um momento, tivesse contemplado a bala, e depois morrido.

Ele se levanta depois de algumas horas, duas, talvez três, pois ainda está escuro, e desce para o carro às cegas. O alarme dispara e o carro pisca compreensivelmente, cheio de saudades. Uma por uma, Kunicki retira todas as bagagens. Sobe as escadas carregando as malas e as joga no chão da cozinha e da sala. Duas malas e um monte de trouxas, sacos, cestas, incluindo aquela com o lanche para a viagem, um par de pés de pato numa sacola de plástico, máscaras, um guarda-chuva, uma esteira de palha para a praia, uma caixa de vinhos comprados na ilha, *ajvar*, o extrato de pimentão do qual eles gostaram tanto, e ainda alguns vidros de azeitonas. Ele acende todas as luzes e permanece sentado no meio dessa bagunça. Depois pega a bolsa dela e a sacode delicadamente para esvaziar todo o seu conteúdo sobre a mesa. Senta-se e examina uma miserável pilha de objetos, como se fosse um complicado jogo de varetas e a vez fosse dele — tirar uma vareta de tal forma que não se altere a posição das restantes. Após um momento de hesitação, pega o batom e tira a tampa. Um batom vermelho-escuro, quase novo, pouco usado. Inala o cheiro que lhe parece agradável, mas não sabe descrevê-lo com precisão. Toma coragem e pega cada objeto, um por um, e o coloca separadamente sobre a mesa. Um passaporte velho, com uma capa azul, ela parece muito mais nova na foto, tem cabelos longos, soltos e uma franja. Na última página a assinatura está quase apagada — por isso ela costuma ser retida na fronteira muitas vezes. Um caderno de anotações preto, fechado com elástico. Abre-o e começa a folhear. Acha algumas anotações, o desenho de uma jaqueta, uma coluna de números, o cartão de visitas de um bistrô em Polanica, atrás um número de telefone, uma mecha de cabelos escuros, ou nem uma mecha, simplesmente algumas dezenas de fios de cabelo. Ele os põe de lado. Depois vai olhar com mais calma. Um nécessaire feito de um material indiano exótico. Dentro dele: um lápis verde-escuro, pó compacto (quase no fim), rímel verde em forma de espiral, um apontador de plástico, brilho labial, pinça, uma corrente quebrada e enegrecida. Acha ainda um ingresso para o museu em Trogir, com uma inscrição no reverso, uma palavra estrangeira; aproxima o papel dos olhos e lê com dificuldade: καιρός, parece ser K-A-I-R-Ó-S, mas não tem certeza, a palavra não lhe diz nada. O fundo do nécessaire está cheio de areia.

Um celular com a bateria quase esgotada. Verifica as últimas ligações —o seu próprio número de telefone predomina, mas há outros que desconhece, dois ou três. "Mensagens recebidas" — apenas uma, que ele próprio mandou quando se perderam em Trogir. "Estou junto do chafariz na praça principal." "Mensagens enviadas" — nenhuma. Volta ao menu inicial, por um instante surge algum desenho na tela, depois desaparece.

Um pacote de lenços de papel aberto. Um lápis, duas canetas, uma caneta Bic amarela, outra com a inscrição "Hotel Mercure". Moedas soltas, *grosze* e cêntimos de euro. Um porta-moedas, e nele algumas notas croatas — poucas, e dez *złotys* poloneses. Um cartão Visa. Um bloquinho de folhas cor de laranja, manchado. Um alfinete com um desenho antigo, aparentemente quebrado. Duas balas *kopiko*. Uma câmera fotográfica digital num estojo preto. Um prego. Um clipe de papel branco. Embalagem de chiclete. Migalhas. Areia.

Ele coloca isso tudo cuidadosamente sobre o tampo negro e fosco, todos os objetos separados pela mesma distância. Vai até a torneira, bebe água. Volta à mesa e acende um cigarro. Depois começa a fotografar cada objeto separadamente com a máquina dela. Vai tirando as fotos devagar, ponderadamente, focando os objetos com o flash ligado. Seu único pesar é que essa pequena máquina não consiga tirar uma foto dela própria. Ela também constitui uma prova no caso. Depois passa para o vestíbulo onde estão as bolsas e as malas e tira uma foto de cada uma delas. No entanto, não para por aí, desfaz as malas e começa a fotografar todas as peças de vestuário, todos os pares de sapatos, todos os tubos de creme e livros. Os brinquedos do menino. Tira, inclusive, as roupas sujas de uma sacola de plástico e fotografa essa pilha informe.

Acha uma pequena garrafa de *rakia* e a toma num único gole. Com a máquina fotográfica nas mãos, por fim, fotografa a garrafa vazia.

Já está claro lá fora quando pega o carro na direção de Vis. Leva consigo os sanduíches ressequidos que ela havia feito para a viagem. A manteiga derreteu com o calor e as fatias de pão absorveram uma camada gordurosa e brilhante de óleo, o queijo endureceu e ficou meio transparente, feito plástico. Ao partir de Komiža, come dois sanduíches e limpa as mãos na calça. Dirige devagar, com cuidado, olhando para os dois lados da estrada, para tudo que passa, lembrando que o seu sangue está saturado de álcool. Entretanto, se sente forte e infalível como uma máquina. Não olha para trás, embora saiba que o mar cresce atrás dele, metro após metro. O ar está tão límpido que provavelmente se pode ver o litoral italiano do ponto mais alto da ilha. Por ora, ele para nas enseadas e examina tudo ao redor, qualquer papelzinho, qualquer lixo. Leva consigo os binóculos de Branko, com os quais observa as encostas. Vê os declives pedregosos cobertos de tufos emaranhados de gramas queimadas, cinzentas. Vê os pés das amoreiras imortais, enegrecidas pelo sol, agarrando-se às rochas com os seus brotos.

Oliveiras gastas e agrestes com os troncos retorcidos, muretas de pedras que sobraram das vinhas abandonadas.

Depois de mais ou menos uma hora, devagar, feito uma patrulha da polícia, começa a descer para Vis. Passa por um pequeno supermercado onde faziam compras, principalmente de vinho, e então chega na cidade.

A balsa já atracou ao cais. É enorme, grande como um edifício, parece um prédio flutuante. *Posídon*. O portão enorme já está aberto, uma fila de carros e pessoas sonolentas já se formou e está prestes a entrar na caverna escancarada. Kunicki fica junto do balaústre e observa um grupo de pessoas que estão comprando passagens. Algumas carregam mochilas, entre elas uma linda moça com um turbante colorido. Ele olha para ela porque não consegue desviar o olhar. Junto dela há um rapaz alto de uma beleza escandinava. Há mulheres com filhos, ao que parece locais, sem malas, um homem de terno com uma pasta. Há um casal — ela com a cabeça encostada em seu peito, com os olhos fechados, como se quisesse cochilar para recuperar a noite demasiadamente breve. E alguns carros — um abarrotado até o teto com uma placa da Alemanha, dois italianos. E carros de abastecimento local indo buscar pão, legumes ou o correio. A ilha precisa viver. Kunicki olha discretamente para dentro dos carros.

Enfim, a fila começa a andar, a balsa engole pessoas e carros, ninguém protesta, seguem enfileirados como se fossem bezerros. Por último, chega ainda um grupo de cinco motoqueiros franceses e eles também somem, engolidos obedientemente pela bocarra de *Posídon*.

Kunicki espera até que os portões se fechem com um gemido mecânico. O bilheteiro tranca o guichê e sai para fumar um cigarro. Ambos testemunham a balsa desatracar da margem com um ruído súbito.

Diz que está à procura da mulher e do filho, tira o seu passaporte do bolso e enfia debaixo do nariz do bilheteiro.

O outro olha para a foto no passaporte e se debruça sobre ela. Diz em croata algo do tipo:

"A polícia já nos perguntou por ela. Ninguém a viu por aqui." Traga o cigarro e acrescenta: "Não é uma ilha grande, alguém se lembraria dela".

Subitamente, coloca a mão no ombro de Kunicki como se fossem amigos de velha data.

"Café?", e aponta com a cabeça para um café no porto que acaba de abrir.

Sim, café. Por que não?

Kunicki senta numa mesa pequena e o outro logo chega com dois expressos duplos. Tomam em silêncio.

"Não se preocupe", diz o bilheteiro. "Não há como perder alguém aqui." Ele diz mais alguma coisa e mostra a palma da mão aberta cortada por algumas linhas grossas, enquanto Kunicki lentamente traduz seu croata para o polonês, "Todos somos visíveis como a palma da mão", ou algo parecido. Depois lhe traz um pão com bife e alface, e parte, deixando Kunicki com o café esfriando. Quando o homem desaparece, Kunicki solta um curto soluço; é como uma mordida no sanduíche, então o engole sem sentir o gosto.

A imagem das linhas na palma da mão continua na sua cabeça. Quem os vê? Quem olharia para todos eles, para esta ilha no mar, para os fios das estradas asfaltadas que ligam um porto ao outro, para alguns poucos milhares de pessoas derretidos no calor, locais e turistas que continuam em movimento. Imagens de fotos tiradas por satélites passam pela sua mente — dizem que é possível ver o que está escrito numa caixa de fósforos com elas. Seria mesmo possível? Então deve dar pra ver de lá que ele está ficando careca. Um enorme céu frio cheio de olhos móveis de satélites inquietos.

Ele retorna para o carro pelo pequeno cemitério junto de uma igreja. Todos os túmulos estão voltados para o mar, como num anfiteatro. Assim, os mortos observam o vagaroso, repetitivo ritmo do porto. Talvez a balsa branca os alegre, talvez achem mesmo que é um arcanjo que escolta as almas nessa travessia sideral.

Kunicki observa que alguns dos sobrenomes se repetem. As pessoas aqui devem ser como os gatos que se reproduzem por meio do endocruzamento, circulam no meio de poucas famílias, raramente saem desses círculos. Ele para uma única vez — vê uma pequena lápide e apenas duas fileiras de letras:

Zorka 9 II 21 — 17 II 54
Srečan 29 I 54 — 17 VII 54

Por um instante procura nessas datas alguma ordem algébrica. Elas parecem um código. Mãe e filho. Alguma tragédia contida em datas, transcrita em etapas. Uma corrida de revezamento.

E já chegou ao limite da cidade. Está cansado, o calor está em seu ápice e agora o suor encobre a sua vista. Quando novamente sobe de carro para o interior da ilha, percebe que o sol ofuscante a transforma no lugar mais inóspito sobre a Terra. O calor tiquetaqueia como uma bomba-relógio.

Na delegacia lhe oferecem uma cerveja fria como se quisessem esconder a sua própria impotência debaixo da espuma branca. "Ninguém os viu", diz um funcionário corpulento, que vira gentilmente o ventilador na direção de Kunicki.

"O que fazer, então?", pergunta ao policial já na porta.

"Descanse", o outro responde.

Mas Kunicki fica na delegacia escutando todas as chamadas telefônicas, os estalos do walkie-talkie cheios de significados ocultos até Branko vir buscá-lo para almoçar. Quase não conversam. Depois ele pede para ser deixado no hotel, está fraco e deita sobre a cama sem tirar a roupa. Sente o seu suor; um cheiro asqueroso de medo.

Ele permanece deitado de costas no meio das coisas tiradas da bolsa dela. Os olhos examinam atentamente a sua constelação, as posições em relação aos outros elementos, as direções apontadas, as figuras criadas. Poderia ser um presságio. Há lá uma carta para ele, sobre o caso de sua mulher e seu filho, mas sobretudo a respeito dele próprio. Não conhece a letra ou aqueles sinais, não devem ter sido escritos pela mão de uma pessoa. A sua conexão com eles é óbvia, o próprio fato de que esteja olhando para eles é importante. O mero fato de estar vendo esses sinais constitui um grande mistério, assim como a possibilidade de poder olhar e ver. Existir é um mistério.

EM TODO E NENHUM LUGAR

Quando viajo, desapareço do radar. Ninguém sabe se estou no ponto de partida ou de chegada. Será que existe algum "entre lugar"? Ou será que sou como aquele dia perdido quando se voa para o leste e a noite recuperada quando se voa para o oeste? Estou sujeita à tão enaltecida lei da física quântica que afirma que uma partícula pode existir em dois lugares ao mesmo tempo? Ou a alguma outra, que ainda não foi demonstrada e desconhecemos, que diz ser possível inexistir duplamente no mesmo lugar?

Penso que há muitas pessoas como eu. Sumidas, ausentes. Aparecem de repente nos terminais das chegadas e começam a existir quando os funcionários carimbam os seus passaportes ou quando um recepcionista gentil lhes entrega a chave em algum hotel. Devem ter descoberto a sua inconstância e dependência dos lugares, das partes do dia, da língua ou da cidade e sua atmosfera. Fluidez, mobilidade, ilusão — essas são precisamente as qualidades que fazem de nós civilizados. Os bárbaros não viajam, eles simplesmente seguem para os seus destinos ou os invadem.

É o que acha a mulher que me oferece chá de ervas de uma garrafa térmica enquanto ambas esperamos por uma van que nos levará da rodoviária para o aeroporto. As suas mãos estão pintadas com hena num desenho complexo que a passagem dos dias torna ilegível. Quando subimos na van, ela apresenta sua teoria sobre o tempo. Diz que os povos sedentários, agrícolas, preferem os prazeres do tempo circular, em que todos os acontecimentos precisam voltar ao próprio início, recolher-se num embrião e repetir o processo de amadurecimento e de morte. Mas os nômades e os mercadores que se locomovem, precisaram inventar para si um outro tempo que correspondesse melhor a uma viagem. É o tempo linear, mais prático, pois reflete o progresso feito para alcançar um fim ou destino e evolui em percentagens. Cada momento é único e nunca se repetirá, portanto favorece o risco e o ato de colher plenamente, de aproveitar o momento. Ainda assim, foi uma descoberta essencialmente amarga: quando a mudança ao longo do tempo é irreversível, a perda e o luto se tornam algo corriqueiro. Por isso você nunca os ouvirá usar palavras como "fútil" e "vazio".

"Esforço fútil, conta vazia", a mulher ri e coloca as mãos pintadas sobre a cabeça. Diz que a única maneira de sobreviver nesse tempo estendido, linear, é mantendo a distância através de uma dança que se baseia em dar um passo para a frente e outro para trás, um passo para a esquerda, e outro para a direita — passos fáceis de serem decorados. E quanto maior o mundo se tornar, maior a distância que pode ser alcançada dançando dessa forma — imigrando através dos sete mares, duas línguas e uma religião inteira.

Contudo, eu tenho outra opinião sobre o tempo. O tempo de todos os viajantes é constituído por tempos múltiplos, uma complexidade dentro de um único tempo. É o tempo da ilha, arquipélagos de ordem num oceano do caos, um tempo produzido pelos relógios nas rodoviárias, diferente em todos os lugares, tempo convencional, tempo médio, que ninguém deveria levar muito a sério. As horas que desaparecem num avião em voo, o amanhecer que chega num instante com a tarde e a noite em seu encalço. O tempo agitado das grandes cidades onde você está por pouco tempo, querendo cair nas garras da noite, e o tempo preguiçoso das planícies desabitadas vistas do avião.

Penso também que o mundo cabe dentro de um sulco no cérebro, na glândula pineal. Esse globo pode ser só um nó na garganta. Na verdade, você pode tossir e cuspi-lo.

AEROPORTOS

Enormes aeroportos nos reúnem com a promessa de uma conexão para um outro voo; é a ordem das conexões e dos quadros de horário a serviço do movimento. Mas mesmo que não tivéssemos que ir para nenhum lugar nos próximos dias, vale a pena conhecê-los melhor.

Antigamente, os aeroportos ficavam na periferia das cidades, como um complemento delas, à semelhança das estações ferroviárias. Hoje, porém, eles se emanciparam tanto que já possuem a sua própria identidade. Em breve será possível dizer que são as cidades que complementam os aeroportos, como locais de trabalho e lugares para dormir, pois todos sabem que a vida de verdade se faz em movimento.

Em que os aeroportos ficariam devendo às simples cidades hoje em dia? Há neles exposições de arte interessantes, centros de conferência, festivais e lançamentos de produtos. Há jardins e calçadões, atividades educativas. No aeroporto de Schiphol é possível ver lindas cópias das obras de Rembrandt, e num certo aeroporto asiático há um museu de religião muito bem planejado. Além disso, temos neles acesso a bons hotéis e a uma grande variedade de restaurantes e bares. Há pequenas lojas, supermercados e lojas de departamentos, onde é possível se

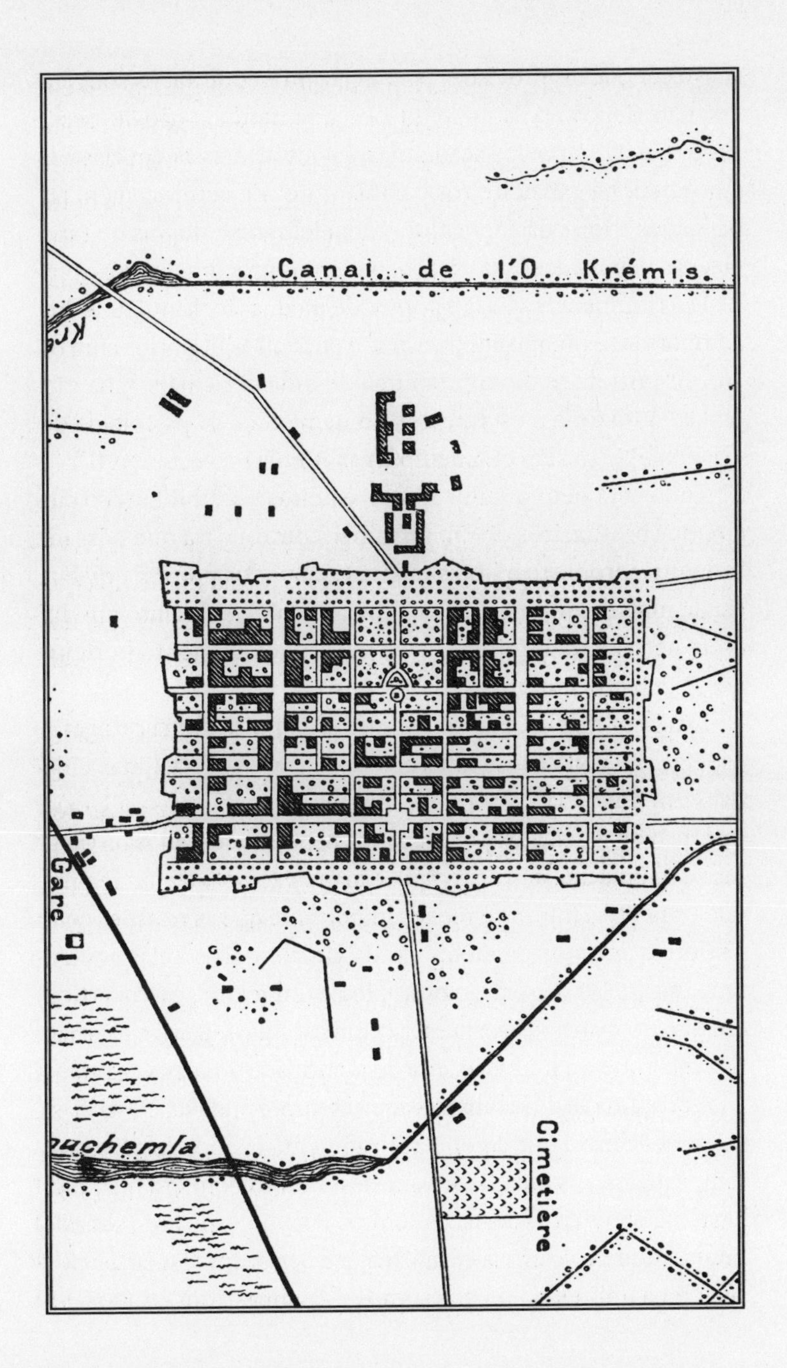

Canal de l'O. Krémis
Gare
Cimetière

abastecer com as provisões para a viagem e comprar os souvenires, para depois, já estando no local de interesse, não desperdiçar o nosso tempo. Há academias, salões de massagem clássica e oriental, há cabeleireiros e consultores de vendas, agências bancárias e lojas das operadoras de telefonia. E depois de satisfazer as necessidades do corpo, podemos procurar apoio espiritual nas inúmeras capelas e pontos de meditação. Em alguns dos aeroportos se organizam palestras e encontros literários com os autores. Ainda tenho o programa de uma delas na minha mochila: "A história e os aspectos fundamentais da psicologia de viagens", "O desenvolvimento da anatomia no século XVII".

Tudo está bem organizado; as esteiras possibilitam o trânsito dos passageiros de um terminal a outro, para que possam ir de um aeroporto a outro (alguns separados por uma distância de mais de uma dezena de horas de voo!), enquanto um discreto serviço de segurança zela pelo funcionamento perfeito desse enorme mecanismo.

Eles são mais do que centros de viagem, são uma categoria especial de cidades-Estado, com localizações fixas, mas cidadãos em fluxo. São aeroportos-repúblicas, membros da União Internacional dos Aeroportos, ainda não representados na ONU, mas é só uma questão de tempo. São um exemplo de um regime onde a política interna é menos importante que as relações com os outros aeroportos membros da União, pois só elas asseguram a sua razão de ser. É o exemplo de um regime extrovertido em que a constituição está escrita em cada passagem, e o cartão de embarque é a única carteira de identidade dos seus cidadãos.

A quantidade de habitantes aqui é sempre mutável e oscilante. O interessante é que a população aumenta quando há névoas e tempestades. Os cidadãos, para se sentirem bem em qualquer lugar, não podem se destacar demais. Por vezes, quando se anda numa esteira e se cruza com irmãos e irmãs em viagem, é possível ter a impressão de que somos espécimes conservados em formol que se examinam mutuamente de dentro dos recipientes de vidro. Pessoas que parecem ter sido recortadas de ilustrações ou fotos em guias turísticos. Nosso endereço é o número do assento no avião: por exemplo, 7D ou 16A. Enormes esteiras nos levam em direções opostas: uns trajam sobretudos e gorros, outros camisetas com estampas de palmeiras e bermudas. Uns têm os olhos desbotados pela neve, outros estão bronzeados pelo sol. Uns estão permeados pela umidade setentrional, pelo cheiro de folhas putrefatas e terra lamacenta. Outros carregam a areia do deserto nas dobras das sandálias. Uns morenos, queimados, tostados. Outros ofuscantemente brancos, fluorescentes. Pessoas que raspam a cabeça e outras que jamais cortam o cabelo. Altas e corpulentas, como aquele homem, e miúdas, franzinas como aquela mulher que mal lhe chega à cintura.

Aeroportos têm também a sua trilha sonora. É a sinfonia das turbinas dos aviões, uma série de sons simples que se estendem num espaço desprovido de ritmo, um coro bimotor ortodoxo, tenebroso em tom menor, infravermelho, infranegro, amplo, com um único acorde que entedia até a si mesmo. Um réquiem iniciado com o poderoso *introitus* da decolagem e encerrado com um amém ao pousar.

A VIAGEM ÀS PRÓPRIAS RAÍZES

Os hostels deveriam ser processados por etarismo: por algum motivo oferecem acomodações apenas para jovens. Eles próprios determinam esses limites etários e pode ter certeza de que uma pessoa que passou dos quarenta não será aceita. Por que essa distinção concedida aos jovens? A própria biologia já não os beneficia com um monte de privilégios?

Tomemos como exemplo os mochileiros, que constituem a grande maioria dos frequentadores de hostels: são fortes e altos, tanto os homens quanto as mulheres, têm uma pele luminosa e saudável, raramente fumam ou usam qualquer tipo de droga, no máximo um baseado de vez em quando. Usam meios de transporte ecologicamente corretos — em outras palavras, trens noturnos e ônibus de longa distância superlotados. Em alguns países ainda conseguem pegar carona. À noite, chegam a esses hostels e, enquanto jantam, trocam mutuamente as Três Perguntas dos Viajantes: De onde você é? De onde você veio? Para onde vai depois? A primeira pergunta traça o eixo vertical, enquanto as duas seguintes, os horizontais. Graças a essa configuração, conseguem criar algo como um sistema de coordenadas, e quando já se situarem uns aos outros nesse mapa, podem adormecer em paz.

Aquele homem que eu conheci no trem viajava, como a maioria deles, à procura de suas raízes. Era uma viagem bastante complicada. A sua avó materna era judia de origem russa, e o avô, um polonês de Vilnius (partiram da Rússia com a tropa do general Anders e depois da guerra emigraram para o Canadá). O seu avô paterno era espanhol e a avó provinha de uma tribo indígena cujo nome esqueci.

A sua viagem estava apenas começando e tudo aquilo parecia sobrecarregá-lo um pouco.

COSMÉTICOS PARA VIAGEM

Hoje em dia qualquer drogaria de respeito oferece aos clientes uma série especial de cosméticos para viagem. Algumas redes dedicam estantes separadas especialmente para esse fim. É possível comprar tudo o que possa ser útil durante uma viagem: xampu, sabonete líquido para lavar a roupa íntima nos banheiros dos hotéis, escovas de dentes dobráveis, creme com filtro solar, repelentes, lenços com graxa para sapatos (há uma extensa gama de cores), kits para higiene íntima, creme para os pés, creme para as mãos. Uma das características de todos esses produtos é o seu tamanho — são miniaturas, tubinhos, vidrinhos e frasquinhos do tamanho de um polegar. No menor kit de costura há três agulhas, cinco meadas de linhas de diversas cores, cada uma de três metros, dois botões brancos para casos de emergência e um alfinete de segurança. O spray fixador para cabelo é de uma particular utilidade, o minúsculo recipiente cabe na mão.

Ao que parece, a indústria cosmética considerou o fenômeno das viagens como uma cópia reduzida da vida sedentária, a sua miniatura engraçada, um tanto infantil.

LA MANO DI GIOVANNI BATTISTA

O mundo está em demasia. Seria sensato diminuí-lo em vez de expandi-lo ou ampliá-lo. Seria melhor trancá-lo de volta numa lata pequena, num panóptico portátil e permitir que olhássemos para dentro dele apenas aos sábados à tarde, depois de terminar as tarefas diárias, quando já tivéssemos certeza de que há roupa íntima limpa, camisas estendidas sobre os encostos das cadeiras, o chão esfregado, bolo com levedura e crumble esfriando sobre o parapeito da janela. Espreitar nele por um buraco pequeno, como no Fotoplastikon de Varsóvia, maravilhando-se com cada detalhe.

Infelizmente, é possível que seja tarde demais.

Parece que não resta nada mais que aprender a viver fazendo escolhas. Aprender a ser como aquele viajante que conheci num trem noturno. Ele me disse que precisava ir ao Louvre de tempos em tempos para ver a pintura de João Batista, a única que, segundo ele, realmente valia a pena. Parar diante dela e contemplar a trajetória apontada pelo dedo erguido do santo.

O ORIGINAL E A CÓPIA

Um sujeito na lanchonete de um certo museu me disse que nada lhe dava mais satisfação do que conviver com um original. Também insistiu que quanto mais cópias houver no mundo, maior será o poder do original — que às vezes se aproxima do poder de uma relíquia sagrada. Pois o que é singular é significativo, com a ameaça de destruição que paira sobre ele. A confirmação dessas palavras veio na forma de um grupo de turistas que celebrava com concentração devotada uma pintura de Leonardo da Vinci. Apenas ocasionalmente, quando algum deles já não aguentava mais, ouvia-se o clique de uma máquina fotográfica, que soava como um amém falado numa nova língua digital.

O TREM DOS COVARDES

Existem trens que foram projetados para proporcionar sono aos passageiros. Toda a composição do trem é constituída por vagões-dormitórios e um vagão-bar. Não há necessidade de ser um vagão-restaurante, um carro-bar é mesmo suficiente. Por exemplo, um trem assim circula entre Szczecin e Breslávia. Parte às 22h30 e chega às 7h, embora a distância não seja muito grande. São apenas trezentos e quarenta quilômetros que poderiam ser percorridos em cinco horas. Mas a questão nem sempre é chegar mais rápido: a empresa zela pelo conforto dos passageiros. O trem para no meio de campos abertos. Permanece assim, imóvel, no meio de névoas noturnas, um hotel silencioso sobre rodas. Não vale a pena correr contra a noite.

Há também um trem bastante bom entre Berlim e Paris. E Budapeste e Belgrado. E de Bucareste a Zurique.

Acho que esses trens foram inventados para as pessoas que têm medo de andar de avião. Eles são um pouco constrangedores, é melhor não admitir ter viajado neles. Além disso, não recebem muita promoção. São trens para um público fixo, para essa infeliz percentagem da humanidade que morre de medo a cada decolagem e pouso. Para aqueles de mãos suadas que amassam impotentes lenço após lenço, e para os que agarram as mangas das comissárias de bordo.

Um trem desse tipo permanece parado humildemente nos trilhos laterais, sem marcar presença. (Por exemplo, aquele de Hamburgo para Cracóvia espera em Alton, escondido atrás de propagandas e outdoors). Os passageiros que viajam nele pela primeira vez costumam rodar muito pela estação antes de achá-lo. O embarque é feito com discrição. Nos bolsos laterais das bagagens há pijamas e chinelos, nécessaires, protetores auriculares. As roupas são penduradas cuidadosamente sobre ganchos especiais e nas pias microscópicas trancadas dentro de armários são guardados utensílios para escovar os dentes. Em breve o cobrador recolherá os pedidos do café da manhã. Café ou chá — eis um arremedo da liberdade ferroviária. Se tivessem comprado uma passagem aérea de uma companhia barata, chegariam ao destino em uma hora e economizariam dinheiro. Passariam a noite abraçados com amantes cheios de saudades, jantariam em um dos restaurantes na rua Tal onde servem ostras. Um concerto noturno de Mozart na catedral. Um passeio pelo cais. Em vez disso, precisam se entregar inteiramente ao tempo de uma jornada sobre trilhos, e de acordo com o antigo costume dos antepassados, percorrer pessoalmente cada quilômetro, cada ponte, viaduto e túnel nessa viagem pela terra. Não há como contornar nada, dar um salto por cima. Cada milímetro da estrada será tocado pela roda, por um instante a transformará em sua tangente e sempre será uma configuração singular da roda e do trilho, do tempo e do espaço, única em todo o cosmos.

Mal zarpa o trem dos covardes para a noite, quase sem aviso prévio, e o bar fica lotado. Chegam homens de terno para tomar uns tragos ou uma cerveja grande para dormir melhor. Ou gays bem-vestidos cujos olhos se agitam feito castanholas; torcedores de algum time, perdidos, separados do grupo que partiu de avião, inseguros feito ovelhas fora do rebanho; amigas por volta dos seus quarenta anos que deixaram seus maridos chatos e se lançaram à procura de aventuras.

Aos poucos começam a faltar assentos e os passageiros se comportam como se estivessem numa grande festa. Depois de algum tempo, os garçons amigáveis apresentam uns aos outros: "Este cara viaja com a gente todas as semanas", "Ted, o cara que diz que não vai dormir, mas será o primeiro a apagar", "O passageiro que vai todas as semanas visitar a mulher — deve amá-la muito", "A sra. Nunca-mais-pegarei-este-trem".

No meio da noite, quando o trem desliza lentamente pelas planícies da Bélgica ou da Lubúsquia, quando a névoa noturna fica mais espessa e embaça tudo, chega ao bar a segunda leva de passageiros: passageiros exaustos e insones que não se envergonham das pantufas nos seus pés sem meias. Eles se juntam como se estivessem entregando a sua sorte nas mãos do destino — o que tiver que ser será.

Mas acho que só pode lhes acontecer o melhor, pois estão num lugar móvel que se desloca no espaço escuro; são carregados pela noite. Sem conhecerem ninguém e sem serem reconhecidos por ninguém. Escapando das próprias vidas e, em seguida, sendo escoltados de volta para elas em segurança.

O APARTAMENTO ABANDONADO

O apartamento não entende o que aconteceu, acha que o dono morreu. Desde que a porta se fechou e a chave arranhou a fechadura, todos os sons que chegam lá são abafados, desprovidos de sombra e de contornos como manchas indistintas. O espaço se condensa, não é usado nem perturbado por nenhuma corrente de ar, nenhum movimento das cortinas. Nessa imobilidade, começam a se cristalizar timidamente formas experimentais, suspensas por um momento entre o chão e o teto da entrada.

Obviamente, não aparece nada de novo — como poderia? Apenas imitações das formas conhecidas, fundindo-se em aglomerados borbulhantes que só por um momento se encaixam nos seus contornos. São episódios singulares, apenas gestos, como, por exemplo, uma pegada sobre um tapete macio que se forma e desaparece infinitamente, sempre no mesmo lugar. Ou uma mão que imita o movimento da escrita sobre uma mesa, embora o movimento seja de todo incompreensível, pois é executado sem a caneta, sem o papel, sem a letra e sem o resto do corpo.

O LIVRO DA INIQUIDADE

Não era minha amiga. Topei com ela no aeroporto de Estocolmo, o único no mundo com piso de madeira, um belo assoalho de carvalho escuro, encerado, com tacos ajustados cuidadosamente. Calculando, grosso modo, devem ter custado vários hectares de floresta setentrional.

Estava sentada do meu lado, estendeu as pernas e as apoiou sobre a sua mochila preta. Não lia, não ouvia música — apenas tinha as mãos entrelaçadas sobre a barriga e olhava para a frente. Gostei do fato de ela ser tão serena, completamente entregue ao ato de esperar. Quando a olhei mais abertamente, notei que o seu olhar deslizava sobre esse chão encerado. Para puxar conversa, balbuciei que era uma pena gastar uma floresta inteira só para fazer o piso de um aeroporto.

"Dizem que quando se constrói um aeroporto, é preciso sacrificar um ser vivo", ela respondeu. "Para que não haja acidentes."

As comissárias de bordo no balcão tinham um problema. Aparentemente — disseram aos passageiros à espera — o avião estava superlotado. Por algum acaso do sistema, havia gente demais na lista de passageiros. Um erro de computador, foi o que a sorte nos reservou. Eles dariam duzentos euros, um pernoite no hotel do aeroporto e um voucher para o jantar a duas pessoas que estivessem dispostas a pegar o voo no dia seguinte.

As pessoas se entreolhavam nervosamente. Alguém disse: vamos sortear! Outra pessoa riu, mas depois pairou um silêncio desagradável. Era compreensível que ninguém quisesse ficar. Não vivemos no vácuo, temos encontros marcados, uma consulta com o dentista no dia seguinte, convidamos os amigos para o jantar.

Olhei para meus sapatos. Eu não estava com pressa. Não precisava chegar a tempo em nenhum lugar particular. Que o tempo tome conta de mim, e não ao contrário. E além disso — há diversas formas de se ganhar a vida, e aqui surge toda uma nova dimensão de trabalho, talvez o emprego do futuro, que salvará as pessoas do desemprego e da superprodução de lixo. Ficar de lado, ganhar a diária dormindo em um hotel, tomar o café da manhã em bufês aproveitando a variedade de iogurtes. Por que não? Levantei-me e fui até as comissárias nervosas. Foi então que a mulher sentada ao meu lado me seguiu.

"Por que não?", disse ela.

Infelizmente, nossas malas haviam sido despachadas. Um ônibus vazio nos levou para o hotel e nos foram dados quartos contíguos, pequenos e agradáveis. Não havia malas para desfazer, apenas a escova de dentes e roupa íntima limpa — estávamos reduzidas a rações de combate. Além disso, creme para o rosto e um livro grosso e envolvente. Um bloco de anotações. Haveria tempo para anotar tudo, para descrever essa mulher:

É alta, forte, tem quadris relativamente largos e mãos delicadas. Prende os cabelos abundantes e encaracolados num rabo de cavalo porque são indomáveis, inteiramente brancos, voando ao redor da cabeça como se fossem uma aureola prateada. No entanto, o seu rosto parece jovem, claro, sardento. Deve ser sueca, elas não pintam o cabelo.

Combinamos de nos encontrar lá embaixo, no bar, naquela noite, depois de tomar uma longa ducha e examinar os canais de televisão.

Pedimos um vinho branco e depois de trocar as gentilezas iniciais, incluindo as Três Perguntas Básicas dos Viajantes, fomos direto ao ponto. Primeiro, contei sobre minhas peregrinações, mas logo tive a impressão de que ela ouvia apenas por educação. Por isso perdi o ímpeto e já sabia que ela tinha uma história muito mais interessante.

Ela está recolhendo provas, disse, e havia recebido inclusive uma bolsa da União Europeia especialmente para essa finalidade. Não era o suficiente para cobrar as despesas das viagens, então teve que pedir dinheiro emprestado ao seu pai — que faleceu depois disso. Afastou um cacho de cabelos brancos da testa (foi então que me assegurei de que tinha menos de quarenta e cinco anos) e pedimos uma salada bancada com os vales-refeições que davam direito a consumir apenas uma salada niçoise.

Ela falava com os olhos semicerrados, o que conferia um tom ligeiramente irônico às suas palavras. Deve ter sido por isso que nos primeiros minutos não sabia se ela estava falando a sério. Ela disse que à primeira vista o mundo parecia realmente diversificado. Não importava aonde fosse, era possível conhecer diversas pessoas, as suas culturas exóticas, cidades construídas sobre diversos planos e com diversos materiais. Havia diferentes telhados, janelas e quintais. Nesse ponto, ela espetou um pedaço do queijo feta no garfo e traçou círculos com ele.

"Mas que essa diversidade superficial, essa cauda de pavão, não te engane. Em todos os lugares é a mesma coisa: em relação aos animais. Àquilo que o ser humano faz com os animais", disse.

Serenamente, como se estivesse repetindo um discurso que conhecia de cor, começou a enumerar: no calor, os cachorros correm dando voltas, amarrados a correntes demasiado curtas, esperando pela água como se estivessem esperando pela salvação; filhotes amarrados a uma corrente de meio metro, sem conseguir andar aos dois meses de idade; no inverno, as ovelhas dão à luz nos campos, na neve, e tudo o que os fazendeiros fazem nesses casos é arrumar carros enormes para recolher os cordeiros congelados; nos aquários dos restaurantes se mantêm lagostas para que o dedo do cliente as condene à morte em água fervente; já em outros, se cria cães, pois um prato preparado com a carne canina recupera a potência masculina; as galinhas nas gaiolas são definidas pela quantidade de ovos botados, estimuladas com substâncias químicas durante a sua vida curta; os cachorros são colocados para lutarem em rinhas; injetam-se germes nos macacos; a pele dos coelhos serve para testar cosméticos; os casacos de pele são feitos com os fetos das ovelhas — dizia isso indiferentemente, colocando azeitonas na boca.

Protestei. "Não, não posso ouvir isso."

Então ela tirou da bolsa de pano que havia pendurado no encosto da cadeira uma pasta de folhas xerocadas em preto e branco e plastificadas, que me passou por cima da mesa. Folheei relutantemente as folhas enegrecidas com o texto distribuído em duas colunas como numa enciclopédia ou na Bíblia. Letra miúda, notas de rodapé. "Relatórios da iniquidade", e o endereço do site na internet. Bati os olhos e soube que não iria ler aquilo. Mas coloquei as folhas cuidadosamente dentro da minha mochila.

"Eu me ocupo com isso", disse.

Depois da nossa segunda garrafa de vinho, me contou sobre quando sofreu do mal da montanha durante uma viagem para o Tibete e quase morreu. Uma mulher local a curou com chá de ervas e batendo um tambor.

Fomos dormir tarde. Naquela noite as nossas línguas se destravaram, lubrificadas com vinho, ansiosas por longas frases e histórias.

Na manhã do dia seguinte, na hora do café no hotel, Alexandra, assim se chamava essa mulher furiosa, inclinou-se sobre os croissants e disse:

"O verdadeiro Deus é um animal. Está nos animais, tão próximo, que não o notamos. Todos os dias se sacrifica por nós, morre repetidas vezes, nos alimenta com o seu corpo, veste a sua pele, disponibiliza o seu corpo para testar um medicamento para que nossa vida seja mais longa e melhor. Assim nos demonstra o seu afeto, nos presenteia com amizade e amor."

Fiquei paralisada, com os olhos encravados em seus lábios, comovida não tanto com a sua revelação mas com o tom com que disse isso — tão sereno. E com a faca que brilhava ao espalhar com indiferença uma película de manteiga no interior fofo do croissant.

"A prova está em Gante."

Ela arrancou um postal da bolsa de pano e o jogou sobre o meu prato.

Eu o peguei e tentei encontrar algum sentido numa miríade de detalhes. Acho que precisava de uma lupa para isso.

"Qualquer pessoa pode vê-lo", disse Alexandra. "No centro da cidade há uma catedral, e lá, no altar, uma enorme e bela pintura na qual é possível ver um campo, uma planície verde em algum lugar fora da cidade. Nesse prado há um simples pedestal. Ali", indicou com a ponta da faca, "ali está o Animal elevado em forma de um cordeiro branco."

Sim, reconheci a pintura. Já a havia visto inúmeras vezes em reproduções. *Adoração do cordeiro místico*.

"Sua verdadeira identidade foi descoberta — sua silhueta clara e luminosa atrai o olhar, faz com que a cabeça se curve diante de sua divina majestade", Alexandra contava e apontava a faca para o cordeiro. "E vemos as procissões que vão até ele vindas de quase todos os lados — todos chegam para lhe pagar tributo, olhar para esse Deus mais humilde, depreciado. Veja aqui: soberanos, imperadores e reis seguindo até ele, as igrejas, os parlamentos e partidos políticos, as guildas; seguem as mães com os filhos, os idosos e jovens..."

"Por que você faz isso?", perguntei.

"É óbvio", ela respondeu, "para escrever um grande livro em que nenhum crime cometido desde o início do mundo será omitido. Será a confissão da humanidade."

Aliás, ela já preparou os excertos da literatura grega antiga.

GUIAS

Descrever é como usar — desgasta; as cores desbotam, os ângulos perdem definição, tudo que é descrito por fim esmaece, se apaga. Isso se aplica principalmente aos lugares. Os guias causaram uma enorme devastação: um verdadeiro flagelo, uma epidemia. Destruíram para sempre a maior parte do nosso planeta. Publicados em milhões de exemplares, em várias línguas, enfraqueceram os lugares, fixando-os, nomeando-os e borrando seus contornos.

Até eu, em minha ingenuidade juvenil, tentei descrever lugares. Mas quando voltava a essas descrições, quando tentava respirar fundo e mais uma vez me impressionar com a sua intensa presença, me sintonizar com os seus murmúrios, ficava chocada. A verdade é terrível: descrever é destruir.

Por isso é preciso ter muito cuidado. O melhor seria não usar os nomes: evite, esconda, tenha cautela ao dar endereços para não incitar ninguém a fazer uma peregrinação. O que alguém poderia encontrar lá? Um lugar morto, poeira, um âmago ressequido.

O livro *As síndromes clínicas*, que já mencionei antes, também inclui a Síndrome de Paris, que aflige principalmente os turistas japoneses que visitam a cidade. Ela é caracterizada por choque e vários sintomas físicos como respiração curta, palpitações, transpiração e excitação. Por vezes há alucinações. Nesses casos, são administrados calmantes e recomenda-se o retorno para casa. Esses distúrbios são explicados pela discrepância entre as expectativas dos peregrinos e a realidade de Paris, que não lembra nem um pouco a cidade que conhecem dos guias, dos filmes e da televisão.

NOVAS ATENAS

Entretanto, nenhum livro envelhece tão rápido quanto os guias turísticos, o que, aliás, é uma vantagem para essa indústria. Em minhas viagens sempre fui fiel a dois. Sempre os prezei mais que aos outros, mesmo tendo sido escritos há muito tempo, porque foram escritos com verdadeira paixão e um desejo genuíno de descrever o mundo.

O primeiro foi escrito na Polônia no início do século XVIII. Mais ou menos na mesma época, outros ensaios escritos no Ocidente iluminista talvez tenham sido mais bem-sucedidos, mas decididamente nenhum deles possui o mesmo charme. O seu autor foi um padre católico chamado Benedykt Chmielowski, que veio da Volínia (uma região que agora é compartilhada pela Polônia, Ucrânia e Bielorrússia). Ele foi o Flávio Josefo da província encoberta pela bruma, o Heródoto dos confins do mundo. Suspeito que sofria da mesma síndrome que eu, mas, diferentemente de mim, nunca saiu de sua casa.

No capítulo com o longo título "Sobre diversas, maravilhosas e singulares pessoas no mundo: Isto é, Anencéfalos, também conhecidos como Desprovidos de Cabeças, ou Cinocéfalos, também conhecidos como Cabeça de Cão; e sobre outras pessoas de outras formas extraordinárias", ele escreve:

> [...] existe um Povo conhecido como blêmios, apelidado por Isidoro de lêmnios, com a figura e a simetria de nosso gentio, porém, desprovidos de cabeças, com apenas um rosto no meio do peito. [...] No entanto, Plínio, o Velho, um grande estudioso do mundo natural, não só confirma a sua afeição para com os *Acephalis*, conhecidos como povos sem cabeças, mas os situa próximos dos trogloditas da Etiópia, um País dos Negros. Grande parte do conhecimento desses autores deriva do *Momentum*, de Santo Agostinho, *oculatus Testis* [isto é, testemunha ocular], a respeito das peregrinações por aquelas Terras (tendo sido bispo de Hipona, na África, muito próximo dali) e do plantio da *semina* (sementes) da Sagrada Fé Cristã, o que menciona claramente no Sermão conhecido como *in Eremo* (no Deserto) dirigido à Irmandade Agostiniana, fundada por ele mesmo. "Eu já era bispo de Hipona quando fui com alguns servos de Cristo para a Etiópia com a intenção de pregar o Evangelho de Jesus Cristo; e foi lá que vimos muitos homens e muitas mulheres sem cabeças. Essa gente possuía enormes olhos nos peitos, mas os restantes membros assemelhavam-se aos nossos." Solinus, um Autor evocado repetidas vezes, escreve que nas montanhas da Índia há pessoas com cabeças e vozes de cães, ou seja, ladram. Marco Polo, que percorreu a Índia, afirma que na Insule Angamen existem pessoas com cabeças e dentes de cães. O mesmo é relatado por Odoricus Aelianus (*lib.* 10), que situa esses povos nos desertos e florestas do Egito. Plínio, o Velho, chama esses monstros humanos de *Cynanalogos*, *Aulus*, *Gellius*. Isidoro os chama de *Cynocephalos,* isto é, cabeças de cão. Mikołay Radziwiłł, na Epístola 3 de sua Peregrinação, afirma que

andava acompanhado por dois *Cynocephalos*, isto é, pessoa com cabeça de cão, e que veio com eles para a Europa.

Tandem oritur questio [Enfim surge uma pergunta]: Essas Pessoas Monstruosas são *capaces* [aptas] a serem salvas? Santo Agostinho, Oráculo da Catedral de Hipona, responde a essa questão afirmando que não importa o lugar em que uma pessoa nasce. O que conta é que seja um homem de verdade, um ser racional e dono de uma alma racional. E mesmo tendo forma, cor, voz, jeito de andar diferentes dos nossos, não se deve duvidar que deriva do primeiro Genitor Adão, portanto, é *capax* de ser salvo.

O segundo guia é *Moby Dick*, de Melville.

Porém, se você puder ter de quando em quando acesso à Wikipédia, isso é mais que o suficiente.

WIKIPÉDIA

Ela me parece o projeto epistêmico mais honesto da humanidade. Lembra-nos explicitamente que todo o conhecimento sobre o mundo deriva das nossas próprias cabeças, assim como Atena nasceu da cabeça de uma divindade. As pessoas introduzem na Wikipédia tudo aquilo que elas próprias sabem. Se o projeto der certo, essa enciclopédia em renovação perpétua será a maior maravilha do mundo. Haverá nela tudo o que sabemos, todas as coisas, definições, todos os acontecimentos e os problemas resolvidos pelo nosso cérebro; citaremos as fontes e incluiremos os links. Dessa forma começaremos a tecer a nossa versão do mundo, abarcar o globo terrestre com a nossa própria narração. Colocaremos tudo nela. Mãos à obra! Que todos nós escrevamos ao menos uma frase sobre aquilo que sabemos melhor.

Porém, às vezes começo a duvidar que isso vingue. Afinal, ela só pode conter aquilo que pode ser articulado, expresso através das palavras. Nesse sentido é impossível que uma enciclopédia desse tipo abranja tudo.

Deveria, então, existir algum outro acervo do conhecimento — aquilo que não sabemos, o reverso, o lado oposto, todas as coisas que não podem ser capturadas por nenhum índice ou abarcadas por nenhum mecanismo de busca. Pois essa vastidão não pode ser percorrida palavra por palavra — é preciso andar entre elas, nos abismos existentes por entre os conceitos. E, a cada passo, escorregamos e caímos.

Parece que o único movimento viável é o movimento para dentro.

Matéria e antimatéria.

Informação e anti-informação.

CIDADÃOS DO MUNDO, ÀS PENAS!

Jasmim, uma muçulmana simpática com quem certa vez conversei noite adentro, me contou sobre o seu projeto: queria incentivar todas as pessoas em seu país a escreverem livros. Dizia: é preciso tão pouco para escrever um livro — um pouco de tempo livre depois do trabalho, nem sequer é preciso ter um computador. Pode acontecer de uma pessoa assim, tão corajosa, escrever um best-seller, e o seu esforço ser premiado com um avanço social. É a melhor maneira de sair da pobreza, ela dizia. Ah, se todos nós lêssemos os nossos livros mutuamente, suspirava. Criou um fórum na internet que aparentemente já tinha centenas de membros.

Gosto muito quando a leitura de livros é tratada como um dever moral de irmão e irmã para com os próximos.

PSICOLOGIA DE VIAGEM: *LECTIO BREVIS I*

Nos últimos meses passei por aeroportos onde alguns estudiosos organizam pequenas palestras no meio do alvoroço de viagem, entre avisos de partidas e embarques. Um deles me explicou que era um projeto educacional em escala global (ou talvez da União Europeia). Então, em determinado momento, decidi parar diante de uma tela na sala de embarque e de um grupo de curiosos.

"Prezados senhores", uma jovem mulher começou, ajeitando o xale colorido com um gesto um tanto nervoso enquanto o seu companheiro, um homem de paletó de tweed com remendos de couro nos cotovelos, preparava um telão suspenso na parede. "A psicologia de viagem se ocupa do homem que viaja, do homem em movimento e, dessa forma, se situa em oposição à psicologia tradicional, que sempre analisou o ser humano num contexto fixo, na estabilidade e na imobilidade, por exemplo, pelo prisma de sua constituição biológica, das relações familiares e sociais e assim por diante. Para a psicologia de viagem essas questões não constituem o centro de atenção, são de importância secundária.

"Se quisermos descrever um ser humano de uma forma convincente, podemos fazê-lo apenas se o colocarmos em algum movimento, percorrendo a distância de um ponto para outro. O fato de surgirem tantos relatos pouco convincentes acerca do homem estável, fixo, parece questionar a existência do "eu" entendido fora do contexto inter-relacional. Isso fez com que, por algum tempo, na psicologia de viagem, houvesse certas ideias preponderantes alegando que é impossível existir outra psicologia além da psicologia de viagem."

O pequeno grupo de ouvintes se agitou. Um grupo barulhento de torcedores — homens altos que se destacavam com os cachecóis do seu clube esportivo — acabou de passar. Ao mesmo tempo vinham até nós pessoas intrigadas com a tela estendida sobre a parede e as duas fileiras de cadeiras. Elas sentavam por um momento em seu caminho rumo ao portão de embarque ou entre suas perambulações pelas lojas do aeroporto. Os rostos de muitas delas tinham vestígios de cansaço e desorientação por causa do fuso horário; era visível que ficariam contentes em tirar uma soneca, e provavelmente não sabiam que atrás da quina mais próxima havia uma sala de espera confortável com poltronas para dormir. Alguns viajantes pararam quando a mulher começou a falar. Um casal de jovens abraçados a ouvia concentrado, trocando carícias nas costas.

A mulher fez um pequeno intervalo e então prosseguiu:

"Desejo é um termo importante para a psicologia de viagem. É ele que coloca o ser humano em movimento, indica o rumo e estimula nas pessoas a afeição a algo. O desejo em si é vazio, ou seja, indica apenas o rumo, mas não o objetivo, pois o objetivo sempre permanece fantasmagórico e pouco claro; quanto mais próximo estiver, mais enigmático se torna. É impossível alcançar um objetivo assim, tampouco saciar o desejo. O termo que acentua esse processo marcado pelo empenho é a preposição 'para'. Para o quê?"

Nesse momento a mulher ergueu os olhos sobre os seus óculos e lançou um olhar penetrante sobre a audiência, como se estivesse esperando alguma forma de confirmação de que estava se dirigindo às pessoas certas. O casal acompanhado de dois filhos num carrinho não gostou disso e, após uma troca de olhares, empurrou a sua bagagem para a frente e foi ver o falso Rembrandt.

"A psicologia de viagem não se dissocia das suas ligações com a psicanálise...", a mulher continuou, e eu fiquei com pena desses jovens palestrantes. Eles falavam para pessoas que estavam lá por acaso e não pareciam interessadas. Fui até a máquina pegar um café, coloquei alguns cubos de açúcar para me reanimar, e quando voltei, descobri que era a vez do homem falar.

"...o termo básico", disse ele, "é a constelacionalidade, e, a princípio, o primeiro teorema da psicologia de viagem: na vida, diferente da ciência (mesmo que na ciência muitos também acabem sobrecarregados por uma questão de ordem), não existe nenhum primum filosófico. Isso quer dizer que não há como construir um fio construtivo de argumentos ou narrativas de causa e efeito à base de acontecimentos que se sucedem casuisticamente e decorrem um do outro. Isso seria apenas uma aproximação, assim como a rede dos paralelos e meridianos nos parece uma aproximação da superfície de um globo. Ao contrário, para retratar a nossa experiência da forma mais fidedigna, seria necessário compor a totalidade de elementos com um peso mais ou menos igual e alocá-los concentricamente sobre a mesma superfície. A constelação, e não a sequência, é a portadora da verdade. Por isso, a psicologia de viagem descreve o ser humano em situações equivalentes, sem pretender dar à sua vida alguma continuidade aproximada. A vida humana é composta de situações. Existe, no entanto, certa tendência à repetição dos comportamentos, mas ela não é decisiva em criar uma ilusão da vida que constitui uma totalidade coerente."

O homem olhou sobre os óculos para a plateia, querendo verificar se estavam de fato prestando atenção. Ouvíamos atentamente.

Na mesma hora passou correndo por nós um grupo de viajantes com crianças; deviam estar atrasados para uma conexão. Isso nos desconcertou um pouco, ficamos olhando por um instante para os seus rostos quentes e corados, chapéus de palha, lembranças em forma de tambores e máscaras, colares de búzios. O homem pigarreou uma série de vezes para chamar a nossa atenção, inspirou, enchendo os pulmões de ar, mas, ao nos olhar mais uma vez, soltou o ar e se calou. Virou algumas páginas das suas anotações e disse, enfim:

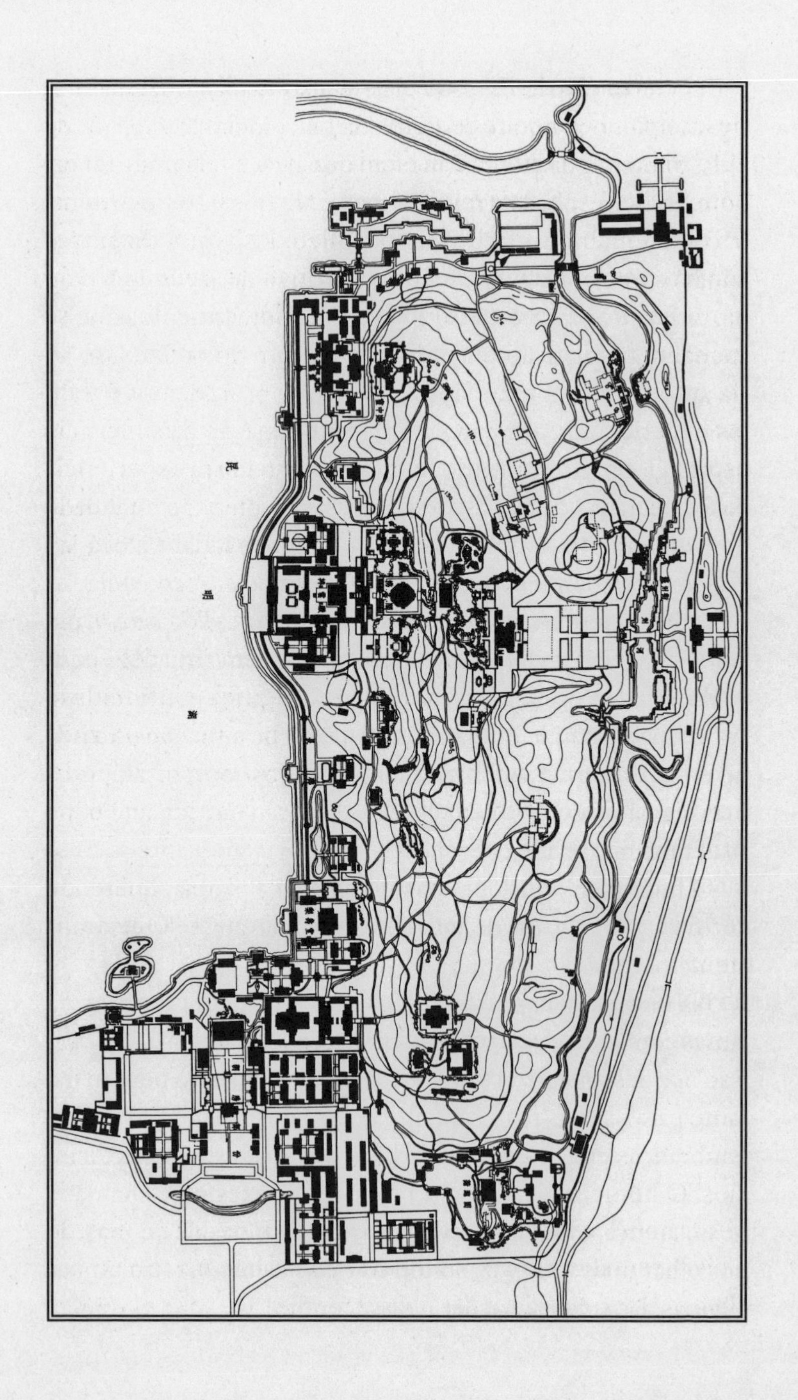

"História. Agora algumas frases sobre a história. Essa área se desenvolveu na época do pós-guerra (anos cinquenta do século passado) a partir da psicologia da aviação, que surgiu em consequência do crescente número de viagens áreas. Inicialmente, tratava de problemas particulares relacionados com o trânsito de passageiros, como a atuação de equipes de tarefas em situações de risco e a dinâmica psicológica do voo. Em seguida, expandiu os seus interesses para a organização dos aeroportos e hotéis, apropriação de novos espaços, aspectos interculturais das viagens. Com o tempo, ela se diversificou em especializações distintas como psicogeografia, psicotopologia. Foram criadas também áreas clínicas..."

Parei de ouvir, a palestra era longa demais. Deveriam servir esse conhecimento em porções menores.

Olhava, porém, para um homem malvestido, todo amassado. Devia estar numa viagem longa. Achou o guarda-chuva preto de alguém e o examinava minuciosamente. Descobriu, no entanto, que o guarda-chuva não servia mais para nada. O aramado estava quebrado e a cobertura negra não podia mais ser aberta. Foi então que, para o meu espanto, o homem começou a retirar o dossel do guarda-chuva, desprendendo-o das nervuras e virolas, o que demorou um pouco. Fazia isso concentrado, imóvel em meio à correnteza da multidão de viajantes. Quando terminou, dobrou o tecido num cubo, enfiou no bolso e desapareceu no fluxo de gente.

Então me virei e também segui meu caminho.

O TEMPO E O LUGAR CERTO

Muitas pessoas acreditam que existe no sistema das coordenadas geográficas um ponto perfeito onde o tempo e o espaço chegam a um acordo. Aliás, talvez seja por isso que elas saem de casa, supondo que, mesmo se movimentando de modo caótico, aumentariam a probabilidade de chegar a tal ponto. Encontrar-se no momento e lugar certos, aproveitar a oportunidade, agarrar o instante e não soltar — significaria que o código da fechadura foi quebrado, a combinação, revelada, e a verdade, exposta. Não deixar escapar, surfar pelo acaso, pela coincidência, pelas reviravoltas do destino. Não é preciso fazer nada — só se apresentar e se registrar nesta única configuração do tempo e espaço. Lá é possível encontrar um grande amor, felicidade, um prêmio na Mega-Sena ou a revelação de um mistério que todos se esforçam há anos para desvendar, sem sucesso, ou deparar com a própria morte. Às vezes, de manhã, se tem a impressão de que esse momento já está próximo, que talvez aconteça hoje mesmo.

MANUAL

Sonhei que folheava uma revista americana com fotos de reservatórios e piscinas. Via tudo, detalhe por detalhe. Letras a, b, c descreviam detalhadamente cada componente dos esquemas e planos. Com curiosidade comecei a ler um artigo cujo título era: "Como construir um oceano. Manual".

BANQUETE DE QUARTA-FEIRA DE CINZAS

"Pode me chamar de Éric", ele anunciava em vez de cumprimentar as pessoas quando entrava no pequeno bar, aquecido naquela época do ano apenas com a lenha que queimava na lareira. Todos, então, sorriam amigavelmente para ele. Alguns, aliás, o chamavam com um aceno que queria dizer "venha sentar aqui comigo". Era essencialmente um bom companheiro e, apesar das suas esquisitices, as pessoas gostavam dele. Porém, a princípio, até beber o suficiente, ele sentava num canto longe do calor da lareira parecendo mal-humorado. Podia se dar ao luxo de fazer isso pois era um homem de uma constituição forte, resistente ao frio, e se aquecia sozinho.

"Uma ilha", ele começava, ao pedir a primeira cerveja enorme, como se estivesse suspirando para ele mesmo, mas num tom provocador e alto o bastante para que todos pudessem ouvi-lo. "Que estado da mente miserável. O cu do mundo."

Os outros, ao que parecia, não o entendiam, mas gargalhavam com conhecimento de causa.

"Ei, Éric, quando você vai caçar baleias?", gritavam, os rostos corados pelo fogo e pelo álcool.

Éric xingava profusamente, poesia pura, como ninguém mais faria, e isso era parte do ritual da noite. Pois todos os dias avançavam feito uma balsa puxada por cabos, de uma margem a outra, topando no caminho com as mesmas boias vermelhas cujo papel era quebrar o monopólio da água sobre o abismo, torná-lo mensurável e assim lhe dar uma impressão ilusória de controle.

Depois de mais uma cerveja, Éric já estava pronto para sentar junto dos outros e em geral fazia isso, embora ultimamente, à medida que bebia, seu humor tendesse a azedar. Permanecia sentado, com uma careta cheia de sarcasmo. Não contava mais as suas histórias de além-mares. Quando alguém o conhecia o bastante, sabia que elas jamais se repetiam, ou ao menos divergiam nos detalhes. Mas agora, cada vez com mais frequência, não contava nada, apenas implicava com os outros. Um Éric malicioso.

Porém, também havia noites em que ele se exaltava, e então se tornava insuportável. Mais de uma vez, Hendrik, o dono desse pequeno bar, precisou intervir.

"Estais para embarcar, não é?", gritava Éric, apontando o dedo para cada pessoa individualmente. "Cada um de vocês.

Quando eu imaginaria viajar com uma tripulação com tão poucas mães humanas! Produzidos em algum lugar deste oceano repleto de tubarões! Ó vida! É em uma hora como essa, com a alma destroçada e presa do conhecimento, que as coisas brutais e sem orientação são forçadas a se manifestar."

Para conciliar, Hendrik o puxava para o lado e lhe dava tapinhas amigáveis nas costas. Já os mais jovens riam às gargalhadas desse discurso esquisito.

"Deixe para lá, Éric. Você quer arrumar confusão?", os mais velhos o acalmavam, aqueles que o conheciam bem, mas Éric não se deixava acalmar.

"Arre, irmão, dê um passo para trás. Eu atacaria o sol se ele me insultasse."

Quando isso acontecia, a única coisa a fazer era rezar para que ele não ofendesse algum forasteiro, pois os locais não se zangavam com Éric. O que se podia esperar dele, agora que já enxergava o bar como se estivesse olhando através de uma cortina leitosa de plástico. O seu olhar ausente indicava que ele viajava pelos mares internos, a sua vela de estai já fora levantada e a única coisa que se podia fazer era levá-lo compassivamente para casa.

"Ouve novamente, homem desalmado", Éric continuava a balbuciar, apontando o dedo para o peito de um amigo, "pois é com você que estou falando."

"Vamos, Éric. Venha já."

"Estais para embarcar, não é? Vossos nomes já estão nos papéis? Bem, bem, o que está assinado, está assinado, e o que tiver que acontecer acontecerá. Mas afinal das contas talvez não aconteça...", balbuciava e voltava da porta para o balcão, exigindo a última rodada, a "saideira", como a chamava, mas ninguém entendia o que queria dizer com isso.

Ele continuaria fazendo barulho até alguém finalmente perceber o momento mais oportuno para puxar as lapelas do seu uniforme e deixá-lo sentado quieto até que o táxi chegasse.

No entanto, nem sempre o ambiente era tão bélico. Normalmente, ele saía mais cedo porque tinha que percorrer a pé uma distância de quatro quilômetros — e de acordo com o que afirmava, detestava fazê-lo. O caminho era monótono, ao longo de uma estrada assombrada de ambos os lados por velhas pastagens cobertas de erva daninha e pinheiros anões. Por vezes, quando a noite era clara, vislumbrava à distância o vulto de um moinho que não funcionava havia muito tempo e servia apenas de pano de fundo para os turistas que se fotografavam com ele.

O aquecimento se acendia mais ou menos uma hora antes de sua chegada, pré-ajustado assim por ele próprio para economizar energia elétrica. Assim, na escuridão de ambos os cômodos ainda espreitavam nuvens de um frio úmido, encharcado de sal marinho.

Alimentava-se sempre com um certo prato básico, o único do qual ele ainda não havia enjoado: batatas cortadas em rodelas, distribuídas em camadas numa panela de ferro, intercaladas com fatias de bacon e de cebola, salpicadas com manjerona e pimenta, salgadas à gosto. Era o prato ideal com as proporções de substâncias nutritivas perfeitamente balanceadas: gorduras, carboidratos, amido, proteínas e vitamina C. Jantava com a televisão ligada, mas como ele detestava a TV mais que tudo, sempre abria uma garrafa de vodca e a esvaziava antes de se deitar para dormir.

Que lugar horrível, esta ilha. Empurrada para o Norte como numa gaveta escura; ventosa e úmida. Por algum motivo as pessoas continuavam a viver lá e nem pensavam em se mudar para cidades quentes e cheias de claridade. Permaneciam em pequenas casas de madeira plantadas ao longo da estrada que se erguia, recoberta pelo asfalto, condenando-as ao encolhimento eterno.

Caminhem ao longo da estrada pelo acostamento, na direção do pequeno porto composto de alguns edifícios imundos, uma banca de plástico onde se vendem as passagens para a balsa e uma marina miserável, vazia nessa época do ano. Pode ser que no verão atraquem lá alguns iates de turistas excêntricos entediados com o alvoroço das águas meridionais, com as *rivieras*, com o azul-celeste e com as praias quentes. Ou toparão por acaso com esse lugar triste pessoas como nós — irrequietas, movidas por uma eterna busca de aventuras, com as mochilas cheias de miojo barato. E o que eles verão? O confim do mundo, onde o tempo, refletido pelo cais vazio, retorna desiludido para a terra e, sem piedade, obriga este lugar a permanecer invariável. Em que o ano de 1946 se diferencia de 1976 aqui, ou 1976 de 2000?

Éric ficou preso ali depois de muitas aventuras mais e menos agradáveis. No início, já há muito tempo, tinha fugido de seu país, um daqueles países insípidos, planos e comunistas. Um jovem emigrante que foi trabalhar num baleeiro. À época possuía um conhecimento rudimentar de inglês, oscilando entre "yes" e "no", o suficiente para responder aos resmungos simples trocados pelos homens duros em navios. "Pega", "puxa", "corta". "Rápido" e "com força". "Toma" e "amarra". "Caralho" e "foder". A princípio basta. Bastava também trocar o nome para um nome simples e conhecido por todos — Éric. Livrar-se daquele cadáver rangedor que ninguém conseguia pronunciar direito. E jogar no mar pastas com papéis, documentos escolares, diplomas, certificados de cursos e vacinas — lá não prestariam para nada, no máximo deixariam os outros marinheiros envergonhados por terem biografias compostas apenas de algumas viagens longas de navio e aventuras nos bares dos portos.

A vida num navio é banhada não pela água salgada ou pela chuva doce dos mares setentrionais, nem sequer pelo sol. Ela é banhada pela adrenalina. Não há tempo para pensar ou meditar sobre o leite derramado. O país de onde Éric vinha era longínquo e pouco marítimo, tendo apenas um acesso limitado ao mar. Os portos eram uma vergonha. Preferia cidades às margens de rios seguros, cingidos por pontes. Éric não sentia nenhuma falta dele e preferia muito mais viver no Norte. Pensou em navegar por alguns anos, ganhar dinheiro e depois construir uma casa de madeira, se casar com uma Emma ou uma Ingrid de cabelos ruivos, gerar filhos homens cuja criação se basearia em lhes ensinar a fazer boias de pesca e esviscerar as trutas do mar. Um dia escreverá suas memórias, quando suas aventuras compuserem um pacote suficientemente atraente.

Ele próprio não sabia explicar como era possível que os anos tivessem passado por sua vida como se fosse por um atalho, leves e efêmeros, sem deixar rastros. No máximo deixaram marcas em seu corpo, especialmente no fígado. Mas isso veio depois. Logo no início, depois da primeira viagem de navio, lhe aconteceu de ficar preso por mais de três anos quando um capitão sacana meteu toda a tripulação na encrenca de traficar um contêiner de cigarros e um grande pacote de cocaína. Porém, mesmo preso num país distante, Éric permanecia sob o poder do mar e das baleias. Na biblioteca do presídio havia um único exemplar de um livro escrito em inglês, provavelmente deixado lá há anos por um outro preso. Era uma edição antiga do início do século com folhas frágeis, amareladas e inúmeras marcas da vida cotidiana.

Assim, por mais de três anos (o que era uma sentença relativamente leve, considerando as leis vigentes a uma distância de cem milhas marítimas dali — morte por enforcamento), Éric providenciou para si mesmo um aperfeiçoamento gratuito da língua em aulas de inglês avançado, um curso literário e baleeiro, psicológico e de turismo, tudo com um único manual. Um bom método que distrai pouco. Depois de cinco meses, já conseguia recitar as aventuras de Ismael de cor e aleatoriamente, assim como falar na voz de Ahab, o que lhe propiciava um prazer excepcional, pois essa era a forma de expressão mais orgânica para Éric, que lhe servia bem como uma roupa confortável, mesmo que fosse estranha e antiquada. E que sorte um livro assim ter caído nesse exato espaço e exatamente nas mãos de um homem como ele. É um fenômeno conhecido dos psicólogos de viagem pelo nome de sincronicidade, uma prova de que o mundo fazia sentido. Uma prova de que, nesse belo caos, fios de significados se estenderiam em todas as direções, feito uma rede de lógica estranha, e — para aqueles que creem em Deus — seriam as digitais, as marcas tortas do seu dedo. Assim pensava Éric.

Então, em pouco tempo, numa prisão longínqua e exótica, quando era difícil respirar à noite por causa do calor tropical, e a ansiedade e a nostalgia corrompiam a mente, Éric mergulhava na leitura de um livro, se tornava o seu marcador de páginas e experimentava uma felicidade singular. Sem esse romance ele não teria aguentado a prisão. Os companheiros de cela, traficantes como ele próprio, com frequência testemunhavam a sua leitura em voz alta e em pouco tempo sucumbiram ao charme das aventuras dos baleeiros. Não seria de estranhar se, depois de retornarem à liberdade, continuassem a estudar a história da caça às baleias, escrevessem dissertações sobre os arpões e a instrumentação das naus e os mais talentosos atingissem o grau mais elevado de iniciação — especialização em psicologia clínica na área da perseverança diante de qualquer obstáculo. Assim, acontecia que todos os companheiros de cela, o Marinheiro Açoriano, o Marinheiro Português e o próprio Éric, se comunicavam através da gíria da cadeia. E até zombavam de uma forma peculiar dos guardas franzinos de olhos puxados:

"Que raça! Esse velho é fantástico, hein!", gritava, por exemplo, o Marinheiro Açoriano quando um deles contrabandeava um maço de cigarros molhados para a sua cela.

"Pela minha alma, acho mais ou menos a mesma coisa. Por que não lhe damos a nossa bênção?"

Sentiam-se bem com isso porque todos os novos prisioneiros companheiros de cela entendiam pouco no início, se tornando forasteiros dos quais eles precisavam para criar uma ilusão de vida social.

Cada um tinha os seus trechos preferidos, que ele lia ritualmente à noite enquanto os demais terminavam suas frases em uníssono.

No entanto, os temas principais de suas conversas, travadas numa língua cada vez mais aperfeiçoada, eram o mar, as viagens, zarpar da terra firme e se entregar à água. Conforme determinaram, depois de uma discussão digna de filósofos pré-socráticos que durou um par de dias, a água era o elemento mais importante no globo terrestre. Traçavam rotas pelas quais navegariam para casa, preparavam-se para as paisagens que veriam no caminho, acertavam na cabeça o texto dos telegramas enviados à família. Como se sustentariam? Discutiam as melhores ideias, mas para dizer a verdade, giravam em torno do mesmo tema, já contagiados (embora não estivessem cientes disso), infeccionados, inquietos com a própria possibilidade de existir algo como uma baleia-branca. Sabia-se que alguns países ainda caçavam baleias, e embora esse ofício não fosse tão romântico quanto na descrição de Ismael, mesmo hoje seria difícil conseguir um melhor. Dizem que os japoneses estavam procurando gente para essa empreitada. E mudar dos bacalhaus e arenques para as baleias era como passar do artesanato à arte...

Trinta e oito meses é um tempo suficiente para acertar os pormenores de sua futura vida e comentá-los, ponto por ponto, com os colegas. Os desentendimentos não eram sérios.

"Para com isso! Não suporto isso! Lembra-te do que eu disse sobre a marinha mercante — não me irrites — não vou tolerar. Mas vamos nos entender. Dei-te uma indicação do que é a pesca da baleia. Ainda te sentes inclinado a segui-la?", rugia Éric.

"O que você já viu neste mundo?', o Marinheiro Português gritava de volta.

"Eu atravessei todo o mar do Norte, e até o Báltico não guarda segredos diante de mim. Conheço as correntes do oceano Atlântico tão bem quanto as minhas próprias veias..."

"Você está seguro demais de si, meu irmão."

É preciso falar algo.

Dez anos — foi quanto durou a viagem de Éric para casa — e o seu resultado foi certamente melhor que o dos seus camaradas. Voltou por desvios, mares periféricos, estreitos mais afunilados e as baías mais extensas. Justamente quando os estuários começavam a saborear as águas abertas dos mares, quando estava prestes a embarcar num navio que o levaria para casa, de repente surgia uma nova oportunidade, na maioria das vezes exatamente na direção oposta. E se ele parasse para pensar por um instante, em geral chegava à conclusão de que o argumento mais antigo era o mais verdadeiro — a Terra é redonda, não vale a pena se prender às direções. O que era, de certo modo, compreensível — para alguém vindo de um lugar indeterminado, qualquer movimento se torna um retorno, porque nada mais atrai com tanta força que o vazio.

Durante esses anos, ele trabalhou sob a bandeira panamenha, australiana e indonésia. Transportava carros japoneses para os Estados Unidos num navio cargueiro. Num navio petroleiro sul-africano, sobreviveu a uma catástrofe na costa da Libéria. Transportava funcionários de Java para Singapura. Contraiu hepatite e ficou internado num hospital no Cairo. Quando quebraram o seu braço numa briga de bêbados em Marselha, largou a bebida por alguns meses, apenas para se embriagar até perder a consciência e quebrar o outro braço em Málaga.

Não vamos entrar em detalhes. Não nos interessam as peripécias de Éric nas rotas marítimas. Preferimos estar ao seu lado quando finalmente desembarcou naquela ilha que mais tarde passou a odiar, e conseguiu um emprego numa balsa pequena e primitiva que circulava entre as ilhotas. Ao exercer esse trabalho — segundo ele próprio, humilhante —, Éric emagreceu e parecia mais pálido. O bronzeado intenso desapareceu do seu rosto para sempre, deixando para trás manchas escuras. O cabelo nas têmporas ficou branco, as rugas tornaram o seu olhar mais intenso e penetrante. Depois dessa iniciação que feriu dolorosamente o seu orgulho, foi transferido para um trajeto que requeria mais responsabilidade. Agora a sua balsa ligava a ilha com o continente, não o prendia mais nenhum cabo, e o seu amplo convés podia levar dezesseis automóveis. O trabalho lhe assegurava uma renda fixa, seguro-saúde e uma vida sossegada na ilha setentrional.

Levantava-se todas as manhãs, tomava banho de água fria e penteava a barba branca com os dedos. Depois vestia o uniforme verde-escuro da companhia Balsas Unidas do Norte e ia a pé para o porto onde havia atracado na noite anterior. Em pouco tempo alguém do serviço terrestre, Roberto ou Adão, abria a cancela e os primeiros carros se alinhavam na fila para subir na balsa de Éric sobre uma rampa de ferro. Havia lugar para todos, às vezes acontecia de a balsa estar vazia, limpa, leve e pensativa. Então Éric sentava-se em sua cabine e, do alto daquele ninho de cegonha envidraçado, a outra margem parecia muito próxima. Não era melhor construir uma ponte em vez de importunar as pessoas com esse vaivém?

A questão era o estado da alma. Todos os dias, ele podia escolher entre dois. Um era sensível e pesado — ele teria certeza de que era pior que os outros, que lhe faltava algo que todos os outros tinham, e que, de alguma forma, era anormal, sem conseguir determinar que mal exatamente o assolava. Sentia-se isolado, solitário, como uma criança trancada em casa de castigo que observa pela janela os seus amiguinhos brincando felizes. E como se o destino lhe tivesse reservado um papel secundário e insignificante nas peregrinações caóticas da humanidade pelas terras e pelos mares. E agora, desde que se estabeleceu na ilha, descobriu que o seu papel era mesmo de figurante.

O outro estado fortalecia sua convicção de que ele era mesmo melhor, único e excepcional. Que apenas ele era capaz de sentir e entender a verdade, e só ele fora presenteado com uma existência singular. Às vezes ele conseguia manter esse estado confiante por longas horas, ou mesmo dias. Nessas horas, chegava a sentir uma espécie de felicidade. Mas isso passava, assim como passa a embriaguez. Com a ressaca, surgia um pensamento aterrorizante: para parecer um homem digno de respeito para si mesmo, precisava recorrer constantemente à enganação — e o pior — um dia a verdade seria revelada e todos perceberiam que ele era um nada.

Permanecia na cabine envidraçada e olhava o carregamento da primeira balsa da manhã. Via os velhos conhecidos da vila. Eis a família R. no Opel cinza: o pai trabalha no porto, a mãe, na biblioteca, e os filhos — um menino e uma menina — frequentam a escola. Eis quatro adolescentes, alunos de colégio, que tomarão um ônibus do outro lado. E eis Elisa, professora do maternal com sua filha pequena que, obviamente, leva consigo para o trabalho. O pai da menina desapareceu de repente há uns dois anos e até então não deu nenhum sinal de vida, mas Éric suspeitava que ele caçava baleias em algum lugar. Eis o velho S., que tem um problema nos rins e duas vezes por semana precisa ir ao hospital para fazer diálise. Ele e a mulher tentaram vender sua casinha anã de madeira e se mudar para mais perto do hospital, mas por algum motivo não conseguiram. O caminhão da loja Alimentação Orgânica que estava indo abastecer-se de produtos em terra firme. Um carro preto desconhecido, devem ser os convidados do Cineasta. Uma van amarela dos irmãos Alfred e Albrecht, dois velhos solteirões teimosos que criavam ovelhas na ilha. Dois ciclistas que morriam de frio. O furgão de uma mecânica — provavelmente estava indo pegar peças. Edwin acenou para Éric. Era possível reconhecê-lo em qualquer ilha do mundo, pois vestia camisas quadriculadas forradas com pele sintética. Éric conhecia todos eles, mesmo aqueles que via pela primeira vez — sabia para que vieram para a ilha. Quando se conhece o destino da viagem, sabe-se o bastante sobre as pessoas.

Havia três motivos para vir à ilha. O primeiro, simplesmente por estar morando lá. O segundo, por ser um convidado do Cineasta. E o terceiro, por causa do moinho de vento, para tirar uma foto com ele ao fundo.

A viagem de balsa demorava vinte minutos. Nesse tempo, alguns dos passageiros saíam dos carros para fumar um cigarro, contrariando a proibição. Outros permaneciam em pé, encostados à grade, e simplesmente olhavam para a água até que a outra margem não amarrasse enfim o seu olhar vacilante. Em breve, excitados com os cheiros da terra firme e com as suas tarefas e obrigações extremamente importantes, desaparecerão por entre as ruelas junto ao cais, como a nona onda que chega mais longe é absorvida pelo solo e nunca mais volta para o mar. Depois outros tomariam os seus lugares. O veterinário numa picape elegante comprada com o dinheiro ganho esterilizando gatos. Uma excursão escolar que examinará a flora e a fauna da ilha como parte das aulas sobre o meio ambiente. Uma caminhonete transportando bananas e kiwi. Uma equipe de televisão que fará uma entrevista com o Cineasta. A família G., que acaba de retornar da casa da avó. Dois outros ciclistas aficionados ocuparão o lugar dos anteriores.

Durante o carregamento e o descarregamento, que duravam menos de uma hora, Éric fumava alguns cigarros e tentava não cair em desespero. Depois a balsa retornava para a ilha. Fazia isso oito vezes, com um intervalo de duas horas para o almoço, que Éric sempre consumia no mesmo bar. Um dos três nas redondezas. Depois do trabalho, comprava batatas, cebola e toucinho. Cigarros e álcool. Procurava não beber até o meio-dia, mas por volta da sexta travessia já estava embriagado.

Linhas retas — como elas são humilhantes. Como destroem a mente. Que geometria pérfida que nos transforma em idiotas — de lá para cá, paródia de uma viagem. Partir para logo voltar. Ganhar velocidade para logo frear.

Foi o que aconteceu com o casamento curto e tempestuoso de Éric. Maria era divorciada e trabalhava numa loja. Tinha um filho que frequentava um colégio interno na cidade. Éric se mudou para a sua casa aconchegante equipada com uma enorme televisão. Maria tinha a pele clara, um corpo harmonioso, ainda que um pouco rechonchudo, e usava calças justas de malha. Num instante, ela aprendeu a preparar batatas com toucinho e começou a temperá-las com manjerona e noz-moscada, enquanto ele passava os seus dias livres cortando animado a lenha para a lareira. Tudo isso durou um ano e meio; pouco depois, ele começou a ficar irritado com o barulho incessante da televisão, a iluminação ofuscante da casa, o pano junto do capacho sobre o qual tinha que calçar os sapatos enlameados e, enfim, a noz-moscada. Depois que ficou bêbado algumas vezes e a xingou como um marinheiro, ela o expulsou de casa e, logo depois, se mudou para o continente junto do filho.

—

Hoje é o dia 1º de março, Quarta-Feira de Cinzas. Ao abrir os olhos, Éric viu o mundo cinzento, uma mistura de neve e chuva que caía e deixava rastros esparramados sobre o vidro das janelas. Pensou em seu nome antigo, que quase já havia esquecido. Disse-o em voz alta. Era como se tivesse sido chamado por um desconhecido. Sentia uma pressão familiar na cabeça depois da bebedeira do dia anterior.

Pois é preciso sabermos que os chineses possuem dois nomes: um dado pela família e usado para chamar a criança, repreendê-la e reprová-la, mas também como um apelido carinhoso. E quando a criança entra na vida adulta, escolhe um segundo nome — externo, mundano, um nome-personagem. Veste-o como um uniforme, como sobrepeliz, uniforme de presidiário ou traje de gala para um coquetel oficial. Esse nome é prático e fácil de lembrar. A partir daquele momento, a representará. Deveria ser, preferencialmente, um nome mundano, universal, reconhecido por todos; abaixo o localismo dos nossos nomes. Abaixo Oldrzich, Sung Yin, Kazimierz e Jyrek; abaixo Blażen, Liu e Milica. Viva Michael, Judith, Anna, João, Samuel e Éric!

Mas hoje Éric respondeu ao chamado do seu nome antigo: Aqui estou.

Ninguém o conhece, então eu tampouco vou mencioná-lo.

Um homem chamado Éric vestiu um uniforme verde com os emblemas das Balsas Unidas do Norte, penteou a barba com os dedos, desligou a calefação na casa anã e seguiu o caminho andando à beira da estrada de asfalto. Depois, em seu aquário, enquanto esperava a balsa ser carregada e, enfim, o sol nascer, tomou uma lata de cerveja e fumou o primeiro cigarro. Acenou amigavelmente de cima para Elisa e sua filha, como se quisesse recompensá-las pelo fato de que hoje não conseguiriam chegar ao jardim de infância.

Depois que a balsa desatracou e já estava na metade do caminho entre os dois embarcadouros, ela de repente vacilou e seguiu para o alto-mar.

Nem todos perceberam imediatamente o que estava acontecendo. Alguns, tão acostumados à rotina da linha reta, olhavam com indiferença para a costa que desaparecia, entorpecidos. Isso certamente confirmaria as teorias etílicas de Éric de que as viagens de balsa aplainavam as espirais do cérebro. Outros repararam apenas depois de um longo instante.

"Éric, o que você está fazendo? Retorne já!", Alfred gritou e Elisa se juntou a ele com a sua voz alta e estridente: "As pessoas vão se atrasar para o trabalho...".

Alfred tentou chegar até em cima, onde Éric estava, mas ele havia fechado a cancela e trancado a cabine.

Do alto, viu todos sacando os celulares simultaneamente e fazendo ligações, indignados, articulando algo no espaço vazio e gesticulando com nervosismo. Podia imaginar o que diziam. Que se atrasariam para o trabalho, que queriam saber quem pagaria a indenização por danos morais, que não se deveria contratar esse tipo de cachaceiro, que sabiam, desde sempre, como isso terminaria, que falta empregos para os locais, mas se contrata esses imigrantes; e mesmo que eles aprendessem perfeitamente o idioma, sempre dá nisso...

Éric não podia se preocupar menos. Constatou com prazer que eles sossegaram depois de algum tempo, ocuparam os seus assentos olhando o céu se abrir e lindos raios de sol iluminarem o mar por entre as nuvens. Apenas uma coisa o deixou aflito — a capa azul-clara da filha de Elisa, um sinal de mau agouro a bordo de um navio (todos os lobos do mar sabem disso). Contudo, piscou os olhos e se esqueceu do assunto. Rumou para o oceano e desceu até eles com uma caixa de coca-cola e doces que havia preparado com antecedência para essa ocasião. Eles devem ter gostado do lanche pois as crianças se aquietaram com o olhar fixo nas margens da ilha cada vez mais distantes, e os adultos começaram a demonstrar um interesse cada vez maior pela viagem.

"Para onde estamos indo?", perguntou-lhe de maneira direta o mais novo dos irmãos T., e soltou um arroto de coca-cola.

"Quanto tempo vai demorar para a gente sair para o alto-mar?", perguntou Elisa, a professora de maternal.

"Tem combustível o bastante?", interessou-se o velho S., aquele com problema nos rins.

Ou pelo menos lhe parecia que eles diziam essas coisas, em vez de outras. Procurava não olhar para eles e não se deixar abalar com nada. Fincou o seu olhar na linha do horizonte que a partir daquele momento cortou as suas pupilas ao meio, a metade mais escura refletindo a água, e a mais clara, o céu. E os seus passageiros também estavam calmos agora. Ajustaram as toucas para cobrirem a testa, apertaram os cachecóis. É possível dizer que navegavam em silêncio até que ele foi penetrado pelo barulho de um helicóptero e pelo uivo das lanchas da polícia.

=

"Há coisas que acontecem sozinhas, há viagens que começam e terminam nos sonhos, e há viajantes que atendem ao chamado balbuciante de seu próprio desassossego. Eis um deles...", foi com essas palavras, no curto julgamento de Éric, que o defensor começou o seu comovente discurso de defesa. Infelizmente, ele não causou o impacto esperado e o nosso herói foi condenado outra vez, tendo que permanecer encarcerado por um certo tempo. Espero que lhe tenha sido proveitoso. Porque, seja como for, para alguém como ele não existe outra vida que não aquela que oscila como as ondas, semelhante ao balanço ritmado das ondas e aos fluxos e refluxos inexplicáveis do mar.

Porém, já não vamos nos ocupar disso.

Se, no entanto, no fim desta história alguém quisesse me perguntar, se quisesse esclarecer quaisquer dúvidas relativas à verdade e apenas à verdade, se agarrasse meu braço, me sacudisse com impaciência e gritasse: "Eu imploro que me diga com a sua convicção mais profunda: essa história e o seu conteúdo são mesmo verdadeiros? Me perdoe se eu estiver importunando". Eu, então, lhe perdoaria e responderia: "Senhoras e senhores, juro por Deus e pela minha honra que a história que eu lhes contei, o seu conteúdo, e os seus termos gerais são verdadeiros. Tenho certeza disso. Aconteceu no nosso globo terrestre e eu própria estive a abordo dessa balsa".

VIAGENS PARA O POLO

Eu me lembro de algo que Borges uma vez se lembrou, algo que ele havia lido em algum lugar: aparentemente, na época em que os dinamarqueses estavam construindo seu império, os padres dinamarqueses anunciavam nas igrejas que as almas daqueles que participassem das expedições para o Polo Norte conseguiriam a salvação com mais facilidade. Não havendo muitos voluntários, admitiam que era uma expedição muito longa e difícil, e que não era para todos, só para os corajosos. Mas, ainda assim, poucos se apresentavam. Então, para não perder as aparências, os padres simplificaram seu anúncio: na verdade, qualquer viagem podia ser tratada como uma expedição para o Polo Norte, mesmo uma pequena viagem, mesmo um passeio num coche pela cidade.

Suponho que hoje em dia até uma viagem de metrô teria que contar.

A PSICOLOGIA DE ILHA

De acordo com a psicologia de viagens, uma ilha representa o estado mais primitivo e mais primordial, anterior à socialização, quando o ego se individualizou o suficiente para ganhar um certo nível de autoconsciência, mas ainda não conseguiu desenvolver relações plenas e satisfatórias com o meio. O estado de ilha é um estado de permanecer dentro de seus próprios limites, não perturbado por nenhuma influência de fora; lembra uma espécie de autismo ou narcisismo. O indivíduo satisfaz todas as suas necessidades por ele mesmo. Apenas o "eu" parece real; "você" e "eles" são apenas vagos espectros, Holandeses Voadores que surgem em algum lugar distante no horizonte e logo desaparecem. Essencialmente, já não se sabe se não eram apenas uma mera ilusão dos olhos acostumados à linha reta que divide perfeitamente o campo de visão ao meio, em uma parte superior e outra inferior.

FAXINANDO O MAPA

Apago do meu mapa mental aquilo que me machuca. Lugares onde tropecei, em que caí, ou fui golpeada, ferida, e onde senti dor — esses lugares simplesmente não existem mais.

Isso significa que apaguei algumas grandes cidades e uma província inteira. Talvez um dia aconteça de eu apagar todo um país. Os mapas não se importam; na verdade, de outro modo, eles sentem falta dos espaços em branco que são a sua infância feliz.

Por vezes, quando eu tinha que visitar um desses lugares inexistentes (procuro não guardar mágoa), me tornava um olho que se desloca como um espectro numa cidade fantasma. Se eu me concentrasse mais, poderia enfiar a minha mão suavemente entre os blocos de concreto mais estreitos, poderia atravessar as ruas mais lotadas, por entre fileiras de carros, intocada, sem sofrer nenhum dano e sem fazer nenhum barulho.

Mas eu não fazia isso. Aceitava as regras do jogo dos moradores daquelas cidades. E procurava não lhes revelar a natureza fantasma desses lugares — coitados, todos apagados — onde eles permanecem presos. Eu sorria e assentia a tudo que diziam. Não queria confundi-los com a compreensão de que não existem.

SEGUIR A NOITE

É difícil eu dormir em paz quando fico em algum lugar só por uma noite. A grande cidade arrefecia devagar, sossegava.

Fiquei presa no hotel que estava incluso no preço da passagem aérea. Tinha que aguardar até o dia seguinte.

Havia sobre a mesa um pacote azul de preservativos. Junto da cama, a Bíblia e os ensinamentos de Buda. Infelizmente o plugue do bule não se encaixava na tomada — então tive que desistir do chá. Aliás, talvez fosse a hora do café? Meu corpo não tinha a menor ideia do que significava a hora no relógio embutido no rádio na mesinha de cabeceira. Parecia até que os algarismos eram internacionais, apesar de serem conhecidos como arábicos. O clarão amarelo atrás da janela seria o início do amanhecer ou o crepúsculo que já se condensou e virou noite? Era difícil determinar se esta parte do mundo, sobre a qual o sol logo aparecerá ou onde tinha acabado de desaparecer, era o leste ou o oeste. Eu me concentrei em contar as horas que passei no avião, auxiliada pela imagem que tinha visto um dia na internet — o globo terrestre com a linha da noite que se movimentava do leste para o oeste, como se fosse uma grande boca que devorava o mundo sistematicamente.

A praça diante do hotel estava vazia e cães sem dono brigavam ao redor das bancas fechadas. Devia ser o meio da noite, deduzi enfim, e sem tomar chá ou banho, fui para a cama. No meu tempo particular, o tempo que eu carrego em meu celular, eram as primeiras horas da tarde. Por isso não pude contar ingenuamente com a possibilidade de dormir.

Enrolar-me no edredom e ligar a televisão — volume baixo, para que chie, pisque, lamente. Apontar o controle remoto feito arma e disparar no meio da tela. Cada tiro mata um canal, e então imediatamente nasce outro. Mas o meu jogo se baseia em seguir a noite, escolher apenas os canais transmitidos de onde está escuro no momento. Imaginar o globo terrestre e uma cicatriz escura sobre a sua suave curvatura, a prova de um antigo crime; uma cicatriz que ficou depois de uma operação audaciosa para separar aqueles gêmeos siameses — a luz e a escuridão.

A noite nunca acaba, seu domínio sempre se estende sobre alguma parte do mundo. É possível segui-la com o controle remoto, procurar exclusivamente os canais na zona sombria daquela mão escura e côncava que sustenta a Terra, e assim se deslocar para o oeste, hora por hora, país por país. Você vai encontrar um fenômeno interessante se o fizer.

O primeiro tiro que disparei na testa lisa e desprovida de pensamentos da televisão ligou o canal 348, o Holy God. Vi uma cena de crucificação — algum filme dos anos 1960. Nossa Senhora tinha as sobrancelhas depiladas e muito finas e Maria Madalena devia estar usando um espartilho debaixo do vestido rústico azul desbotado — era visível que se tratava de um filme preto e branco que tinha passado por uma colorização malfeita. Seus seios enormes, em forma de cone, projetando-se absurdamente; a sua cintura finíssima. Enquanto soldados feios partilhavam as vestimentas rindo, apareceram imagens de todo tipo de cataclismo, imagens que pareciam recortadas de programas de natureza e inseridas no filme com apenas um clique. Eis nuvens, que se aglomeram em velocidade acelerada, relâmpagos e o céu, um funil apontado para a terra, um turbilhão, o dedo de Deus, que a partir daquele momento esboçaria uma sucessão de floresceres na superfície da terra. Depois, ondas iradas batendo contra a costa, alguns veleiros, simulacros fajutos despedaçados pela água furiosa. Vulcões explodindo, uma ejaculação quente que bem podia fecundar o céu, mas estava sem chances, então a lava apenas jorrava inerte pelas encostas vulcânicas. O êxtase quente rebaixado a uma simples ejaculação noturna.

Basta. Atirei de novo. Canal 350, Blue Line TV — uma mulher se masturbando. A ponta dos dedos desaparecendo entre as coxas finas. A mulher conversava com alguém em italiano, falava ao microfone preso à sua orelha à semelhança de uma delicada língua comprida que lambia dos seus lábios cada palavra em italiano, cada *si*, *si*, e *prego*.

354, Sexsatélite 1: desta vez duas moças entediadas se masturbavam — deviam estar terminando o seu turno, incapazes de esconder o cansaço. Uma delas operava a câmera que as filmava com um controle remoto. Nesse sentido eram absolutamente autossuficientes. De vez em quando uma careta surgia em seus rostos, como se de repente se lembrassem do que estavam fazendo — olhos semicerrados e bocas entreabertas —, mas logo desaparecia. Cansaço e distração voltavam para os seus rostos. Ninguém ligava para elas apesar do que presumi serem legendas incentivadoras em árabe na parte inferior da tela.

E agora o alfabeto cirílico — dei mais um tiro da tela. Gênesis escrito em cirílico. As palavras que apareceram na parte inferior da tela eram certamente cerimoniosas e ilustradas com imagens de montanhas, do mar, de nuvens, de plantas e animais. No canal 358 mostravam as melhores cenas de um astro pornô chamado Rocco. Parei por um instante porque notei algumas gotas de suor na sua testa. Enquanto executava estocadas pélvicas em nádegas anônimas, ele colocou a mão sobre os quadris, e você podia confundi-lo com alguém concentrado em praticar passos de samba ou de salsa — um-dois, um-dois.

No canal 288, Oman TV, liam os versetos do Alcorão. Ao menos era o que me parecia. A letra bela e completamente incompreensível da escrita árabe percorria a tela. Tive vontade de segurá-la na mão, tocar nela antes de tentar decifrar seu significado. Endireitar os floreios intricados, puxá-los até transformá-los numa linha reta e tranquilizadora.

Mais um tiro e lá estava um pastor negro e uma plateia que lhe respondia alegremente com um "aleluia".

A noite então silenciou as notícias barulhentas e agressivas, os canais de meteorologia e de filmes, deixando de lado os barulhos diurnos do mundo e trazendo o alívio de um sistema de coordenadas simples de sexo e religião. Corpo e Deus. Fisiologia e teologia.

ABSORVENTES

Em cada embalagem dos absorventes que comprei na farmácia havia informações curtas e engraçadas:

A palavra "letológica" descreve o estado de incapacidade de recordar a palavra necessária.

Ropografia é um termo ligado à pintura usado para descrever a atenção que o artista presta aos pormenores e detalhes.

Riparografia é a pintura de coisas em decomposição e nojentas.

As tesouras foram inventadas por Leonardo da Vinci.

No banheiro, onde abri um pacote inteiro com esses ensinamentos curiosos, num momento de revelação, me dei conta de que se tratava de mais uma parte do projeto da grande enciclopédia que estava sendo criada e que conteria tudo. Voltei, então, ao mesmo lugar e vasculhei as prateleiras em busca do nome dessa estranha empresa que decidiu ligar o útil ao necessário. Que sentido havia em imprimir flores ou morangos no papel, já que ele foi feito para ser um transmissor de ideias. O papel de embalagem é um desperdício, deveria ser proibido. Mas se você realmente precisar embrulhar algo, então que faça isso unicamente com romances ou poemas, e sempre de modo que o contido e aquilo que contém tenham alguma conexão.

Desde os trinta anos de idade, um ser humano começa a encolher lentamente.

A cada ano, mais pessoas morrem chutadas por burros que em catástrofes aéreas.

Se você acabar no fundo de um poço, poderá ver as estrelas mesmo durante o dia.

Você sabia que compartilha a data de seu aniversário com nove milhões de pessoas?

A guerra mais curta na história aconteceu entre Zanzibar e a Inglaterra em 1896. Durou apenas trinta e oito minutos.

Se o eixo da Terra fosse apenas mais um grau inclinado, ela não poderia ser habitada porque as áreas ao longo do equador seriam quentes demais, e ao redor dos polos, frias demais.

Por causa da rotação da Terra, qualquer objeto atirado para o oeste percorrerá uma distância maior que para o leste.

O corpo humano médio contém enxofre suficiente para matar um cachorro.

Araquibutirofobia é o medo de a manteiga de amendoim grudar no céu da boca.

Mas o que mais me impressionou foi isto:

O músculo mais forte do corpo humano é a língua.

RELÍQUIAS: *PEREGRINATIO AD LOCA SANCTA*

Em Praga, no ano de 1677, você poderia ir à Catedral de São Vito e ver: os seios de santa Anna, totalmente intactos, fechados num vidro; a cabeça do mártir são Estêvão; e a cabeça de João Batista. No convento de Santa Teresa, as freiras mostravam aos interessados uma monja que havia morrido trezentos anos antes, sentada atrás de uma grade e muito bem conservada. Os jesuítas, por sua vez, tinham a cabeça de santa Úrsula e o chapéu e o dedo de são Francisco Xavier.

Cem anos antes, um certo polonês chegou a La Valetta, em Malta, de onde escreveu que um padre local passeou com ele pela cidade e lhe mostrou: "*palmam dextram integram* (a mão direita inteira) de são João Batista, fresquinha, como se acabasse de ter sido amputada do corpo, e depois de abrir o estojo de cristal, permitiu que eu o beijasse com meus lábios indignos, o que eu, pecador, considero a maior bênção divina que experimentei em toda a minha vida. Permitiu, também, que eu beijasse um fragmento do nariz desse santo, a perna inteira de são Lázaro Quadriduani, os dedos de santa Madalena, uma parte da cabeça de santa Úrsula (o que eu estranhei, pois em Colônia, sobre o Reno, também vi outro exemplar inteiro, o qual toquei com os meus lábios indignos)".

DANÇA DO VENTRE

Depois da refeição, o garçom rapidamente me serviu o café e então recuou para o fundo da sala, atrás do balcão; ele também queria olhar.

Abaixamos a voz porque tínhamos que fazê-lo, pois as luzes tinham se apagado suavemente, e uma jovem mulher, que dez minutos antes eu tinha visto fumando um cigarro na rua, entrou correndo por entre as mesas. Ficou parada entre as pessoas sentadas e sacudiu os negros cabelos soltos. Seus olhos estavam carregados de pintura; o seu top justo, bordado com lantejoulas ao redor dos seios, que brilhava intensamente, todas as cores ao mesmo tempo, agradaria a qualquer criança, qualquer menina. As pulseiras em seus braços ressoavam e estalavam. Sua longa saia escorria dos quadris até os pés descalços. Era uma bela moça, seus dentes brancos brilhavam, irreais, os olhos lançavam miradas atrevidas sob as quais era impossível ficar sentada, imóvel: você queria se mexer, levantar e fumar. A moça dançava ao ritmo de tambores, enquanto as suas ancas se orgulhavam de si próprias, chamando para um duelo qualquer pessoa que se atrevesse a desafiar o seu poder.

Enfim, um homem aceitou o desafio e se pôs a dançar corajosamente. Era um turista de bermuda, não combinava com as lantejoulas, mas se esforçava, mexia os quadris, empenhado, enquanto seus amigos numa das mesas batiam as pernas e assoviavam, excitados. Mais duas moças se lançaram a dançar vestidas de calças jeans, magras como um palito.

Essa dança no nosso boteco ordinário era sagrada. Foi o que sentimos — eu e a minha companhia, outra mulher.

Quando a luz se acendeu, descobrimos que os nossos olhos estavam cheios de lágrimas e, envergonhadas, corremos para secá-los com guardanapos. Os homens alvoroçados zombavam de nós, mas eu tinha a certeza de que a comoção das mulheres que olhavam para essa dança era um caminho mais curto para compreendê-la do que a excitação dos homens.

OS MERIDIANOS

Uma mulher, Ingibjörg, viajava ao longo do meridiano primário. Vinha da Islândia e havia começado a sua expedição no arquipélago Shetland. Queixava-se, obviamente, que não era possível se deslocar em linha reta porque dependia completamente das estradas e das rotas dos navios ou das ferrovias. Mas procurava seguir uma regra: dirigir-se para o sul, mantendo-se próxima dessa linha, deslocando-se em zigue-zague.

Contava com tanto entusiasmo, tão vivamente, que não me atrevi a perguntar por que o fazia. Além disso, a reposta para esse tipo de pergunta é quase sempre: e por que não?

Enquanto ela falava, vi na minha imaginação a imagem de uma gota que desliza sobre a superfície de um globo.

Mesmo assim, essa ideia ainda me inquieta. Afinal, na verdade, os meridianos não existem.

UNUS MUNDUS

Tenho uma amiga poeta. Infelizmente ela nunca conseguiu se sustentar com a sua poesia. Aliás, quem é que vive de poesia? Começou, então, a trabalhar numa agência de viagens, e como falava inglês fluentemente, virou guia de grupos americanos. Estava indo muito bem e recebia recomendações para trabalhar com os turistas mais exigentes. Ela os buscava em Madri, ia com eles até Málaga, e depois viajavam de balsa para Túnis. Eram em geral grupos pequenos, de aproximadamente dez pessoas.

Ela gostava desses serviços e os fazia em média duas vezes por mês. Nessas ocasiões gostava de dormir tranquilamente nos melhores hotéis. Precisava se preparar para guiar os turistas pelos monumentos e lia muito para poder fazê-lo. Escrevia também, escondida. Por vezes, quando lhe surgia alguma ideia, frase, ou associação particularmente interessante, sabia que devia anotá-las no mesmo instante. Caso contrário, as perderia para sempre. Com a idade cada vez mais avançada, a memória cheia de lacunas começava a falhar. Levantava-se, ia para o banheiro e anotava sentada sobre o vaso sanitário. Às vezes escrevia no próprio braço, apenas as letras, mnemônica.

Não era especialista em países árabes ou na sua cultura — tinha estudado literatura e linguística —, mas se consolava com o fato de que seus turistas tampouco eram.

“Não nos enganemos”, dizia. “O mundo é um só.”

Não era preciso ser especialista, bastava ter imaginação. Às vezes, quando havia algum intervalo durante a viagem, quando eles tinham que ficar sentados por horas numa sombra quase inexistente no meio do nada, porque o cabo no jipe tinha se rompido, ela precisava entreter seus clientes de alguma forma. Começava, então, a contar histórias. Eles esperavam isso dela.

Usava algumas de Borges e as embelezava um pouco, deixando-as mais dramáticas. Outras vinham de *As mil e uma noites*, ainda que ela sempre acrescentasse algo próprio. Dizia que você precisava encontrar histórias que ainda não tivessem sido filmadas, e descobria que havia muitas delas. A tudo acrescentava um matiz árabe, divagando sobre detalhes dos trajes, dos pratos ou das variedades de camelos. Não deviam ouvi-la com muita atenção, pois nas vezes em que confundiu fatos históricos, ninguém percebeu, até que ela simplesmente parou de se preocupar com os fatos.

HARÉM (ESTÓRIA CONTADA POR MENCHU)

As palavras não conseguem exprimir os labirintos de um harém. Se as palavras forem insuficientes, então talvez se possa recorrer às favas numa colmeia, à ordem tortuosa dos intestinos, às entranhas do corpo, aos corredores do ouvido; a espirais, aos becos sem saída, apêndices, túneis redondos e macios que terminam na entrada de uma câmara oculta.

O centro está profundamente escondido, como num formigueiro, formado pelas câmaras da mãe do sultão, forradas com o útero dos tapetes, perfumadas com mirra, arrefecidas com água que transforma os parapeitos em leitos de riachos. Ao lado, estendem-se os quartos dos filhos menores de idade; de certo modo, eles também são mulheres, envoltos no elemento feminino até que a iniciação lacere o seu saco amniótico com a espada. Atrás deles abrem-se pátios internos com uma hierarquia complicada de covis para as cortesãs: as menos desejadas são transferidas para cima, como se os seus corpos esquecidos pelos homens se submetessem a um processo enigmático de angelização; as mais velhas moram bem junto do próprio telhado — logo as suas almas subirão para o céu, e os seus corpos, um dia tão atraentes, secarão como o gengibre.

Os dormitórios do soberano se encontram por entre essa riqueza de corredores, vestíbulos, nichos secretos, claustros e pátios. Junto de cada um deles há um banheiro real onde, no meio de um luxo majestoso, ele se entrega ao ato de uma serena defecação real.

Todas as manhãs, ele se solta dos abraços maternos para o mundo, como se fosse uma criança excessivamente crescida que está aprendendo a andar um pouco tarde demais. Desempenha o seu papel vestido em um cafetã de gala, e depois, à noite, volta aliviado ao corpo, aos próprios intestinos, às vaginas macias de suas cortesãs.

Volta das câmaras dos anciãos de onde governa o país desértico — recebendo delegações e dirigindo a política vã de um país local, pequeno e decadente. As notícias são assustadoras. O confronto sangrento de três grandes potências não deixa nenhuma dúvida; é preciso apostar numa cor, como numa roleta, e se declarar a favor de um dos lados. Não sabe qual deveria ser o fator decisivo da escolha feita — o lugar onde estudou, a afinidade com a cultura, ou talvez o som da língua? Essa incerteza é ainda incitada pelos convidados; ele os recebe todas as manhãs. São homens de negócios, mercadores, cônsules, assessores de índole duvidosa. Sentam-se junto dele sobre almofadas ricas em adornos, enxugando o suor das testas que, eternamente cobertas de um capacete de cortiça, permaneceram impressionantemente brancas, lembrando rizomas subterrâneos — o estigma da proveniência diabólica dessa gente. Outros, com turbantes e trunfas amassam e puxam as longas barbas com os dedos, inconscientes do fato de que esse gesto pode ser associado apenas com a mentira e a mesquinhez. Todos têm assuntos para tratar com ele, recomendam os seus serviços de negociação, procuram convencê-lo da única escolha certa. Isso lhe provoca dores de cabeça. É um país pequeno, constituído apenas por algumas dezenas de povoações nos oásis de um deserto pedregoso. De todas as riquezas naturais, existem lá apenas minas de sal a céu aberto. Não há acesso ao mar, não há nenhum porto, penínsulas estratégicas ou estreitos. As mulheres que habitam esse pequeno país cultivam grão-de-bico, sésamo e açafrão. Os seus maridos guiam os viajantes e comerciantes em caravanas que atravessam o deserto, rumo ao sul.

O jovem governante nunca fora atraído pela política, não entende o que há de tão fascinante nela para que o seu pai lhe dedicasse toda a vida. Mas ele não tem a menor semelhança com seu pai, que durante dezenas de anos construiu esse pequeno país lutando com os nômades no deserto. Entre seus muitos irmãos, ele foi escolhido para ser o herdeiro ao trono, só porque a sua mãe era a mais velha das esposas e uma pessoa ambiciosa. A mãe lhe assegurou o poder que por razões biológicas ela não podia ter. O irmão que seria um rival perigoso, sofreu um infortúnio — morreu picado por um escorpião. As irmãs não eram levadas em consideração, nem sequer as conhecia bem. Quando olha para as mulheres sempre se lembra de que todas poderiam ser suas irmãs e isso, estranhamente, o enche de paz.

Ele não tem amigos no conselho dos anciãos, esse grupo soturno de homens barbudos. Quando aparece no plenário, eles silenciam de repente, o que sempre o faz sentir que estão conspirando contra ele. Sem dúvida estão. Em seguida, depois de uma série de rituais de boas-vindas, discutem sobre diversos assuntos e lhe lançam olhares que mal escondem seu desprezo e relutância, embora eles próprios requeiram aprovação. Por vezes, infelizmente cada vez com mais frequência, ele tem a impressão de que esses curtos olhares contêm uma hostilidade inteiramente tangível, afiada como uma faca. Em particular, não se importam se ele acaba dizendo “sim” ou

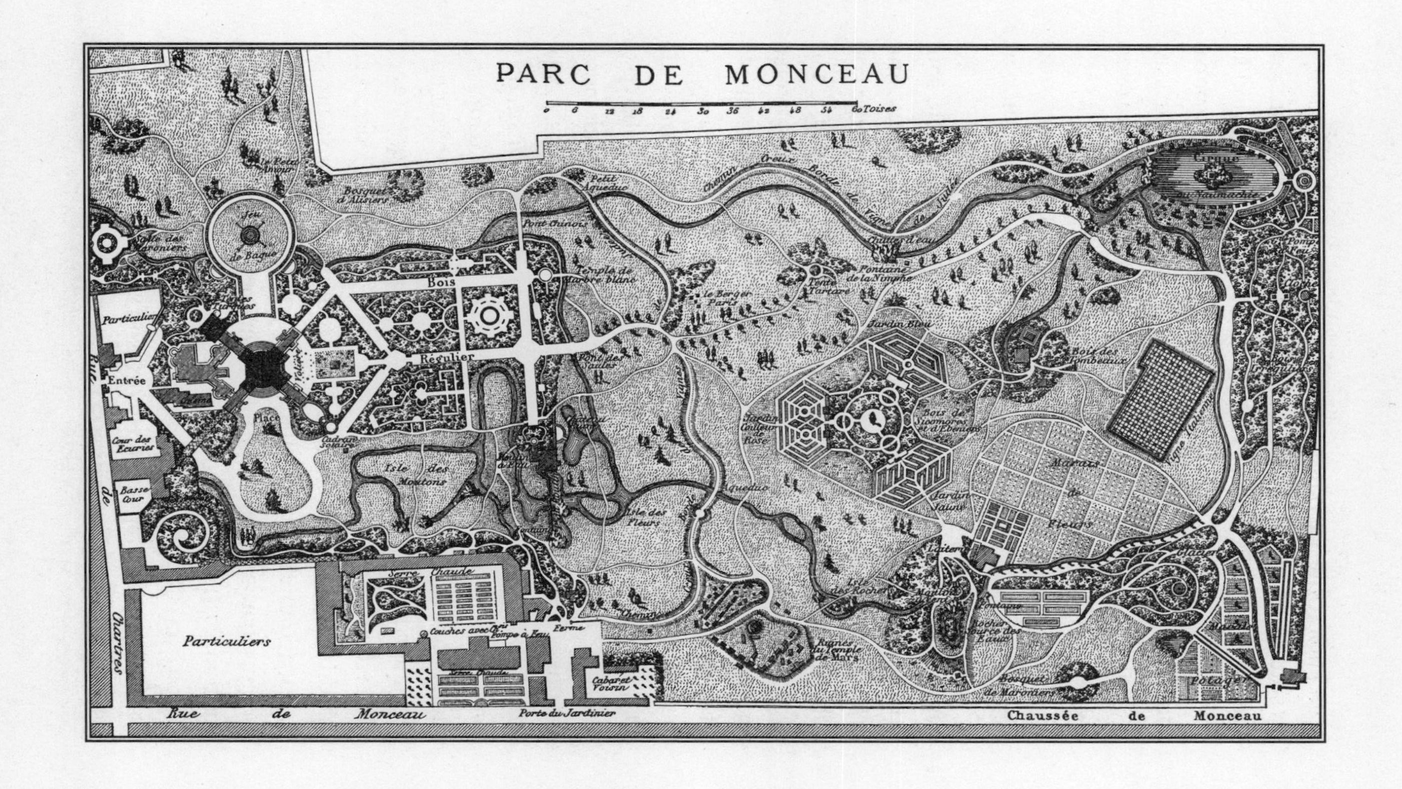
PARC DE MONCEAU
0 6 12 18 24 30 36 42 48 54 60 Toises
Bosquet d'Alisiers
Jeu de Bague
Petit Aqueduc
Chemin Creux Bordé de Vignes des Indes
Cirque ou Naumachie
Temple de Marbre blanc
Bois
Régulier
Entrée
Particuliers
Cour des Ecuries
Basse Cour
Place
Isle des Moutons
Le Berger Paris
Tente Tartare
Fontaine de la Nimphe
Jardin Bleu
Bois des Tombeaux
Jardin Couleur de Rose
Bois de Sicomores et d'Ebeniers
Jardin Jaune
Marais de Fleurs
Vigne Italienne
Isle des Fleurs
Aqueduc
Laiterie
Isle des Rochers
Rocher Source des Eaux
Ruines du Temple de Mars
Bosquet de Maroniers
Potager
Serre Chaude
Couches avec Chassis
Pompe à Feu
Ferme
Cabaret Voisin
Serre Chaude
Rue de Chartres
Rue de Monceau
Porte du Jardinier
Chaussée de Monceau

"não". Julgam apenas se ele deveria continuar ocupando esse lugar no meio da sala, a posição privilegiada, e se dessa vez ele emitirá algum som.

O que esperam dele? Ele é incapaz de acompanhar seus gritos sobrepostos, tão passionais, a lógica de suas divagações. O que chama a sua atenção é o belo turbante cor de açafrão de um deles, supostamente o ministro dos recursos hídricos, ou a aparência excepcionalmente pobre de outro; era difícil não notar a palidez mórbida de seu rosto emoldurado por uma barba branca e volumosa. Deve estar doente e sem dúvida vai morrer em breve.

"Morrer" — essa palavra enche o jovem soberano de um asco insuportável; não foi bom ter pensado nisso, agora sente a boca se encher de saliva e a garganta se contrair — uma inversão perversa do orgasmo. É preciso fugir dali.

É por isso que ele já sabe o que vai fazer, mas mantém tudo em segredo e não o revela à mãe.

No entanto, ela vem até ele no meio da noite, embora até mesmo ela devesse se anunciar aos seus dois guardas de confiança — Gog e Magog —, eunucos negros como ébano. Visita o filho enquanto ele se deleita nos braços de seus pequenos amigos. Senta aos seus pés sobre uma bela almofada, as pulseiras tilintando. Quando se move, agita ondas de perfumes picantes dos óleos com que unta seu corpo envelhecido. Diz que sabe de tudo e que o ajudará com a expedição se ele se comprometer a levá-la junto. E pergunta se ele está consciente de que, ao deixá-la ali, estaria condenando-a à morte.

"Temos parentes de confiança no deserto, eles devem nos receber. Já lhes enviei um homem com notícias nossas. Passaremos o pior momento lá, e depois, disfarçados, levando o que é nosso — joias e ouro —, seguiremos para o oeste, para os portos, e fugiremos daqui para sempre. Vamos nos estabelecer na Europa, mas não muito longe, para que possamos ver o litoral africano quando fizer bom tempo. Eu ainda vou cuidar dos seus filhos", diz ela, e fica claro que acredita na fuga, mas não nos netos, certamente não.

O que ele pode dizer? Acaricia suas pequenas cabeças sedosas e consente.

Mas na colmeia não há segredos, as notícias se espalham hexagonalmente, favo por favo, através das lareiras, pelos sanitários, corredores e pátios. Propagam-se no ar quente que sobe dos recipientes de ferro fundido em que se queima carvão vegetal para aliviar o frio noturno. Às vezes o ar que chega do interior, das montanhas, é tão gelado que a urina se coagula formando uma finíssima camada de gelo nos penicos de maiólica. As novidades se alastram pelos andares em que vivem as cortesãs e todas, mesmo as angelizadas nos andares supremos, juntam os seus poucos pertences. Sussurram entre elas, brigam pelo lugar na caravana.

Ao longo dos próximos dias, o palácio revive a olhos vistos. Fazia muito tempo não se via tanto movimento ali. Por isso o nosso soberano estranha que o Turbante Escarlate ou o Barba Miserável não percebam nada.

Pensa que são mais estúpidos do que achava.

Eles, por sua vez, pensam o mesmo sobre ele: que o seu soberano provou ser mais burro do que o consideravam até então. Por isso sentirão menos pena dele. Do oeste se aproxima um enorme exército, pelo mar e pela terra — sussurram entre si. Dizem que vêm em hordas, que declararam ao mundo uma guerra santa, e que planejam nos dominar. O que mais lhes interessa é Jerusalém, onde jazem os restos mortais de seu profeta. Não há como pará-los, estão insaciáveis e prontos para tudo. Irão saquear as nossas casas, estuprar as mulheres, incendiar as vivendas, profanar as mesquitas. Vão violar todos os tratados e acordos, são instáveis e gananciosos. Não há dúvidas — aqui não se trata de nenhum túmulo. Nós lhes daremos todos os túmulos, podem ficar com eles, há muitos. Se o que lhes interessa são cemitérios, que fiquem com eles também. Mas já está claro que tudo isso é só um pretexto; pretendem conquistar o que está vivo e não o que está morto. Assim que seus navios atracarem em nosso continente, eles vão erguer seu grito de batalha na língua rumorosa e rouca que falam — não sabem se comunicar como humanos, nem ler uma escrita humana —, e descorados pelo sol da longa viagem marítima, desbotados pelo sal marinho que cobre a sua pele com a mais fina camada de prata, eles invadirão nossas cidades, arrombarão as portas das casas, estilhaçarão jarras de azeite, saquearão nossas despensas e — ó céus! — alcançarão até mesmo os saruéis das nossas mulheres. São incapazes de responder a quaisquer saudações que possamos lhes oferecer, o seu olhar é torpe, as íris claras dos seus olhos parecem lavadas, desprovidas de reflexões. Alguém contou que são uma tribo nascida no fundo do mar, criada por ondas e peixes prateados, e de fato seus membros lembram pedaços de madeira cuspidos na costa. A sua pele tem a cor de ossos com os quais o mar brincou por tempo demais. Porém outros insistem que isso não é verdade — como seria possível, então, o seu chefe, o homem de barba ruiva, ter se afogado nas águas do rio Selef?

Eles sussurram com apreensão, e depois resmungam. Este governante falhou conosco. O pai dele, sim, foi bom, teria mandado logo mil cavaleiros para o combate, armado as muralhas, nos abastecido com água e grãos no caso de um cerco. Mas este… — alguém cospe ao pronunciar seu nome e silencia com medo do que poderia sair de sua boca.

Paira um longo silêncio. Um deles acaricia a barba, outro fixa o desenho complicado do piso, onde pedaços de cerâmica colorida formam um labirinto. Outro ainda esfrega a bainha de sua faca ricamente incrustada com turquesas. Seu dedo acaricia as pequenas saliências, para a frente e para trás. Hoje nada será decidido por esses assessores e ministros corajosos. Lá fora, os vigias permanecem em seus postos. O exército palaciano.

Naquela noite, na quietude de suas mentes, as ideias brotam, crescem como plantas e amadurecem num piscar de olhos. Em breve florescerão e darão frutos. De manhã, um mensageiro sai a cavalo com um humilde apelo para que o sultão se lembre deste pequeno país esquecido por todos. O conselho dos anciãos se levantou, para o bem dos justos e dos súditos de Alá, para afastarem o seu governante inepto. A imagem de uma espada em queda se cristaliza. O conselho pede apoio militar contra os infiéis que se aproximam pelo oeste, numerosos como grãos de areia no deserto.

E na mesma noite a mãe do governante o arranca de debaixo das peles e dos tapetes, dos corpos das crianças que dormem em sua cama; sacode-o para fora da sua inconsciência e ordena que se vista.

"Tudo está preparado, os camelos estão esperando, dois dos seus corcéis estão selados, e as tendas desmontadas já estão presas às selas."

O filho geme, se lamuria. Como ele conseguirá viver no deserto sem tigelas e pratos, sem fogareiros, sem tapetes para se deitar com as criancinhas? Sem o seu banheiro, sem a vista das janelas que dão para a praça e as fontes com água cristalina?

"Você morrerá", a mãe sussurra, e uma ruga vertical corta sua testa como uma adaga. O seu sussurro é reptiliano, o silvo de uma sábia serpente junto de um poço. "Levante-se!"

Por trás de algumas paredes ouvem-se passos, as esposas já juntaram seus pertences. As mais novas, mais; as mais velhas, menos, para não darem motivos à insatisfação. Apenas trouxas simples, xales, brincos e pulseiras valiosos. Agora esperam agachadas às portas, diante da cortina, aguardando para serem chamadas, e como a demora é grande, olham impacientes pela janela, onde, ao leste, uma lua cor-de-rosa já começa a nascer sobre o deserto. Não veem o abismo do deserto cujas línguas ásperas lambem as escadas do palácio, pois as suas janelas dão apenas para o pátio interno.

"O galho sobre o qual os seus ancestrais armavam sua tenda era o eixo do mundo, o seu centro. O seu reinado estará lá onde você armar a sua tenda", diz a mãe e o empurra para a saída. Ela nunca teria ousado tocá-lo daquela forma, mas com esse gesto lhe indica que nas últimas horas ele deixou de ser o soberano desse pequeno país da cor do açafrão.

"Quais das esposas você levará junto?", ela pergunta, e ele demora a responder. Em vez disso, acolhe um grupo de crianças, meninos e meninas, anjinhos cujos corpos magros e nus lhe cobrem à noite. O menino mais velho tem menos de dez anos, a garota mais nova, quatro.

Esposas? Não haverá nenhuma esposa, nem as velhas, nem as novas. Eram boas para ficarem no palácio. Nunca precisou muito delas, dormia com elas pela mesma razão que o obrigava a ver as caras barbudas dos assessores todas as manhãs. Penetrar suas ancas largas, seus recantos carnudos nunca lhe deu muito prazer. Tinha nojo de suas axilas peludas e das saliências dos seus seios. Por isso tinha o maior cuidado de não derramar nem um pingo de seu sêmen precioso nesses vasos miseráveis, para que nem uma gota de vida fosse desperdiçada.

Estava, no entanto, certo de que retendo seus fluídos, e graças aos corpinhos das crianças das quais extraía forças durante o sono, graças aos seus doces sopros em seu rosto, um dia seria imortal.

"Levaremos as crianças, minhas criancinhas, uma dúzia de anjinhos, que se vistam, ajude-os", ele diz para a mãe.

"Seu tolo", ela sibila, "você quer levar as crianças? Com elas não sobreviveremos no deserto nem sequer um par de dias.

Você está ouvindo os sussurros e ruídos se aproximando? Não temos um instante a perder. Lá, aonde iremos, você pegará outras crianças, em quantidade ainda maior. Deixe essas aqui, elas ficarão bem."

Contudo, ao ver a determinação dele, ela soluça de raiva e se posta diante da porta com os braços estendidos. O filho vai até ela; os dois se medem com os olhos. As crianças os cercam num semicírculo, algumas se agarraram às abas de seu cafetã. O seu olhar é calmo e indiferente.

"Você terá que escolher: elas ou eu", a mãe deixa escapar, e quando essas palavras se soltam dos seus lábios, quando as vê de fora, tenta pegá-las de volta com a língua, mas é tarde demais.

O filho então lhe golpeia a barriga com o punho fechado, no exato ponto onde anos antes foi sua primeira casa, aquela câmara macia forrada de vermelho. Em seu punho ele segura uma faca. A mulher curva-se para a frente e, da ruga em sua testa, a escuridão se derrama sobre o seu rosto.

Não há tempo a perder. Gog e Magog colocam as crianças sobre os camelos, as menores dentro de cestos como se fossem pássaros. Amarram objetos de valor, enrolam materiais valiosos em lona simples para disfarçá-los, e quando o mais fino filete do sol toca o horizonte, já estão na estrada. No início, o deserto os presenteia com a abundância de sombras compridas que deslizam de uma duna para outra, deixando uma marca visível apenas para os iniciados. Com o tempo esse rastro diminuirá, até desaparecer por completo quando a caravana conseguir alcançar a imortalidade almejada.

OUTRA ESTÓRIA CONTADA POR MENCHU

Uma certa tribo nômade vivia no deserto havia séculos entre povoações cristãs e muçulmanas. Assim, aprendeu muito.

Em tempos de fome, seca e perigo, eram forçados a pedirem abrigo aos seus vizinhos sedentários. Antes, no entanto, enviavam um mensageiro que observaria de trás do matagal os costumes da povoação e, a partir dos sons, cheiros e trajes, determinaria se era um povoado muçulmano ou cristão. O mensageiro retornava com essas notícias para a sua tribo, e então eles tiravam os adereços necessários dos alforjes e seguiam para os oásis, apresentando-se como irmãos de fé. Jamais lhes foi negada ajuda.

Menchu jurava que era verdade.

CLEÓPATRAS

Estava dentro de um ônibus junto com mais de uma dezena de mulheres totalmente cobertas por véus. Era possível ver apenas os seus olhos por uma fenda estreita, e o que me impressionou foi a minúcia e a beleza da sua maquiagem. Eram os olhos de Cleópatra. As mulheres tomavam graciosamente água mineral através de um canudo de plástico que desaparecia nas camadas do tecido negro e achava lá, em algum lugar ali dentro, os lábios hipotéticos. Tinham acabado de colocar um filme no ônibus para tornar a viagem mais agradável. Na tela estava Lara Croft. Olhávamos, fascinadas, para essa moça ágil de braços e coxas brilhantes que derrubava soldados armados até os dentes.

UM QUARTO DE HORA MUITO LONGO

Num avião entre as 8h45 e as 9h. Na minha percepção, durou cerca de uma hora ou mais.

APULEIO, O BURRO

Um criador de burros me confidenciou sua história.

O problema com os burros é que eles são um investimento relativamente caro que leva tempo para dar retorno e exige trabalho. Fora da alta temporada, quando não há turistas, é preciso ter dinheiro para alimentá-los, tratar do seu pelo, eles precisam ser bem cuidados. Esse marrom-escuro é macho, o pai de toda a família. Seu nome é Apuleio, foi chamado assim por uma turista. Este, por sua vez, chama-se Jean-Jacques, apesar de ser fêmea, e o mais claro é Jean-Paul. Tenho mais alguns do outro lado da casa. Agora, fora da temporada, apenas dois trabalham. Mas quando o tráfego da manhã começa, eu os trago aqui para fora, antes da chegada dos ônibus de turismo.

Os piores são os americanos, pois a maioria é obesa. Muitas vezes são pesados demais mesmo para Apuleio. Pesam o dobro que outras pessoas. Um burro é um animal inteligente, consegue avaliar o peso imediatamente e deve ficar aflito quando os vê saindo do ônibus, de bermudas, morrendo de calor e com enormes manchas de suor nas camisetas. Tenho a impressão de que os burros podem distingui-los pelo cheiro. E então começam os problemas, mesmo quando o seu tamanho se encaixa nas normas. O burro começa a dar coices, gritar, se negando descaradamente a trabalhar.

Mas os meus animais são bons, eu os criei bem. É importante para nós que os nossos clientes guardem boas lembranças. Eu próprio não sou cristão, mas entendo que para eles é, enfim, o ponto culminante da viagem. Vêm aqui para visitar, montados nos meus burros, o lugar onde um certo João batizou o seu profeta com a água do rio. De onde eles sabem que tinha sido ali mesmo? Aparentemente isso estaria escrito no seu livro sagrado.

OS REPRESENTANTES DA MÍDIA

De manhã houve um atentado. Uma pessoa foi morta e algumas ficaram feridas. O corpo já foi removido. A polícia cercou o local com uma fita de plástico vermelha e branca, atrás da qual havia enormes manchas de sangue no chão. As moscas se agitavam em volta delas. Havia uma moto no chão e junto dela uma poça de gasolina opalescente; ao lado, caíra uma sacola com frutas, havia tangerinas espalhadas, sujas, chamuscadas, alguns trapos um pouco mais afastados, uma sandália, um boné de cor indeterminada, uma parte de um celular — onde estava a tela, agora havia um grande buraco.

As pessoas se aglomeravam junto da faixa olhando com terror. Falavam pouco, em voz baixa.

A polícia esperava para limpar o local pois viria um jornalista de alguma emissora de televisão importante para fazer uma reportagem. Estaria particularmente interessado nas manchas de sangue. E já estaria a caminho.

AS REFORMAS DE ATATÜRK

Um dia, ao anoitecer, quando já estava deitada na cama depois de um dia inteiro andando, olhando e escutando, eu me lembrei de Alexandra e dos seus relatórios. De repente, comecei a sentir saudades dela. Imaginei que estava na mesma cidade, dormindo com a bolsa junto da cama, envolta pela auréola prateada dos seus cabelos. Apóstola Alexandra, a Justa. Achei o seu endereço na mochila e anotei para ela uma Iniquidade, com a qual me deparei aqui.

Quando Atatürk fazia as suas reformas corajosas nos anos 1920, Istambul era uma cidade cheia de cães semisselvagens sem dono. Criou-se, aliás, uma raça particular a partir deles — um cão de porte médio, com pelo curto e pelagem clara, branco ou cor de creme, ou com uma combinação de manchas nessas duas cores. Os cães viviam nas docas do porto, por entre cafés e restaurantes, nas ruas e praças. À noite iam caçar na cidade; mordiam-se mutuamente, reviravam o lixo. Indesejados, voltaram ao seu comportamento natural — juntavam-se em matilhas, escolhiam os líderes, como os lobos ou os chacais.

No entanto, Atatürk queria transformar a Turquia num país civilizado. Em poucos dias, unidades especiais apanharam milhares de cães que foram levados para ilhas próximas, desertas e sem vegetação. Lá foram soltos. Privados de água doce e qualquer tipo de alimentação, eles se devoraram mutuamente durante umas três ou quatro semanas, enquanto os habitantes de Istambul, especialmente os donos das casas com varandas com vista para o Bósforo ou os frequentadores dos restaurantes que serviam peixe à beira-mar, ouviam os uivos, e depois foram atormentados por ondas de um terrível fedor vindas de lá.

Durante a noite, mais e mais provas dos erros humanos vieram à minha mente, até que fiquei toda encharcada de suor. Por exemplo, um filhote de cachorro que morreu congelado porque vivia numa banheira de chapa virada para baixo que servia como a sua casinha.

KALIJUGA

"O mundo está ficando cada vez mais escuro", dois homens conversavam ao meu lado. Pelo que eu tinha entendido, eles estavam viajando para um congresso em Montreal que contaria com a presença de oceanógrafos e geofísicos. Supostamente, desde os anos 1960, a intensidade da radiação solar teria caído quatro por cento. A velocidade média com a qual a intensidade da luz se apaga num planeta é de 1,4 por cento por década. O fenômeno não é suficientemente intenso para que possamos percebê-lo, no entanto, foi detectado por radiômetros. Eles mostraram, por exemplo, que a quantidade da radiação solar que chegava à União Soviética entre os anos 1960-1987 diminuiu em um quinto.

Qual é a causa do escurecimento? Não se sabe exatamente. Dizem que é a poluição do ar, fuligem e os aerossóis.

Dormi e tive uma visão tenebrosa: uma imensa nuvem surgindo de trás do horizonte — a evidência de uma guerra enorme e eterna travada longe, implacável e cruel, que destrói o mundo. Mas calma, nós estamos, por enquanto, na ilha da felicidade — mar turquesa e céu azul, areia quente e cubinhos salientes de conchas sob os nossos pés.

Mas esta é a ilha Bikini. Em breve tudo será destruído, queimado, perecerá, ou, na melhor das hipóteses, passará por uma mutação monstruosa. Aqueles que sobreviverem darão à luz filhos-monstros, gêmeos siameses ligados pela cabeça, um cérebro num corpo duplicado, dois corações num peito. Surgem novos sentidos: a sensação de falta, o sabor da ausência, a habilidade de uma precognição particular. Saber o que não vai acontecer. Pressentir aquilo que não existe.

O brilho vermelho-escuro cresce, o céu fica marrom, cada vez mais escuro.

COLEÇÕES DE MODELOS DE CERA

Cada uma das minhas peregrinações visa um outro peregrino. Desta vez, de cera.

Viena, Josephinum: a coleção de figuras anatômicas em cera recém-renovada. Num dia chuvoso de verão, chegou aqui, além de mim, um outro viajante, um homem de meia-idade, de cabelos completamente grisalhos e óculos de armação metálica. Estava interessado apenas em um modelo e lhe dedicou um quarto de hora. Depois, desapareceu com um sorriso enigmático nos lábios.

Eu mesma pretendia ficar por mais tempo. Estava equipada de um bloco de anotações e de uma máquina fotográfica — levava até balas com cafeína e uma barra de chocolate no bolso.

Devagar, para não perder nenhuma peça em exibição, andava a passos lentos por entre os armários de vidro.

Modelo 59. Um homem de dois metros de altura, esfolado. Tem um corpo rendado, tecido harmoniosamente com músculos e tendões. Causa choque à primeira vista, deve ser um reflexo — a visão de um corpo desprovido de pele é, em si, dolorosa, irrita e queima, como na infância, quando a carne viva emergia de um joelho raspado. O modelo tem um braço para trás e a mão direita erguida sobre a cabeça. Com um movimento gracioso de uma estátua antiga, cobre os olhos como se estivesse olhando à distância, contra o sol. Conhecemos esse gesto das pinturas — é assim que se olha para o futuro. O modelo 59 poderia ser exibido no Museu de Arte mais próximo; aliás, não sei por que foi condenado a passar seus dias num Museu de Anatomia humilhante. Deveria ser exibido na melhor galeria de arte porque é uma dupla obra de arte — por ser uma magnífica realização em cera (não há dúvidas de que seja a maior conquista da arte naturalista), mas também pelo próprio design do corpo. Quem seria o autor?

O modelo 60 também apresenta os músculos e tendões, mas a nossa atenção se concentra, sobretudo, na faixa suave dos intestinos que ganharam proporções perfeitas. As janelas do museu se refletem em sua superfície lisa. Só depois de um momento, descubro atordoada que é uma mulher — possui um penduricalho perverso, um pedaço de pele cinzenta colado abaixo do abdome, e nele uma fenda vertical marcada de forma grosseira. Evidentemente, o autor do modelo queria dar a entender ao observador inexperiente em anatomia que estava diante de intestinos femininos. Eis o selo peludo, a marca registrada do gênero, o logotipo feminino. O modelo 60 apresenta o sistema circulatório e linfático em forma de uma auréola dos intestinos. A grande maioria dos vasos sanguíneos repousa sobre os músculos, mas uma parte deles é apresentada como uma rede suspensa no ar, e só aqui se pode ver a maravilha fractal dessas linhas vermelhas.

Mais adiante estão braços, pernas, estômagos e corações. Todos os modelos dispostos cuidadosamente sobre um pedaço de seda de um brilho perolado. Os rins parecem brotar da bexiga feito duas anêmonas. "O membro inferior e os seus vasos sanguíneos", uma inscrição anuncia em três línguas. A rede de vasos linfáticos do abdome, os gânglios linfáticos, estrelinhas e broches com as quais uma mão desconhecida adornou a monotonia dos músculos. Os gânglios linfáticos poderiam servir como exemplo aos joalheiros.

No centro dessa coleção de cera, está o modelo 244, o mais belo, aquele que tanto despertou o interesse do homem dos óculos de armação metálica e que também está prestes a capturar a minha atenção por meia hora.

É uma mulher deitada, quase intacta; o seu corpo foi prejudicado apenas em um lugar: a barriga aberta mostra a nós, os peregrinos, o aparelho reprodutor pressionado contra o diafragma, e o útero sob sua capa ovariana. Aqui também o selo peludo do gênero, totalmente supérfluo, já que não há dúvidas de que se trata de uma mulher. O púbis foi coberto meticulosamente com pelos falsos, e abaixo, foi feita, com grande cuidado, a abertura da vagina, difícil de ser notada, apenas para os mais persistentes que não hesitam em se agachar junto dos pezinhos de dedos rosados, assim como o fez o homem de óculos. E eu penso: ainda bem que ele foi embora, agora é a minha vez.

A mulher tem cabelos claros e soltos, olhos levemente fechados e lábios entreabertos — é possível ver a ponta dos seus dentes. No pescoço, há um colar de pérolas. Fico impressionada com a total inocência dos seus pulmões, lisos, sedosos, logo abaixo das pérolas; jamais devem ter inalado a fumaça de um cigarro. Poderiam ser os pulmões de um anjo. O coração, cortado transversalmente, revela a sua dupla natureza, ambas as câmaras estão forradas com um tecido vermelho aveludado, criadas para um movimento monótono. O fígado envolve o estômago feito enormes lábios sangrentos. Também é possível ver os rins e o ureter, que lembram uma raiz de mandrágora apoiada sobre o útero, que é um músculo agradável de se ver, enxuto e bem formado; é difícil imaginar que seria capaz de vaguear pelo corpo e causar histeria, segundo se acreditava antigamente. Não há dúvidas de que os órgãos foram cuidadosamente embalados dentro do corpo para uma longa viagem. Da mesma forma, a vagina cortada longitudinalmente, revela o seu segredo, um túnel curto que termina com um beco sem saída e parece completamente inútil, pois não constitui nenhuma entrada ao interior do corpo. Se encerra numa câmara cega.

Sentei num banco duro junto à janela, de frente para a multidão silenciosa de modelos em cera e, exausta, me entreguei a uma onda de comoção. Que músculo apertava a minha garganta com tanta força? Qual seria o seu nome? Quem inventou o corpo humano e, portanto, detém os seus direitos autorais eternos?

AS VIAGENS DE DR. BLAU I

De barba branca e cabelos grisalhos, ele viaja para uma conferência sobre a conservação de espécimes médicos, particularmente sobre a plastinação de tecidos humanos. Senta confortavelmente numa poltrona, põe seus fones de ouvidos e ouve as cantatas de Bach.

A moça das fotos que ele revelou e que agora levava consigo tem um penteado engraçado — seus cabelos estão cortados em linha reta na nuca, mas têm mechas mais longas na frente; chegam até os ombros nus e cobrem o rosto de um jeito sedutor. Tudo o que se pode ver debaixo deles é a linha nítida cor de vinho dos lábios, pintada sobre a superfície lisa do rosto. Blau gostava daquela boca, assim como gostava do resto do corpo — franzino, firme, com seios pequenos e mamilos veementes que acentuam a superfície aveludada do peito. Quadris delgados e coxas relativamente volumosas. Sempre se sentiu atraído por pernas fortes. "Coxas poderosas", assim poderia se chamar o seu hexagrama particular. Uma mulher de coxas fortes é como um quebra-nozes — dr. Blau reflete —, aventurar-se entre elas é correr o risco de ser despedaçado. É como desarmar uma bomba.

Isso o excita. Ele próprio é franzino e pequeno. Está arriscando a sua vida.

Ficou excitado ao tirar as fotos dela. Ele também estava nu, então a excitação lentamente se tornava visível, até evidente. Mas não sentia vergonha porque o seu rosto estava escondido atrás da câmera; ele era um Minotauro mecânico com um rosto-câmera, o único olho da lente sobre uma haste, que se aproximava e se afastava, avançando e recuando feito uma tromba mecânica.

A moça notou seu estado e isso lhe deu confiança. Ergueu os braços, entrelaçou as mãos na nuca, expondo as axilas indefesas, as possibilidades cegas e imaturas de sua virilha. Os seios se ergueram mais, se tornaram quase planos, quase infantis. Blau, de joelhos, se aproximou com a máquina colada no rosto e começou a fotografá-la de baixo. Tremia. Parecia-lhe que o tufo de pelos negros, raspado em uma linha fina, que fazia os seus quadris se tornarem opticamente ainda mais magros e atraentes, como um ponto de exclamação, fosse arranhar a lente. Agora a sua ereção estava já bastante evidente. A moça bebeu um pouco do vinho branco, aparentemente uma retsina grega, e sentou-se no chão, cruzando as pernas e escondendo o lugar que havia instigado tanto o doutor. Ele adivinhou o que esse movimento significava: eles estavam chegando ao horizonte desta noite.

Mas não era exatamente isso que ele procurava. Recuou na direção da janela, sua nádega nua e magra encostada no parapeito frio. Ele continuava fotografando. Mais uma pose, dessa vez sentada, foi registrada. A moça, novinha como um cordeiro, sorriu. Estava orgulhosa da prontidão do corpo de dr. Blau, pois isso significava que ela era capaz de trabalhar sua magia à distância. Que poder! Alguns anos atrás, quando criança, brincava de fazer feitiçaria, imaginava que conseguia mover objetos apenas com a sua vontade. Às vezes tinha a impressão de que realmente uma colher ou um grampo haviam se deslocado por um milímetro. Mas nenhum objeto jamais havia se submetido à sua vontade de modo tão evidente e teatral.

Enquanto isso, Blau se deparou com a verdadeira tarefa. Não havia como parar o que, àquela altura, era inevitável — os seus corpos flutuavam, atraídos. A moça permitiu que ele a acariciasse e a deitasse de costas. Com dedos delicados, o médico desarmou a bomba. O hexagrama das coxas se abria a todas as interpretações. A máquina disparava.

Blau tinha uma coleção inteira dessas fotos, dezenas, talvez até centenas delas. Corpos femininos sobre paredes brancas. As paredes são diferentes, porque os lugares também variam: hotéis, pensões, o seu consultório na Academia, às vezes o seu apartamento. Os corpos são essencialmente parecidos, não constituem nenhum mistério.

Mas não as vaginas. Elas são como impressões digitais. Aliás, seria possível usar esses órgãos embaraçosos, desconsiderados pela polícia, para a identificação — são absolutamente únicos, belos como orquídeas que atraem insetos com sua forma e cor. Que ideia estranha — de que esse mecanismo botânico de alguma maneira tivesse sido capaz de se preservar até a era em que se formou a espécie humana. Ora, é preciso dizer mais: tinha que ser eficaz. É como se a natureza se deleitasse tanto com essa ideia das pétalas que decidiu levá-la adiante, sem esperar que o ser humano fosse dotado também de uma psique que sairia um pouco do controle e encobriria o que tinha sido tão bem idealizado. Escondido nas roupas íntimas, nas alusões, no silêncio.

Ele guarda fotos das vaginas em caixas de papelão estampadas, compradas na Ikea. Durante anos, a única coisa que mudava, de acordo com a moda, era o seu desenho — começando pelos espalhafatosos e cafonas anos 1980, passando pelos matizes simplórios, cinzentos e negros dos anos 1990, até a atualidade e os seus desenhos vintage, pop art e étnico. Blau sequer precisa colocar as datas sobre elas, as reconhece imediatamente. Mas o seu verdadeiro sonho é criar uma coleção real, não composta de fotos.

Cada parte do corpo merece ser lembrada. E cada corpo merece sobreviver. É um absurdo o fato de ele ser tão frágil e delicado. É revoltante permitir que se desintegre debaixo da terra, ou deixá-lo à mercê das chamas, queimado feito lixo. Se isso dependesse de dr. Blau, ele criaria o mundo de outra forma — a alma seria mortal, pois não nos serve para nada, mas o corpo permaneceria imortal. Nunca saberemos quão diversificada é a espécie humana, e o quanto cada indivíduo é único, se condenarmos os corpos à destruição de uma maneira tão impensável, ele refletia. Antigamente isso era compreensível — faltavam os meios e os métodos de conservação. Apenas os mais ricos tinham recursos suficientes para embalsamar. Mas hoje em dia, a ciência da plastinação se desenvolve muito rápido e continua aperfeiçoando os seus métodos. Aqueles que quiserem já podem salvar o seu corpo da destruição e compartilhar sua beleza e seu mistério com os outros. Eis o maravilhoso sistema dos meus músculos, diria um corredor, campeão mundial dos cem metros. Vejam todos como funciona. Eis o meu cérebro, gritará o maior jogador de xadrez. Aqui estão aquelas duas fissuras atípicas, que tal chamá-las de "curvas do bispo". Eis minha barriga, dois filhos saíram dela para o mundo, diria uma mãe orgulhosa. Assim Blau o imaginava. Essa seria a sua visão de um mundo justo, onde não destruiríamos tão rápido aquilo que é sagrado. Assim sendo, ele se empenha por essa visão em tudo o que faz.

Por que alguém teria algum problema com isso? Nós, protestantes, jamais ficaríamos incomodados. Mas mesmo os católicos não deveriam fazer rebuliço: afinal, existem evidências antigas, coleções de relíquias, e o próprio Jesus Cristo poderia ser considerado o padroeiro da plastinação quando nos mostra o seu coração vermelho e carnudo.

—

O suave rumor dos motores acrescentava uma profundidade inesperada ao coro de vozes nos fones do dr. Blau. O avião voava para o oeste, então a noite não terminava lá onde deveria, mas continuava a se arrastar. De vez em quando ele levantava as cortinas para ver se, ao longe, em algum lugar do horizonte, um clarão branco já não era visível, o vislumbre de um novo dia, de novas possibilidades. Mas não havia nada. As telas tinham sido desligadas, o filme havia acabado. De quando em quando, aparecia um mapa e nele um avião em miniatura que atravessava a distância ignorada pelo mapa num passo de tartaruga. Até parecia que o mapa tinha sido imaginado por Zeno, o cartógrafo, pois cada distância era por si só infinita, cada ponto abria subsequentes espaços impossíveis de serem atravessados; e, claro, cada movimento, apenas uma ilusão, todos viajávamos sem sair do lugar.

Um frio inimaginável lá fora, uma altitude inimaginável, o fenômeno inimaginável de lançar uma máquina pesada no ar. "*Wir danken dir, Gott*", os anjos cantavam nos fones de dr. Blau.

Ele lançou um olhar para a mão da mulher sentada à sua esquerda e mal pôde conter o desejo de acariciá-la. Ela dormia recostada no ombro de um homem. À sua direita, cochilava um rapaz levemente rechonchudo. A mão dele pendia frouxamente do encosto da poltrona e quase roçava as calças de Blau. Absteve-se, também, de acariciar esses dedos.

Permanecia sentado, enfiado numa poltrona no meio de duzentas pessoas no espaço alongado do avião, respirando o mesmo ar que elas. Por isso mesmo gostava tanto de viajar — durante a jornada, as pessoas são forçadas a estarem juntas, fisicamente, próximas umas das outras, como se o real alvo da viagem fosse o outro viajante.

Contudo, cada um desses seres, à cuja presença estava condenado por mais — lançou um olhar para o relógio — quatro horas, pareciam monádicos, lisos e cintilantes como uma bola de bocha. Por isso o único tipo de contato que se ativava nos algoritmos instintivos de Blau eram carícias; roçar com a ponta ou a polpa do dedo e sentir sua curvatura plana e fria. Mas suas mãos perderam qualquer esperança de encontrar ali uma fenda palpável, já haviam verificado isso mil vezes nos corpos das meninas: não havia nenhuma ranhura, nenhuma válvula escondida que, forçada cuidadosamente com a unha, o convidasse a entrar, nenhuma saliência, alavanca secreta, um botão que, uma vez apertado, soltaria algo com um clique, nem uma minúscula mola que revelasse aos seus olhos um interior complexo. Ou talvez não complexo, talvez até muito simples, apenas a inversão da superfície, uma única mola enrolada para dentro, absorvida por ela mesma. A superfície dessas mônadas esconde dentro dela um abismo de segredos, nem mesmo remotamente sugerindo a riqueza esplendorosa das estruturas engenhosa e maravilhosamente empacotadas — nenhum viajante, mesmo o mais esperto, conseguiria compor a sua bagagem dessa forma: manter a ordem, a segurança e a estética, separar os órgãos com as membranas do peritônio, revestir os espaços de tecidos adiposos, acolchoando-os. Assim foram as ruminações ardentes de um Blau meio adormecido no desassossego do avião.

Está bem. Blau se sente feliz. E isso basta. Ver o mundo de cima, a bela e tranquila ordem das coisas. Essa ordem é antisséptica. Está dentro das conchas e grutas, nos grãos de areia e nos voos regulares de todos os aviões, na simetria, onde há séculos o direito combina com o esquerdo, na luz eloquente dos letreiros e na luz em geral. Dr. Blau envolveu o seu corpo esbelto com um cobertor, um grande pedaço de lã, propriedade da companhia aérea, e dormiu de vez.

—

Blau era menino quando o seu pai — um engenheiro que, à semelhança de outros construtores do bloco soviético, passou anos reconstruindo Dresden depois da destruição causada pela guerra — o levou ao Museu de Higiene. Lá, o pequeno Blau viu Glasmensch, o homem de vidro, obra de Franz Tschakert criada para fins pedagógicos. O golem de dois metros desprovido de pele era composto de perfeitos órgãos reproduzidos em vidro, arranjados no corpo translúcido que aparentemente não guardava mistérios. Era um monumento singular feito em homenagem à natureza, a mesma que criou essa perfeição. Havia nele leveza e criatividade, sentido de espaço, bom gosto, beleza e manejo de simetria. Uma maravilhosa máquina humana de formas racionais, aerodinâmicas, muitas vezes resolvidas com humor (a estrutura do ouvido), e por vezes excêntricas (a estrutura do olho).

O homem de vidro fez amizade com o pequeno Blau, pelo menos na imaginação do menino. Às vezes ele o visitava, sentava em seu quarto, cruzava as pernas e se deixava admirar.

Outras vezes se reclinava, cortês, para ajudar o rapaz a captar algum detalhe, entender como um músculo de vidro abraçava carinhosamente o osso e onde desaparecia o nervo. Virou seu amigo e um companheiro vítreo taciturno. Aparentemente, muitas crianças brincam com amigos imaginários.

Em seus devaneios ele ganhava vida — embora raramente o fizesse, desempenhando o que se poderia chamar de papel secundário. Mesmo quando jovem, Blau nunca se importou muito com os seres vivos — talvez só até certo ponto. Então, quando lhe mandavam apagar a luz em seu quarto, eles conversavam em silêncio debaixo das cobertas. Sobre o que falavam? Blau já não consegue se lembrar. Durante o dia, ele virava o seu anjo da guarda e o acompanhava, invisível, durante as brigas na escola, na imaginação do menino, o homem de vidro sempre prestes a dar um murro na boca dos inimigos, ou no valentão da turma durante as excursões ao jardim botânico, chatas e cansativas, que consistiam em grande parte em esperar o grupo se reunir. O grupo era uma forma de socialização coletiva que ele detestava particularmente.

No Natal ele ganhou do pai uma pequena miniatura de plástico que não havia como competir com o original. Era antes uma estátua de uma divindade que mal lembrava a existência da coisa autêntica.

O pequeno Blau tinha a imaginação espacial muito bem desenvolvida, o que mais tarde ajudou-o em anatomia. Graças à imaginação, controlava a invisibilidade de Glasmensch. Era capaz de iluminar em seu corpo o que lhe parecia digno de atenção em cada momento e fazer desaparecer aquilo que não tinha importância. Por isso a figura de vidro às vezes surgia como um homem feito de tendões e músculos, sem pele, sem rosto; simplesmente um feixe de músculos, cordas esticadas, inchadas pelo esforço. Sem saber quando, o pequeno Blau aprendeu anatomia. O seu pai, rigoroso e exigente, olhava para isso com orgulho, já projetando o futuro do filho em termos muito concretos, como médico ou cientista. Para o seu aniversário, o menino ganhou pranchas anatômicas lindamente coloridas, e o coelho da Páscoa lhe trouxe um esqueleto humano de tamanho real.

Blau viajou muito quando jovem, na época da faculdade e logo depois dela. Conheceu quase todas as coleções anatômicas disponíveis. Feito uma groupie de rock, seguiu atrás de Von Hagens e da sua exposição demoníaca, até que conheceu o próprio mestre em pessoa. Essas viagens eram circulares, voltavam ao ponto de partida, até que se tornou claro que o seu objetivo não estava distante, mas estava muito próximo, no interior do corpo.

Estudou medicina, mas rapidamente ficou entediado. Não se interessava pelas doenças, muito menos por suas curas. Um corpo morto não adoece. Participava ativamente só das aulas de anatomia, onde se voluntariava para as práticas que as moças amedrontadas e sorridentes jamais queriam fazer. Escreveu uma dissertação sobre a história da anatomia e se casou com uma amiga da turma que depois de concluir a especialização em pediatria passava a maior parte do tempo no hospital, o que lhe era muito conveniente. Quando ela conseguiu o que queria e deu à luz uma filha, Blau, já professor adjunto na Academia, começou a viajar para participar de conferências e fazer estágios, então ela arrumou um ginecologista e se mudou com a criança para a sua enorme casa com um consultório instalado no porão. Dessa forma conseguiram explorar um segmento completo da procriação humana.

Nesse meio-tempo, Blau escreveu uma excelente dissertação intitulada *A conservação de amostras patológicas através da plastinação com o uso de silicone. Um complemento inovador ao ensino de anatomopatologia*. Seus alunos o apelidaram de "Formaldeído". Ele ocupou-se da história de peças anatômicas e da preservação de tecidos. Percorreu dezenas de museus à procura de material de trabalho e, enfim, se fixou em Berlim onde conseguiu um bom trabalho catalogando o acervo do recém-criado Museu Medizinhistorisches.

Organizou a sua vida privada de maneira hábil e descomplicada. Sem dúvida, sentia-se melhor morando sozinho. Satisfazia as suas necessidades sexuais com as suas alunas que, a princípio, convidava para tomar um café. Sabia que isso era proibido, mas partia do pressuposto sociobiológico de que a universidade era o seu território natural e que elas eram, enfim, mulheres adultas e sabiam o que faziam. Tinha boa aparência, era atraente, limpo, barbeado (de vez em quando deixava crescer um cavanhaque que mantinha, claro, bem aparado) e elas eram curiosas como pegas. Ao que parecia, não era propenso a romances; sempre usava camisinha e as suas necessidades eram simples porque uma grande parte de seu desejo sexual se submetia a uma sublimação espontânea. Por isso nenhum problema, nenhuma sombra tenebrosa, nenhuma culpa estavam relacionados com essa esfera de sua vida.

Inicialmente, tratava o seu trabalho no museu como um alívio depois da sua atividade didática na universidade. Quando entrava no pátio do complexo de edifícios da Charité, por entre os gramados bem cuidados e as árvores podadas com capricho, sentia que estava num lugar, em certo sentido, fora do tempo. Estava no próprio centro de uma enorme cidade, mas lá não chegava nenhum barulho ou qualquer sinal de pressa. Blau sentia-se relaxado e assoviava.

Passava o tempo livre sobretudo no enorme subsolo do museu ligado aos subsolos de outros edifícios do hospital. Essas passagens estavam frequentemente obstruídas com estantes, vitrines velhas e empoeiradas, e cofres de aço que só Deus sabe o que guardavam antigamente e acabaram aqui, vazios, sabe-se lá quando. Havia, contudo, acesso a certos corredores, e depois de fazer cópias de algumas chaves, Blau aprendeu a se deslocar por todo o complexo. Era assim que ia todos os dias para a cantina.

Seu trabalho consistia em tirar da poeira e das profundezas sombrias dos depósitos vidros com peças de anatomia ou espécimes conservados de formas diferentes e classificá-los cientificamente. Quem o ajudava nessa tarefa era o velho sr. Kampa, que já tinha ultrapassado a idade de aposentadoria havia muito tempo. No entanto, o seu contrato de trabalho era renovado todos os anos, já que não havia mais ninguém que se orientasse naquele enorme depósito.

Eles arrumavam prateleira por prateleira. Primeiro, o sr. Kampa limpava com zelo os vidros por fora, tendo cuidado para não destruir as etiquetas. Aprenderam juntos a decifrar uma linda e antiga escrita inclinada. Normalmente a etiqueta incluía o nome em latim da parte do corpo ou da doença, assim como as iniciais, o sexo e a idade do dono dos órgãos contidos no vidro. Às vezes a profissão também era informada. Assim era possível saber que aquele tumor intestinal magnífico foi encontrado na barriga de uma costureira A.W., de cinquenta e quatro anos. Muitas vezes, porém, as informações estavam apagadas e eram imprecisas. Em muitos casos, quando o lacre usado para selar a tampa dos preparados de álcool estava danificado, o ar entrava, o líquido embaçava e envolvia o espécime ali imerso numa névoa densa. Nesses casos, o exemplar precisava ser destruído. Uma comissão composta de Blau, Kampa e dois funcionários dos andares superiores do museu se reunia e registrava tal fato numa ata. Então o sr. Kampa levava os fragmentos estragados dos corpos humanos retirados dos vidros para o crematório do hospital.

Alguns espécimes mereciam cuidados especiais (quando o vidro estava ligeiramente danificado). Nesses casos, Blau os transferia para o seu pequeno laboratório e, com o maior cuidado, dava-lhes um banho purificador. Em seguida, depois de examiná-los minuciosamente e tirar amostras (que ele congelava), colocava-os num vidro novo da melhor qualidade e numa solução moderna que ele próprio havia preparado. Dessa forma, concedia-lhes a eternidade, ou pelo menos uma vida mais longa.

Obviamente, não havia só espécimes guardados nos vidros. Também havia gavetas cheias de fragmentos de ossos não descritos, cálculos renais, alguns fósseis, um tatu mumificado e outros animais em péssimo estado de conservação; uma pequena coleção de cabeças maoris de tamanho reduzido, máscaras de pele humana — duas das quais, extremamente horripilantes, também acabaram sendo levadas para o crematório.

No entanto, Blau e Kampa descobriram ali algumas verdadeiras raridades arqueológicas. Encontraram, por exemplo, quatro espécimes da famosa coleção de Ruysch, datada do final do século XVII e início do século XVIII, que fora dispersa e cujo destino era desconhecido. Infelizmente, um deles, *Acardius hemisomus*, que hoje em dia poderia ser a joia de qualquer coleção teratológica, acabou sendo levado para o crematório em consequência de uma rachadura no pote. Não pôde ser resgatado. A comissão, ao ver o espécime em estado avançado de decomposição, ponderou por um momento se, em casos como aquele, não convinha cogitar alguma forma de enterro.

Blau ficou muito feliz com a descoberta. Graças a ela conseguiu examinar seguidas vezes a famosa mistura de preservação de Frederik Ruysch, um anatomista holandês do final do século XVII. Essa solução foi extremamente eficaz para a época — mantinha a cor natural do espécime e evitava que inchasse, o que era o pesadelo do processo de conservação em líquidos naquele momento. Blau descobriu que, além de brandy de Nantes e pimenta-do-reino, o preparado continha extrato de raiz de gengibre. Ele escreveu um artigo e aderiu ao antigo debate sobre a composição da "solução de Ruysch", aquela água do Estige que garantia a imortalidade, ao menos ao corpo mergulhado nela. A partir de então, Kampa começou a chamar a sua coleção subterrânea de pickles.

Ele e Kampa — que, aliás, foi quem lhe trouxe aquele espécime numa certa manhã — descobriram algo extraordinário, em que Blau trabalhou então por alguns meses, para entender exatamente a composição e as propriedades do líquido de conservação. Tratava-se de um braço masculino robusto (a circunferência do bíceps era de cinquenta e quatro centímetros), com quarenta e sete centímetros de comprimento, evidentemente secionado com precisão para expor uma tatuagem multicolorida de uma baleia, feita com um grande senso de proporções, emergindo das ondas do mar (as cristas brancas das ondas apresentadas com elegância e precisão barroca) e esguichando um jato de água para o céu. O desenho tinha sido feito com perfeição, em especial o céu, que, da parte externa do braço, parecia ser intensamente azul, mas escurecia à medida que se aproximava da axila. Esse jogo de cores foi preservado perfeitamente no líquido translúcido.

O espécime não estava identificado. O vidro lembrava aqueles recipientes produzidos na Holanda no século XVII, portanto, tinha um formato cilíndrico, já que naquela época não se sabia fazer recipientes de vidro no formato de ortoedro. O espécime, suspenso por fios de crina de cavalo e fixado à tampa de ardósia, parecia flutuar no líquido. Mas o mais estranho era o próprio fluído... Já não se tratava de álcool, embora, à primeira vista, Blau achasse que podia ser um exemplar holandês proveniente do século XVII. Era uma mistura de água, formol e de uma pequena quantidade de glicerina, um composto que podia ser considerado muito moderno, idêntico à mistura Kaeserling III usada hoje em dia. O bocal do vidro já não precisava ser hermético, pois a mistura não evaporava como álcool. Na cera que selava precariamente a tampa, encontrou vestígios de digitais e ficou muito comovido com isso. Imaginou que aquelas minúsculas linhas onduladas, aquele carimbo natural em forma de labirinto pertencera a alguém como ele.

Pode-se dizer que ele cuidou desse braço e do seu desenho com amor. Não procurou mais saber a quem pertencera e quem fez com que ele viajasse no tempo.

Ele e Kampa passaram também por um momento de terror. Mais tarde, Blau contaria sobre o ocorrido a certa aluna do primeiro ano, observando com satisfação os seus olhos se arregalarem de espanto, as pupilas enegrecerem e se tornarem opacas, o que, segundo os sociobiólogos, era sinal de interesse sexual.

Em baús de madeira num dos corredores sem saída, foram encontradas múmias empalhadas em péssimo estado de conservação. A pele estava completamente enegrecida, seca, rachada, e algas marinhas emergiam através das costuras rasgadas. Os corpos encolhidos, ressecados, trajavam roupas que antigamente deviam ter sido ricas e ornamentadas. Agora todas as rendas e todos os colares tinham a mesma cor de poeira. Os seus adornos, as suas dobras e seus babados perderam a nitidez — viraram um emaranhado de matéria deteriorada da qual aparecia, aqui e acolá, um botão de madrepérola. Das bocas distendidas, abertas pelo ressecamento, emergia grama.

Encontraram duas dessas múmias pequenas, que pareciam crianças, mas, em um exame minucioso, Blau constatou que eram, graças a Deus, chimpanzés empalhados e preparados de uma forma muito pouco profissional. A comercialização desse tipo de objetos era muito comum nos séculos XVIII e XIX. Obviamente, as suas hipóteses podiam ser confirmadas, vendia-se também múmias humanas, formando coleções relativamente grandes. Procurava-se preservar sobretudo aquilo que era diferente e único: pessoas de outras raças, pessoas espetacularmente aleijadas ou doentes.

"O empalhamento de um corpo é a forma mais simples de preservá-lo", ponderava Blau, guiando pela coleção subterrânea improvisada mais duas alunas que aceitaram o seu convite com entusiasmo apesar da desaprovação de Kampa. Blau contava com a possibilidade de ao menos uma delas aceitar o convite para tomar um vinho e de conseguir acrescentar mais uma foto à sua coleção. "Na verdade, a única coisa que se mantém é a pele", continuou, "portanto, não se trata de um corpo inteiro, no pleno sentido da palavra. É apenas um fragmento, a forma externa estendida sobre um boneco de feno. As múmias são uma forma bastante patética de conservar o corpo. Criam diante de nós apenas a ilusão de estarem inteiras. Na realidade, é um truque óbvio, um artifício circense, já que foram preservados apenas o formato e a camada externa. Além de causar, essencialmente, a destruição do corpo, sendo assim o avesso ideológico da preservação. Uma barbaridade."

Sim, eles respiraram aliviados por não serem múmias humanas. Caso contrário, teriam problemas. De acordo com a lei, é claramente proibido guardar corpos humanos inteiros em museus estatais (se não forem múmias da Antiguidade, muito embora já haja protestos a respeito disso). Se fossem seres humanos, crianças, como a princípio tinham suspeitado, teriam que passar por um procedimento burocrático muito complexo, além de várias complicações. Muitas vezes ouvira falar dessas descobertas incômodas feitas na hora de arrumar as coleções nas faculdades de medicina ou nas universidades.

O imperador José II criou uma dessas coleções em Viena. Em seu gabinete de curiosidades decidiu reunir tudo o que fosse singular, qualquer manifestação das aberrações do mundo, qualquer desatenção da matéria. O seu sucessor, Francisco I, não hesitou em empalhar o corpo de um cortesão negro, um certo Angelo Soliman. A sua múmia, trajando apenas uma tanga de ráfia, era exibida para o deleite de todos os convidados do monarca.

A PRIMEIRA CARTA DE JOSEFINA SOLIMAN PARA FRANCISCO I, IMPERADOR DA ÁUSTRIA

Dirijo-me a Vossa Majestade com pesar e um grande constrangimento por causa da infâmia cuja vítima foi a pessoa do meu falecido pai, Angelo Soliman, um fiel servidor do tio de Vossa Majestade — Sua Majestade, o imperador José —, na esperança de que tenha ocorrido um terrível engano.

Vossa Majestade acompanhou a história da vida do meu pai e sei que o conheceu pessoalmente, e o apreciava pelo seu sacrifício e empenho de longa data, especialmente pela lealdade em lhe servir e sua maestria no jogo de xadrez, assim como o seu tio, o imperador José (que descanse em paz), e muitos outros que o respeitavam e reconheciam. Na corte, o meu pai teve muitos bons amigos que tinham uma grande consideração pelas suas qualidades de espírito, por um enorme senso de humor e um generoso coração. Por muitos anos manteve amizade com o sr. Mozart, a quem o tio de Vossa Majestade teve a gentileza de encomendar uma ópera. Foi também um diplomata amplamente conhecido por sua prudência, perspicácia e sabedoria.

Nesta carta, permito-me relembrar brevemente os feitos do meu pai e assim trazê-lo de volta à generosa memória de Vossa Majestade. Não há nada que nos faça mais humanos que o fato de cada um de nós possuir a sua própria história única e singular, e de nos locomovermos no tempo, deixando rastros. Mas mesmo que jamais tenhamos feito nada em prol de ninguém, nem do monarca, nem do país, mantemos o nosso direito a um sepultamento digno, o ato de devolver o corpo humano, a criação do nosso Criador, às suas mãos.

Meu pai nasceu por volta do ano 1720 na África Setentrional, mas os primeiros anos de sua vida estão imersos nas trevas do desconhecimento. Muitas vezes afirmou que não se lembrava bem da época da sua primeira infância. As suas lembranças começam na época quando, ainda uma criança pequena, foi vendido como escravo. Contava-nos, com horror, sobre aquilo que mais ficou gravado em sua memória: uma longa viagem marítima no porão escuro de um certo navio, as cenas dantescas e infernais que se desenrolavam diante dos olhos de uma criança pequena quando fora separado da mãe e dos parentes mais próximos. Os seus pais provavelmente foram levados para o Novo Mundo, e ele passava de mão em mão como uma criança negra, um mascote negro, feito um cachorrinho maltês ou um gato persa. Por que falava tão pouco disso? Ora, não deveria fazer o contrário, contar tudo e a plena voz, a partir do momento em que alcançou a sua posição? Acho que a causa do seu silêncio era uma terrível convicção de que ele muito provavelmente escondia de si próprio: se apagasse da memória rapidamente fatos dolorosos, eles perderiam a sua força e não o perseguiriam, e assim o mundo se tornaria um pouco melhor. Se as pessoas nunca chegassem a saber o quão cruel e perverso um homem pode ser com outro homem, pelo menos conseguiriam manter a sua inocência. No entanto, aquilo que aconteceu com o corpo do meu pai depois de sua morte apenas comprova o quanto ele estava errado.

Depois de muitas peripécias tristes e dramáticas, sua liberdade foi comprada na Córsega pela bondosa esposa do príncipe de Liechtenstein e ele foi levado para a corte. Foi assim que chegou em Viena onde despertou muita simpatia, ou talvez mesmo — atrevo-me a usar esta palavra — o amor da Sua Alteza, a princesa de Liechtenstein. Graças a ela, recebeu uma excelente criação e educação. As suas origens exóticas não deixaram marcas profundas em sua memória. Eu, sua única filha, jamais o ouvi falar sobre as suas raízes, nem mesmo o vi parecendo nostálgico. Contudo, sempre se dedicou, com todo o coração, a servir o tio de Vossa Majestade.

Ele foi reconhecido como um político experiente, um deputado inteligente e um homem cativante. Viveu cercado de amigos. Era querido e respeitado. Desfrutou também de um privilégio especial: a amizade do imperador José, conhecido como Segundo, tio de Vossa Majestade, o qual inúmeras vezes lhe confiou missões que exigiam um alto grau de inteligência.

Em 1768 casou-se com minha mãe, Magdalena Christiani, viúva de um general holandês, com a qual viveu num matrimônio feliz durante mais de dez anos, até a morte dela. Sou o único fruto dessa união. Depois de muitos anos de um trabalho proveitoso, tomou a decisão de se demitir do serviço junto do seu benfeitor, príncipe de Liechtenstein, no entanto, manteve as relações com a corte, servindo o imperador.

Estou ciente de quanto o meu pai devia à bondade humana e à vontade natural de apoio mútuo. Muitos seres humanos, cuja história começou de uma forma tão infeliz como a do meu pai, pereceram e sumiram no caos do mundo. Poucos filhos de escravos negros tiveram a chance de alcançar na vida uma posição tão alta e notável quanto o meu pai. E é por isso mesmo que o seu caso é tão significativo — demonstra que nós, seres criados pela mão de Deus, somos os seus filhos, e, consequentemente, irmãos entre si.

Tanto eu quanto muitos dos amigos do meu falecido pai que já escreveram a Vossa Majestade sobre este assunto pedimos a liberação do seu corpo e a permissão para que ele tenha um sepultamento cristão.

Com esperança,

Josefina Soliman von Feuchtersleben

OS MAORIS

Mumificavam as cabeças dos membros mortos da família e as mantinham como objetos de luto. As etapas da mumificação incluíam: evaporação, defumação e unção. As cabeças submetidas a esses tratamentos preservavam-se em bom estado, com cabelo, pele e dentes.

AS VIAGENS DE DR. BLAU II

Abandonava, agora, o corpo do avião por meio de longos túneis, seguindo setas e avisos iluminados que gentilmente dividiam os passageiros entre os que chegaram ao destino e os que ainda continuavam em viagem. No aeroporto enorme, as correntes de pessoas se juntavam e depois voltavam a se separar. Esse processo de seleção indolor o levou até as escadas rolantes e, em seguida, a um corredor longo e amplo onde o fluxo foi acelerado pela esteira rolante. Os apressados aproveitavam os benefícios da tecnologia e agora, na esteira, saltavam para dentro de uma nova dimensão temporal — caminhavam vagarosamente, ultrapassando as outras pessoas. Blau passou por um fumódromo envidraçado onde os amantes da nicotina forçados a um longo jejum durante voos prolongados se entregavam ao vício com uma expressão de deleite no rosto. Para o doutor, pareciam pertencer a uma espécie distinta que vive em outro ambiente, não no ar, mas numa mistura de fumaça e dióxido de carbono. Com um leve espanto, olhava para eles através do vidro, como se fossem monstros num terrário. No avião se pareciam com ele, mas aqui a sua natureza biológica diferente se revelava.

Entregou o seu passaporte e o funcionário o mediu com um olhar curto e pontual ao comparar os dois rostos — o da foto e o de trás do vidro. Aparentemente não teve dúvidas, pois o dr. Blau foi admitido ao território do país estrangeiro.

Foi para a estação ferroviária de táxi, e lá mostrou o seu bilhete eletrônico no guichê. Visto que ainda faltavam mais de duas horas até a partida de seu trem, entrou num bar que fedia a gordura velha e, enquanto esperava pelo peixe que pediu, observou as pessoas à sua volta.

Nada em particular diferenciava essa estação ferroviária das outras. A tela sobre o quadro com o horário dos trens mostrava os mesmos anúncios de xampus e cartões de crédito. As logomarcas familiares faziam com que esse mundo hostil parecesse seguro. Estava com fome. A comida insossa de avião não deixou nenhum vestígio visível em seu corpo, apenas formas e cheiros; aparentemente o tipo de comida que devia ser servida no paraíso. Alimentos para almas famintas. Mas agora um pedaço de carne branca dourada — uma grande posta de peixe frito servida com salada, reforçaria o corpo franzino do doutor. Também pediu um vinho oferecido em garrafas pequenas e práticas cujo conteúdo equivalia a uma taça de um tamanho razoável.

Ele dormiu no trem. Não perdeu muita coisa — o trem se arrastava pela cidade, por túneis e subúrbios que pareciam idênticos a outros subúrbios, com o mesmo padrão de grafites se repetindo nos viadutos e nas garagens por onde passava. Quando acordou, viu o mar, uma faixa clara e estreita entre os guindastes no porto e os edifícios feios de armazéns e estaleiros.

"Prezado Senhor", ela lhe escreveu, "devo admitir que as suas questões e a forma de as levantar despertam a minha profunda confiança. Uma pessoa que sabe o que está perguntando é alguém que está em condições de providenciar as respostas. Talvez o senhor esteja precisando daquela pitada proverbial que faz o prato da balança pender para um lado."

Ele se perguntou que tipo de pitada ela tinha em mente. Verificou a palavra minuciosamente no dicionário. Não conhecia nenhum provérbio sobre pitada e balança. Ela usava o sobrenome do marido, mas o seu primeiro nome era bastante exótico — Taina. Sugeria que ela vinha de um país distante e usava uma língua igualmente exótica em que pitada e balança funcionavam bem como um provérbio. "Obviamente, seria melhor que nos encontrássemos. Vou tentar examinar o seu dossiê e todos os seus artigos até lá. Por favor, venha me visitar aqui, no lugar em que meu marido trabalhou até o fim dos seus dias, e onde a sua presença ainda pode ser sentida. Isso certamente nos ajudará em nossas conversas."

Era um pequeno vilarejo estendido ao longo da costa e circundado por uma estrada asfaltada. O táxi pegou um desvio, um pouco antes da última placa com o nome do lugar, que descia em direção ao mar, e eles passavam agora por belas casas de madeira com terraços e varandas. Descobriu que a casa pela qual procurava era a maior e mais elegante nessa rua de cascalho. Estava cercada por um muro baixo coberto hermeticamente por alguma trepadeira local. O portão estava aberto, mas ele mandou o táxi parar na rua e, puxando a sua mala sobre rodas, adentrou o acesso coberto por cascalho. Uma árvore magnífica, certamente conífera, mas de um aspecto decíduo, como um carvalho cujas folhas por algum motivo atrofiaram e se transformaram em agulhas, constituía o ponto central de um quintal bem cuidado. Jamais havia visto uma árvore igual àquela — sua casca quase branca lembrava a pele de um elefante.

Ninguém respondeu às suas batidas na porta, então por um momento ele ficou ali na varanda de madeira, incapaz de se decidir. Em seguida, tomou coragem e girou a maçaneta. A porta cedeu, abrindo diante dele uma sala clara e ampla. A visão do mar preenchia inteiramente a janela em frente. Um grande gato surgiu aos seus pés, soltou um miado e saiu correndo para fora, ignorando por completo o visitante. O doutor estava seguro de que não havia ninguém na casa, por isso deixou a mala e voltou para a varanda para esperar pela dona. Ele ficou lá por cerca de quinze minutos examinando a árvore imponente, e depois foi dar uma longa volta ao redor da casa, rodeada, como todas as outras na vizinhança, por um terraço de madeira no qual havia (assim como em todos os terraços do mundo) móveis leves de varanda carregados de almofadas. Nos fundos, descobriu um jardim com um gramado cortado cuidadosamente, repleto de arbustos floridos. Identificou um deles como uma madressilva perfumada e, guiado pela trilha delineada por seixos, descobriu uma passagem que devia levar diretamente para o mar. Hesitou por um momento e depois seguiu em frente.

A areia da praia parecia quase branca, miúda, limpa, salpicada aqui e acolá com pequenas conchas. O doutor se perguntou se deveria tirar os sapatos, pois percebeu que seria rude entrar calçado numa praia particular.

De longe viu na contraluz uma silhueta emergir da água. O sol, já baixo, ainda continuava forte. A mulher vestia um maiô escuro. Quando ela chegou à areia, abaixou-se para pegar uma toalha e envolveu-se com ela e, com uma das pontas, secou o cabelo. Depois pegou as sandálias e seguiu em direção ao médico perplexo. Não sabia o que fazer. Virar-se e ir embora ou caminhar em sua direção. Preferia que o seu encontro fosse mais oficial, no aconchego de um escritório. Mas ela já estava junto dele. Estendeu a mão para cumprimentá-lo pronunciando o seu sobrenome num tom interrogativo. Era de estatura mediana, devia ter por volta de sessenta anos e o seu rosto bronzeado estava sulcado por rugas profundas. Era visível que gostava de se expor ao sol. Se não fosse por isso, certamente teria uma aparência mais jovem. Os seus cabelos claros e curtos grudaram em seu rosto e pescoço. A toalha com a qual se envolveu chegava até os joelhos, mostrando pernas uniformemente bronzeadas e pés deformados por joanetes.

"Vamos entrar na casa", ela disse.

Pediu que ele aguardasse na sala de estar e desapareceu por alguns minutos. O doutor corou de inquietação, sentia como se a tivesse flagrado no banho ou cortando as unhas. Esse encontro com seu corpo velho quase nu, com seus pés e cabelos molhados o deixou confuso. Mas ela, aparentemente, não dava nenhuma importância a isso. Voltou em pouco tempo trajando calças claras e uma camiseta, uma mulher um pouco rechonchuda, com os músculos dos braços flácidos, pele cheia de pintas e sinais de nascença, eriçando os cabelos ainda molhados com a mão. Não era assim que a imaginava. Pensou que a mulher de alguém como Mole seria diferente. Como? Mais alta, mais discreta, mais elegante. Com uma blusa de seda com um babado e um camafeu no pescoço. Alguém que não toma banho de mar.

Ela sentou de frente para ele, encolheu as pernas e lhe estendeu um pratinho com bombons de chocolate. Ela própria pegou um e, ao comê-lo, sugou as bochechas. Ele a examinou com o olhar, tinha bolsas sob os olhos, hipotireoidismo ou simplesmente flacidez de seu *musculus orbicularis oculi*.

"Então, é o senhor", disse. "Por favor, me lembre o que o senhor faz exatamente?"

Engoliu o bombom de chocolate de uma só vez — não faz mal, pensou, pegará outro. Apresentou-se mais uma vez e falou resumidamente sobre o seu trabalho e as suas publicações. Lembrou-a do *História da conservação*, publicada recentemente, e que havia anexado ao dossiê que enviara a ela. Elogiou o seu marido. Disse que o professor Mole havia feito uma revolução na área da anatomia. Ela o observou atentamente com os seus olhos azuis e um leve sorriso de satisfação que podia ser interpretado como amigável ou irônico. Contrariando seu nome, ela não tinha nada de exótico. Ele chegou a pensar que não era ela mesma, que estava falando com a cozinheira ou a faxineira. Quando terminou, esfregou as mãos nervosamente, embora preferisse esconder um sinal tão óbvio de nervosismo; sentia-se sujo vestindo a camisa com a qual viajara, e ela se ergueu de repente como se estivesse lendo os seus pensamentos.

"Vou lhe mostrar o seu quarto. Venha por aqui, por favor."

Guiou-o pelas escadas para o segundo andar escuro e lá apontou para uma porta. Ela entrou primeiro e abriu as cortinas vermelhas. As janelas davam para o mar, o sol iluminava o quarto em tons de laranja.

"Fique à vontade enquanto eu preparo algo para comer. Deve estar cansado, não é? Como foi o voo?"

Ele respondeu de forma breve e convencional.

"Ficarei aguardando lá embaixo", ela disse ao sair.

Não conseguia entender como essa mulher de altura média com suas calças claras e camiseta folgada, com um gesto imperceptível, talvez apenas erguendo as sobrancelhas, rearranjou todo o espaço e todas as suas expectativas e previsões. Anulou toda a sua viagem longa e cansativa, os discursos que trazia preparados, os possíveis cenários. Ela havia apresentado algo próprio. Era ela quem ditava as condições. O doutor se submeteu a isso sem piscar. Resignado, tomou uma ducha rápida, trocou de roupa e desceu.

No jantar, ela serviu alface com torradas de pão integral e legumes assados. Uma vegetariana. Ainda bem que comeu aquele peixe na estação. Sentada diante dele com os cotovelos apoiados sobre a mesa, petiscava com a ponta dos dedos os restos das torradas e falava sobre alimentação saudável, os perigos da farinha e do açúcar, sobre as fazendas orgânicas na vizinhança onde comprava legumes, leite e xarope de bordo, o qual usava no lugar de açúcar. Mas o vinho era bom. O doutor, cansado e não acostumado ao álcool, sentiu que estava levemente embriagado depois de tomar duas taças. Formava sucessivas frases na cabeça, mas ela sempre o antecipava. Ao terminar a garrafa, lhe contou sobre a morte do marido. Colisão de duas lanchas.

"Tinha apenas sessenta e sete anos. Não se podia fazer nada com o corpo. Estava completamente mutilado."

Blau pensou que ela iria chorar, mas ela apenas pegou outro pão torrado e o esmigalhou sobre os restos da salada.

"Ele não estava preparado para a morte. Aliás, quem estaria?", por um momento ficou imersa nos pensamentos. "Mas sei que ele queria ter um discípulo digno dele, alguém que fosse não só competente, mas trabalhasse com a mesma paixão. Como o senhor sabe, era muito solitário. Não deixou nenhum testamento, nem instruções. Deveria doar seus espécimes a algum museu? Alguns já entraram em contato comigo. O senhor conhece algum museu confiável? Hoje em dia há tanta energia ruim em torno das peças plastinadas, mas é claro que hoje, para fazer algo, não é mais preciso tirar os corpos dos enforcados diretamente dos cadafalsos", suspirou, enrolou algumas folhas de alface e as levou à boca. "Sei que ele queria ter um sucessor. Alguns dos seus projetos estão apenas no começo; estou tentando levá-los adiante, mas não tenho tanta energia ou entusiasmo quanto ele... O senhor sabe que sou formada em botânica? Por exemplo, há um problema...", começou a falar e hesitou. "Não tem importância, ainda haverá tempo para falar sobre isso."

Ele acenou com a cabeça, reprimindo a curiosidade.

"Mas o senhor se ocupa principalmente de peças anatômicas históricas, não é?"

Blau esperou um momento até que as palavras dela silenciassem, então correu escada acima e, excitado, voltou com o seu laptop.

Afastaram os pratos e num instante a tela se iluminou com um brilho frio. O doutor entrou em pânico por um momento, se perguntando o que tinha na área de trabalho — se apesar de tê-la limpado havia pouco tempo, não tinha deixado lá alguns ícones eróticos. Esperava que ela tivesse lido o material mandado por ele e examinado os seus livros. Agora, os dois se debruçaram sobre o computador.

Enquanto examinavam os seus trabalhos, ela parecia olhar para ele com admiração. Gravou isso duas vezes nos seus pensamentos, especialmente aquilo que a havia impressionado.

Ela entendia do assunto e fazia perguntas pertinentes. O doutor não esperava que ela soubesse tanto. A sua pele exalava o perfume leve do tipo de loção corporal que mulheres de uma certa idade usam — era um cheiro agradável, inocente, aroma de pó de arroz. O dedo indicador da sua mão direita, o mesmo com o qual tocava na tela, estava adornado com um anel estranho, com uma pedra em forma de olho humano. Manchas hepáticas cobriam a pele das mãos, que assim como o rosto, estavam danificadas pelo sol. Por um momento, Blau pensou sobre que técnica conseguiria interromper os efeitos do sol nessa pele fina e enrugada.

Depois se sentaram nas poltronas e ela trouxe da cozinha uma garrafa de vinho do Porto pela metade e encheu as taças.

Ele perguntou: "Poderia ver o laboratório?".

Ela não deu uma resposta imediata. Talvez porque tivesse vinho do Porto na boca, assim como tinha feito antes com o bombom de chocolate. Por fim, ela falou:

"Fica um pouco longe daqui."

Ergueu-se e começou a limpar a mesa.

"O senhor mal consegue manter os olhos abertos de tão cansado que deve estar."

Ele a ajudou a colocar os pratos na máquina de lavar a louça e depois subiu as escadas aliviado, balbuciando um "boa noite" indistinto. Sentou-se na beirada da cama já feita e logo se virou para o lado sem força para tirar a roupa. Ouviu-a ainda chamando o gato no terraço.

Na manhã seguinte fez tudo com muito zelo: tomou banho, arranjou a roupa íntima suja em rolinho e a guardou num saco. Desfez a mala, colocou as coisas nas prateleiras e pendurou as camisas nos cabides. Fez a barba, passou creme hidratante no rosto, seu desodorante favorito sob os braços e um pouco de gel nos cabelos grisalhos. Hesitou apenas na hora de calçar sandálias, concluindo que seria melhor continuar com o sapato de cadarço. Por fim, desceu as escadas silenciosamente (não se sabe por quê). Ela deve ter se levantado cedo, pois havia uma torradeira e algumas fatias de pão de fôrma sobre o balcão da cozinha, assim como um vidro de geleia, uma tigela com mel, manteiga e uma cafeteira. Era o seu café da manhã. Comeu as torradas em pé no terraço, olhando para o mar. Suspeitava que ela tivesse ido tomar banho de mar outra vez, então sem dúvida retornaria por aquele lado. Blau preferia vê-la antes que fosse visto por ela. Era ele quem queria ficar de olho nas pessoas.

Ficou pensando se ela concordaria em lhe mostrar o laboratório. Estava muito curioso. Mesmo que ela não lhe dissesse nada sobre o que havia lá, Blau poderia chegar a certas conclusões a partir do que veria.

As técnicas de Mole eram um mistério. Blau tinha chegado em algumas teorias, é claro, talvez até estivesse próximo de resolvê-las. Já havia visto as suas peças anatômicas em Mainz e depois na universidade de Florença, por ocasião da Conferência Internacional da Preparação de Tecidos. Podia presumir a forma como Mole conservava os corpos, mas não conhecia a composição química dos fixadores, não sabia como funcionavam em contato com os tecidos e se era necessário algum tipo de preparação ou tratamento prévio. Quando e de que forma administrava os produtos químicos, o que usava em substituição ao sangue? Como plastinava os tecidos internos?

Independente de como Mole (e a sua mulher — pois estava cada vez mais convencido da sua participação) o fazia, os seus preparados eram perfeitos. Os tecidos mantinham uma cor natural e uma certa plasticidade. Eram macios, porém rígidos o bastante para dar ao corpo o formato apropriado. Além disso, eram facilmente separáveis, o que tinha uma incrível utilidade pedagógica — era possível separar e juntá-los outra vez, propiciando infinitas possibilidades de viagens pelo corpo de um organismo preservado. A descoberta de Mole do ponto de vista da história da conservação de corpos era revolucionária, não havia nada que se igualasse a ela. As plastinações de Von Hagens eram o primeiro passo nesse sentido, mas hoje em dia parecem muito menos relevantes.

Ela apareceu novamente enrolada numa toalha, dessa vez cor-de-rosa, e não vinha do mar, mas do banheiro. Sacudiu os cabelos molhados e ficou na cozinha, junto ao fogão, onde esquentava o leite para o café numa caneca de metal. Moveu o êmbolo do espumador para cima e para baixo, devagar, até a espuma leitosa se derramar sobre a placa de cerâmica quente com um chiado.

"Dormiu bem, doutor? Aceita um café?"

Sim, um café, por favor. Recebeu a caneca agradecido e deixou que ela derramasse ali um pouco de leite espumoso. Ouviu com um interesse fingido a história do gato ruivo que certo dia, no dia da morte do seu gato ruivo anterior, apareceu na casa deles — não se sabe de onde —, sentou sobre o sofá como se morasse lá desde sempre, e ali ficou. Então eles mal notaram qualquer diferença.

"Essa é a força da vida. O espaço vazio de um, ainda quente, é ocupado por outro", suspirou.

O pobre Blau preferia ir direto ao assunto. Bater papo nunca fora o seu forte. Ficava entediado com assuntos levantados apenas para manter um murmúrio social tranquilizador. Queria simplesmente terminar esse café e ir à biblioteca, para ver onde Mole trabalhava e o que lia. Será que encontraria o seu *História da conservação* nas prateleiras? Por quais caminhos Mole teria chegado às suas incríveis descobertas?

"É interessante o fato de que ele, assim como o senhor, começou por explorar os trabalhos de Ruysch."

Sabia disso, obviamente, mas não queria interrompê-la.

"Em seu primeiro trabalho publicado, ele comprovou que Ruysch tentou conservar corpos inteiros retirando deles todos os fluidos naturais, dentro das possibilidades daquela época, e substituindo-os por uma mistura de cera derretida, talco e sebo. Em seguida, os corpos assim preparados, igual às peças anatômicas, eram mergulhados na 'água do Estige'. Parece que a ideia não deu certo por causa da falta de recipientes de vidro suficientemente grandes."

Lançou um olhar rápido para ele.

"Vou lhe mostrar esse trabalho", disse e moveu-se com rapidez para lutar contra a porta de correr por causa do café que levava consigo. Blau a ajudou enquanto ela segurava a sua caneca.

Atrás da porta estava a biblioteca — um lindo cômodo espaçoso com estantes de livros que o preenchiam do chão até o teto. Com pontaria perfeita, ela estendeu a mão para um deles e pegou uma pequena brochura encadernada. Blau a folheou, dando a entender que conhecia bem o texto. Além do mais, ele nunca se interessou particularmente por técnicas envolvendo líquidos — para ele, eram um beco sem saída. O caso do almirante inglês, William Berkeley, embalsamado por Ruysch num meio líquido, o interessava apenas por causa do problema do rigor mortis. Era esse o exato segredo da extraordinária aparência desse corpo, descrito com tanta admiração pelos seus contemporâneos. Ruysch conseguiu lhe dar uma aparência de relaxamento mesmo que tivesse recebido o corpo para ser embalsamado alguns dias depois da morte, já de todo endurecido. Teria contratado empregados especiais para massagear o corpo pacientemente e assim atenuar o rigor mortis.

No entanto, ali, algo completamente diferente despertava o seu interesse. Blau devolveu a brochura para examinar o local com avidez.

À janela havia uma escrivaninha enorme e do lado oposto — vitrines de vidros. Espécimes! Blau não conseguiu controlar sua excitação e foi até elas sem saber como chegara lá. A sra. Mole parecia irritada com o fato de não ter tido tempo para repará-lo lenta e museologicamente para aquilo que ele veria em seguida. Ele apenas se soltou das suas garras.

"O senhor não deve conhecer isto", disse, levemente aborrecida, apontando com o dedo para um gato ruivo. Ele os fitava tranquilo, sentado numa posição que parecia aprovar a existência daquela forma. O outro gato — o vivo — entrou correndo atrás deles e agora examinava o seu antecessor feito um reflexo no espelho.

"Passe a mão nele, pegue-o no colo", incentivava a mulher envolta numa toalha cor-de-rosa.

Blau afastou o vidro com os dedos trêmulos e tocou no espécime. Era frio, mas não duro. O pelo cedeu levemente debaixo do seu dedo. Blau o segurou cuidadosamente pelo peito e pela barriga, da mesma forma que se carrega gatos vivos. Teve uma estranha sensação, pois o gato pesava o mesmo que um gato vivo e da mesma forma se submeteu ao aperto da mão do doutor. Era uma sensação quase incrível. Olhou para ela com tal expressão no rosto que a fez rir e sacudir outra vez os cabelos úmidos.

"Você está vendo", disse, tratando-o por você, como se o segredo do espécime estabelecesse intimidade e algum grau de parentesco entre eles. "Coloque-o aqui virado de costas."

Blau teve todo o cuidado ao fazê-lo, mas ela ficou junto dele e pôs a mão na barriga do gato.

O corpo do gato foi se esticando sob o seu próprio peso e depois de um momento estava deitado de costas diante deles, numa posição jamais adotada por um gato vivo. Blau tocou o pelo macio e teve a impressão de que estava quente, embora isso fosse impossível. Notou que os olhos não foram substituídos por outros de vidro, como era de costume nesse tipo de caso, em vez disso, de alguma forma mágica, Mole tinha deixado os verdadeiros, que pareciam apenas levemente embaçados. Ele tocou na pálpebra — era mole e cedeu sob a pressão do dedo.

"É algum tipo de gel", disse mais para ele mesmo do que para a sra. Mole, mas ela já estava apontando para uma fenda na barriga do gato que se abriu diante de um leve puxão revelando todo o seu interior.

Delicadamente, como se estivesse tocando no mais frágil origami, separou a parede abdominal apenas com a ponta dos dedos e chegou ao peritônio, que também pôde ser aberto, como se o gato fosse um livro feito de um valioso material exótico que ainda não possuía um nome. Foi quando viu a imagem que desde a infância lhe dava uma sensação de felicidade e realização — órgãos dispostos lado a lado, empacotados numa divina harmonia, cujas cores naturais proporcionavam a ilusão absoluta de um corpo vivo se abrindo diante dos seus olhos e permitindo que participassem de seu mistério.

"Vá, abra o peito", disse ela, sussurrando por cima do seu ombro. Ele podia sentir até o seu hálito: café e algo doce e rançoso.

E ele realmente o fez. As costelas franzinas cediam com leveza sob a pressão dos dedos, e a ilusão era tão perfeita que ele esperava de fato ver o coração batendo. Em vez disso, Blau ouviu um clique, uma luz vermelha se acendeu e ressoou uma melodia estridente, que o dr. Blau identificou em seguida como a famosa música da banda Queen, "I Want to Live Forever". Ele pulou para trás horrorizado, com os braços estendidos para fora, tomado por uma mistura de nojo e medo, como se tivesse machucado sem querer o animal estendido diante dele. A mulher bateu palmas, rindo alegremente, contente com a piada, mas Blau devia parecer ter uma expressão séria demais em seu rosto, porque ela se conteve e pôs a mão em suas costas.

"Me desculpe, não se preocupe, foi apenas uma brincadeira dele. Não queríamos que tudo fosse tão triste", dizia, agora totalmente séria, mesmo que os seus olhos azuis continuassem a rir. “Me desculpe. Já está tudo bem.”

Com esforço, o doutor retribuiu o sorriso, e olhou fascinado para os tecidos do espécime que lenta e quase imperceptivelmente voltavam à sua forma original.

Sim, ela o levou ao laboratório. Pegaram o carro e foram pela estrada de cascalho que seguia ao longo da praia até as edificações de pedra. Antigamente, quando o porto ainda funcionava, havia lá processadoras de peixes. Agora foram transformadas em uma série de compartimentos sem janelas com paredes limpas revestidas de azulejos e portas acionadas por controle remoto como as das garagens. Ela acendeu a luz e Blau viu duas mesas grandes guarnecidas com chapa e alguns armários envidraçados cheios de potes de vidro e utensílios. Havia prateleiras repletas de balões volumétricos de vidro de Jena. “Papaína”, leu em um deles e estranhou. Com que fim Mole usava essa enzima e o que ela decompunha? “Catálase.” Havia enormes seringas para infundir e outras pequenas, como aquelas usadas para aplicar injeções nas pessoas. Blau guardava essas coisas na cabeça sem ousar perguntar. Ainda não. Uma banheira metálica com o escoadouro no piso, um interior que lembrava igualmente o consultório de um cirurgião e um matadouro. A mulher fechou a torneira, que gotejava.

“Está contente?”, perguntou.

Ele passou a palma da mão aberta sobre o tampo metálico da mesa e foi até a escrivaninha onde ainda havia impressos com o gráfico de alguma curva.

“Não toquei em nada”, disse ela num tom incentivador, como se fosse a dona de uma casa posta à venda. “Só joguei fora os espécimes que não haviam sido concluídos, porque começaram a se decompor.”

Sentiu a mão dela nas suas costas, a olhou espantado e logo depois abaixou os olhos. A sra. Mole aproximou-se dele de tal jeito que os seus seios tocavam em sua camisa. Sentiu uma onda de adrenalina que o deixou desesperado, mas no último momento conseguiu frear seu corpo, que recuava contra a sua vontade. Porém, achou um pretexto; a mesa na qual ele havia esbarrado balançou e algumas ampolas pequenas de vidro quase rolaram para o chão. Ele conseguiu apanhá-las no último instante; assim se livrou dessa proximidade incômoda dos seus corpos. Ele tinha certeza de que tudo havia acontecido naturalmente, como se ela tivesse se escorado nele de forma causal. Ao mesmo tempo, se sentiu como um menino e de repente a diferença de idade entre eles se tornou enorme.

A sra. Mole perdeu um pouco o interesse em lhe mostrar e explicar os detalhes; tirou o celular e ligou para alguém. Falou algo sobre um condomínio e marcou para o sábado. Enquanto isso, Blau olhou em volta com voracidade, examinou todos os detalhes e jurou guardar tudo na memória — gravar em sua mente inclusive um mapa com todo o equipamento do laboratório, cada frasco e a localização de todos os utensílios.

Depois do almoço, durante o qual ela falou sobre Mole, a sua rotina diária e suas pequenas esquisitices (Blau ouvia atento pois tinha a impressão de ser excepcionalmente privilegiado), ela o convenceu a tomar um banho de mar. Ele não estava contente, teria preferido sentar em silêncio na biblioteca e examinar o gato e o próprio cômodo mais uma vez. Mas não ousou recusar. Ele fez uma última tentativa vaga de escapar, dizendo que não tinha uma sunga.

"Não se preocupe", disse ela, não aceitando a desculpa, "é a minha praia particular, ninguém vai vir aqui. Você pode tomar banho nu."

No entanto, ela própria continuou de maiô. O dr. Blau despiu então as cuecas por baixo de uma toalha e entrou na água o mais rápido que pôde. O frio lhe deixou sem fôlego. Não sabia nadar bem, não tinha tido a oportunidade de aprender. Aliás, não gostava de nenhum tipo de movimento, por isso, inseguro, dava pulos, preocupado em sentir a areia do fundo sempre sob os pés. Ela, por sua vez, nadou para o mar aberto demonstrando a sua bela técnica de crawl e voltou pouco tempo depois. Espirrou água em Blau que piscou, espantado.

"O que você está esperando? Venha nadar!", ela gritou.

Blau se preparou por um momento para mergulhar na água fria e o fez, por fim, desesperado, submisso como uma criança que não quer desapontar os pais. Nadou um pouco e voltou. Ela então bateu a mão na superfície da água com força e seguiu nadando sozinha.

Blau esperou por ela na beira da água tremendo de frio. Enquanto ela caminhava até ele, a água escorrendo pelo corpo, ele abaixou os olhos.

"Por que você não nadou?", perguntou com uma voz estridente e divertida.

"Está frio", ele disse apenas.

Ela soltou uma gargalhada, atirando a cabeça para trás e mostrando, sem pudor, o céu da boca.

De volta ao seu quarto, ele cochilou um pouco e depois fez anotações cuidadosas. Desenhou inclusive a planta do laboratório de Mole, se sentindo um pouco como James Bond. Tomou um banho e, aliviado, retirou a água salgada, fez a barba e vestiu uma camisa limpa. Quando desceu, ela ainda não havia chegado. A porta da biblioteca continuava fechada e a chave na porta estava virada, então ele não teve coragem de entrar... Saiu para a frente da casa, brincou com o gato até que ele o ignorasse. Por fim, ouviu um barulho na cozinha e entrou lá pela porta que dava para o jardim.

A sra. Mole estava junto do aparador e selecionava algumas folhas verdes de alface.

"Salada com torradas e queijos. Que tal?"

Ele aprovou veementemente, mas não estava nada convencido de que ficaria satisfeito com aquilo. Ela lhe serviu uma taça de vinho branco que ele levou aos lábios sem muita convicção.

A sra. Blau lhe contou sobre o acidente em detalhes, sobre as buscas pelo corpo no mar que duraram vários dias e, finalmente, sobre o aspecto que tinha quando o encontraram. Ele perdeu o apetite. Disse-lhe também que conseguiu manter um pedaço do tecido menos danificado. Ela usava um vestido cinza vazado nas laterais, com um profundo decote que revelava o seu corpo sardento. Ele pensou mais uma vez que ela fosse chorar.

Comeram a salada e os queijos quase em silêncio. Depois ela segurou a sua mão e ele ficou paralisado.

Abraçou-a e assim tentou se esconder dela. Ela beijou o seu pescoço.

"Assim não", ele deixou escapar.

Ela não entendeu:

"Como, então? O que devo fazer?"

Mas ele se soltou do seu abraço, ergueu-se do sofá, corado, e ficou olhando em volta, impotente.

"E como você queria? Me diga."

Desesperado, ele percebeu que não podia fingir mais, que não tinha força, que havia muitas coisas acontecendo ao mesmo tempo e, virando-se de costas para ela, sussurrou:

"Não posso. É cedo demais para mim."

"É porque sou mais velha do que você, não é?", ela murmurou ao se levantar.

Ele negou sem convicção. Queria que ela o apoiasse, mas sem tocá-lo.

"A diferença de idade não é assim tão grande, mas...", ouviu-a arrumando a mesa. "Estou comprometido", mentiu.

De certo modo era verdade. A verdade é sempre de certo modo. Estava comprometido. Já estava casado, juntado, aparentado, amancebado. Com Glansmench e a mulher de cera com o ventre aberto, com Soliman, Fragonard, Vesalius, Von Hagens e Mole, e só Deus sabe com quem mais. Por que deveria penetrar esse corpo vivo, envelhecido e quente, perfurá-lo com o dele? Com que objetivo? Sentia que deveria partir, talvez naquele mesmo dia. Alisou os cabelos com a mão e abotoou a camisa.

Ela suspirou fundo.

"E então?", perguntou.

Ele não sabia o que responder.

Quinze minutos depois, estava na sala com a sua mala na mão, pronto para sair.

"Posso chamar um táxi?"

Ela estava sentada no sofá. Lia.

"Mas é claro", disse. Tirou os óculos mostrando o aparelho com a mão e voltou a ler.

Mas já que não conhecia o número de telefone, achou que seria melhor ir andando até o ponto de táxi; devia haver algum nas redondezas.

Ele chegou, então, no congresso antes do planejado. Depois de uma longa discussão na recepção do hotel, conseguiu um quarto. Passou a noite toda no bar. Tomou uma garrafa de vinho no restaurante do hotel e depois chorou feito uma criança pequena na cama.

Durante os próximos dias, assistiu a muitas palestras e fez a sua. O título em inglês era: "*Preservation of pathology especimens by silicone plastination. An innovative adjunct to anatomopathology education*". Era um excerto da sua tese de doutorado.

A palestra foi bem recebida. Na última noite, durante o jantar, conheceu um teratologista húngaro simpático e bonito que lhe fez uma confissão. Tinha sido convidado pela sra. Mole e estava se preparando para visitá-la.

"Em sua casa de praia", ele enfatizou as palavras "de praia". "Decidi juntar as duas viagens, já que a casa fica relativamente perto daqui", disse. "Tudo o que o marido deixou está nas mãos dela agora. Quem me dera ver o laboratório... Sabe, tenho até minha própria teoria sobre a composição química. Supostamente, ela estaria negociando com um museu nos Estados Unidos, cedo ou tarde vai passar tudo para eles, junto com toda a documentação. Mas se eu puder ter acesso aos papéis desde agora...", ele começou a devanear. "A minha carreira de livre-docente já estaria garantida, talvez até um cargo de professor titular."

Babaca, Blau pensou. Esse homem seria a última pessoa a quem admitiria que tinha chegado primeiro. E então olhou para ele com os olhos dela por um instante. Viu os seus cabelos escuros, que brilhavam com algum tipo de gel, e as pequenas manchas de suor sob os seus braços no tecido azul da camisa. Uma barriga enxuta embora levemente protuberante, quadris estreitos, uma pele fresca e clara com a sombra de uma barba espessa. Os seus olhos já embaçados pelo vinho e brilhando com a iminência de um triunfo.

O AVIÃO DOS LIBERTINOS

Rostos nórdicos avermelhados surpresos pelo sol repentino. Cabelos desbotados pela água salgada e pelas horas diárias na praia. Bolsas cheias de roupas sujas e suadas. Em suas compras de última hora no aeroporto: souvenirs para amigos e família, garrafas de alguma bebida alcoólica forte comprada no duty-free. Apenas homens, que agora ocupam a mesma porção do avião numa espécie de pacto tácito. Acomodam-se nas poltronas e afivelam os cintos — vão dormir, recuperar as horas perdidas de sono. A pele ainda exala o cheiro de álcool. Seus corpos ainda não conseguiram digerir por completo essa dose de duas semanas — depois de algumas horas de voo, o cheiro terá saturado todo o avião, assim como o fedor de suor misturado com resquícios de excitação sexual. Um bom criminologista acharia muito mais — um único fio de cabelo negro enganchado no botão da camisa, quantidades residuais de uma substância orgânica humana e o DNA de outra pessoa debaixo da unha do dedo indicador e do dedo médio. Escamas microscópicas de epiderme sobre as fibras de algodão da roupa íntima, microquantidades de esperma dentro do umbigo.

Mesmo antes da decolagem trocam algumas palavras com os seus vizinhos sentados de ambos os lados. Expressam discretamente a sua satisfação com a estada, não convém entrar em detalhes e, de qualquer forma, são da mesma laia. Apenas alguns deles, os mais incorrigíveis, perguntam sobre os preços e a gama de serviços, e logo caem no sono tranquilizados. Tudo acabou saindo bastante barato.

A CARACTERÍSTICA DE UM PEREGRINO

Um velho amigo uma vez me disse que não gostava de viajar sozinho. O seu problema era: quando vê algo extraordinário, novo e belo, quer tanto compartilhar a experiência com alguém que acaba ficando profundamente infeliz se não houver ninguém por perto.

Acho que ele não serve para ser um peregrino.

A SEGUNDA CARTA DE JOSEFINA SOLIMAN PARA FRANCISCO I, IMPERADOR DA ÁUSTRIA

Como não recebi nenhuma resposta à minha carta, peço permissão para dirigir-me novamente a Vossa Majestade, dessa vez em termos mais ousados, embora não queira que sejam tomados por uma familiaridade excessiva: Caro Irmão. Porventura Deus, quem quer que seja, não nos fez irmãos? Não dividiu os deveres entre nós de uma forma justa para que os cumpríssemos com dignidade e devoção, zelando pela Sua obra? Ele confiou aos nossos cuidados os continentes e oceanos, a uns deu o ofício e a outros a governança. Uns ele fez bem-nascidos, saudáveis e belos, enquanto os outros ele fez de baixa ascendência e malsucedidos. Em nossas limitações humanas, não sabemos responder por que agiu assim. Apenas nos resta confiar que a Sua sabedoria permeia isso e que dessa forma todos nós constituímos parte de Sua arquitetura complexa, peças cujo propósito não somos capazes de adivinhar, mas — devemos acreditar nisso — sem as quais esse enorme mecanismo mundano não poderia funcionar.

Há algumas semanas dei à luz um menino, a quem meu marido e eu demos o nome de Eduardo. Minha grande alegria materna é, no entanto, perturbada pelo fato de que o avô do meu filho ainda não pôde atingir o seu lugar no descanso final. Que o seu corpo insepulto permaneça exposto por Vossa Majestade aos olhares curiosos da *Wunderkammer* imperial.

Tivemos a sorte de termos nascido no Século da Razão, numa época excepcional que conseguiu expor claramente que a mente humana é a obra divina mais perfeita e que o seu poder é capaz de livrar o mundo dos preconceitos, da injustiça e fazer com que todos os seus habitantes sejam felizes. O meu pai sempre esteve entregue de coração e alma a essa ideia. Acreditava, com profunda convicção, que a razão humana é a maior força colocada à disposição das pessoas. E eu, criada pela sua mão carinhosa, acredito exatamente nisso, que a razão é a melhor coisa com a qual Deus nos presenteou.

Nos papéis do meu pai que eu coloquei em ordem depois da sua morte, há uma carta de Sua Majestade, o imperador José, antecessor e tio de Vossa Majestade, escrita de seu próprio punho, em que aparecem palavras significativas. Permito-me citá-las aqui: "Todos os homens são iguais no nascimento. Herdamos dos nossos pais apenas uma vida animal, e nela, como se sabe, não há a menor diferença entre um rei, um príncipe, um burguês ou um camponês. Não existe nenhuma lei, divina ou natural, que possa negar essa igualdade".

Como posso acreditar nessas palavras agora?

Já não peço, mas imploro a Vossa Majestade que devolva o corpo do meu pai à minha família, que despojado de qualquer honra e dignidade, tratado com substâncias químicas e empalhado, está exposto à curiosidade humana junto de animais selvagens. Dirijo-me também em nome de outros seres humanos empalhados que se encontram no Gabinete de Curiosidades da Natureza da Vossa Majestade Imperial, pois, até onde posso saber, não há ninguém que possa interceder em seu favor pelo simples fato de não possuírem entes próximos ou familiares — aqui me refiro àquela garotinha anônima, e também a um certo Joseph Hammer e a Pietro Michaele Angiola. Desconheço essas pessoas, e não serei capaz de contar nem mesmo brevemente a sua vida infeliz, mas acredito que lhes devo essa ação cristã por ser filha de Angelo Soliman. E também, a partir de agora, a mãe de um ser humano.

Josefina Soliman von Feuchtersleben

SARIRA

Uma linda monja careca com um manto cor de osso se debruça sobre um minúsculo relicário onde, pousado numa almofada de veludo, há o que resta do corpo cremado de um ser iluminado. Fico ao lado dela e ambas olhamos para essa partícula com a ajuda de uma lupa fixada permanentemente no local. Toda aquela essência tem a forma de um minúsculo cristal, uma pedrinha um pouco maior que um grão de areia. Provavelmente o corpo dessa monja também se transformará num grão de areia em alguns anos; o meu — não, o meu vai se perder, porque nunca fui praticante.

No entanto, nada disso deve me deixar triste, dada a quantidade de desertos arenosos e praias no mundo. E se eles forem feitos apenas por essências póstumas dos corpos de seres iluminados?

A ÁRVORE BODHI

Conheci um homem que veio da China. Ele me contou sobre a primeira vez que viajou a negócios para a Índia, onde havia participado de vários encontros e conferências. Sua empresa produzia aparelhos eletrônicos bastante sofisticados especializados em conservar o sangue por longo tempo, assim como transportar órgãos para transplantes com segurança, e ele estava negociando a abertura de filiais na Índia e de novos mercados de venda.

Na sua última noite lá, mencionou a um dos seus colaboradores que sonhava desde criança em ver a árvore Bodhi, debaixo da qual Buda tinha alcançado a iluminação. Ele vinha de uma família budista, ainda que não se falasse de religião na República Popular da China da época. Contudo, mais tarde, quando já era possível admitir a profissão de alguma delas, os seus pais se converteram inesperadamente ao cristianismo, uma variante do protestantismo praticada no Extremo Oriente. Tinham a impressão de que o deus cristão era mais benévolo com os seus seguidores e, digamos com sinceridade, seria mais eficaz e mais fácil enriquecer estando sob sua proteção. Esse homem, porém, não compartilhava dessa crença e se manteve fiel ao budismo, a religião de seus antepassados.

O seu colaborador indiano entendeu bem a sua motivação. Acenava com a cabeça e continuava a lhe servir álcool, até que todos ficassem igualmente embriagados, aliviando a tensão acumulada com a assinatura de contratos e negociações. Mal conseguindo ficar em pé, cambaleando sobre as pernas bambas, eles foram até a sauna do hotel para ficarem sóbrios, pois tinham muito trabalho a fazer pela manhã.

Na manhã seguinte, ele recebeu um recado no seu quarto — um bilhete com apenas uma palavra: "Surpresa", junto com o cartão de visitas de seu colaborador. Diante do hotel havia um táxi que o levou até o helicóptero que o aguardava. Assim, depois de menos de uma hora, chegou ao lugar sagrado onde, debaixo de uma enorme figueira, Buda alcançara a iluminação.

O seu terno elegante e a camisa branca desapareceram no meio da multidão de peregrinos. O corpo ainda guardava a lembrança ácida do álcool, do calor da sauna, do farfalhar dos papéis assinados em silêncio sobre o tampo de vidro da mesa moderna e o rangido da caneta nanquim que deixou marcado o seu nome e sobrenome no papel. Contudo, ali ele se sentiu perdido e indefeso como uma criança. Mulheres que chegavam até a altura de seus ombros, coloridas feito papagaios, o empurravam para a frente, para aonde fluía essa corrente humana. E de repente ele ficou assustado com aquilo que, como um budista, ele repetia várias vezes ao dia, quando tinha tempo: o voto. O juramento em que afirmava que tentaria trazer com suas orações e ações todos os seres sencientes para a iluminação. De repente, isso tudo lhe pareceu desprovido de sentido.

Honestamente, ao ver a árvore, ficou decepcionado. Nenhum pensamento ou oração lhe vieram à mente. Reverenciou devidamente o local sagrado, inclinou-se repetidas vezes, fez oferendas generosas e, em menos de duas horas, voltou ao helicóptero. À tarde já estava de volta ao seu hotel.

Enquanto tomava uma ducha, debaixo de um forte jato de água que limpava o suor, a poeira e um cheiro estranho e adocicado da multidão, das bancas, dos corpos, dos incensos onipresentes e do curry vendido em bandejas de papel, que as pessoas comiam com os dedos, um pensamento surgiu em sua mente: todos os dias presenciava aquilo que abalara tanto o príncipe Gautama: doenças, velhice e morte. Mas nada acontecia. Não ocorria nele nenhuma transformação, e sinceramente, ele já havia se acostumado àquilo. E depois, ao se enxugar com uma toalha branca e macia, pensou que não estava convencido com o seu desejo de alcançar a iluminação. Não estava seguro se realmente queria ver, numa fração de segundo, toda a verdade. Passar o mundo no aparelho de raio X e enxergar lá o esqueleto do Vazio.

Mas, claro — como garantiu na mesma noite ao seu generoso amigo —, estava extremamente grato pelo presente. Então tirou com cuidado do bolso do paletó uma folha rachada e ambos os homens se debruçaram sobre ela com uma atenção arrebatada e piedosa.

MINHA CASA É MEU HOTEL

Eu olho ao redor e observo cada coisa mais uma vez. Olho do zero, como se eu não os conhecesse. Descubro detalhes. Admiro os donos do hotel pelo cuidado que têm com as plantas — tão grandes e belas, com suas folhas luminosas, sua terra adequadamente umedecida, e aquela tetrastigma impressionante. Que quarto espaçoso, ainda que os lençóis pudessem ser de melhor qualidade, de linho branco bem engomado. Entretanto, são de algodão de má qualidade e desbotado, que não necessita ser engomado ou passado a ferro. Em compensação, a biblioteca no andar de baixo é muito interessante, na verdade exatamente a meu gosto. Há nela tudo de que eu precisaria se fosse morar aqui. Talvez eu fique por mais tempo, especialmente por causa dela.

E por uma estranha coincidência, há algumas roupas no armário, exatamente do meu tamanho e sobretudo em tons escuros, do jeito que gosto. Ficam-me muito bem, como essa blusa preta com capuz, macia e confortável. E o que parece ser mais impressionante é que sobre a mesa de cabeceira estão minhas vitaminas e tampões de ouvido da minha marca preferida — isso já é demais.

Gosto também do fato de não haver aqui proprietários. Nenhuma camareira tenta entrar no meu quarto de manhã. Tampouco há pessoas andando pelos corredores. Não existe nenhuma recepção. Eu própria faço o meu café, do jeito que gosto, na cafeteira, com espuma de leite.

Sim, achei um hotel decente a um preço acessível, talvez localizado um pouco no meio do nada, e afastado da estrada principal que fica coberta de neve no inverno, mas quando se viaja de carro, isso não tem grande importância. É preciso sair da autoestrada na cidade S. e seguir por uma dezena de quilômetros por um caminho local, e depois de G., entrar numa aleia de castanheiros que leva a uma estrada de chão e cascalho. No inverno, deve-se deixar o carro junto do último hidrante e fazer o resto do trajeto a pé.

PSICOLOGIA DE VIAGEM: *LECTIO BREVIS II*

"Senhoras e senhores", começou a mulher, dessa vez muito jovem, de calças militares e cabelos presos de uma forma engraçada. Deve ter acabado de defender a sua dissertação de mestrado. "Como já havíamos dito nas palestras anteriores, às quais os senhores devem ter assistido em um dos aeroportos ou em uma das estações ferroviárias que participaram do nosso projeto educacional, experimentamos o tempo e o espaço em grande medida inconscientemente. Não são categorias que poderíamos definir como externas ou objetivas. Nossa percepção do espaço resulta da possibilidade de nos locomovermos. Já a percepção do tempo surge como consequência de nós, seres biológicos, passarmos por diversos estados mutáveis. O tempo, portanto, não é nada mais que o fluxo dessas mudanças.

"O lugar, como um aspecto do espaço, é uma pausa no tempo, uma fixação instantânea da nossa percepção na configuração de objetos e constitui, ao contrário do tempo, uma noção estática.

"Desse ponto de vista, o tempo humano se divide em etapas, assim como o movimento no espaço é dividido por pausas, isto é, lugares. Essas pausas nos fixam no fluxo do tempo. Alguém que dorme e perde a noção do espaço em que se encontra automaticamente perde também a noção do tempo. Quanto mais pausas no espaço houver, portanto, quanto mais lugares nós experimentarmos, mais o tempo fluirá. As etapas do tempo separadas umas das outras por pausas são chamadas frequentemente de episódios. Eles não geram consequências, de certa forma interrompem o fluir do tempo, mas não se tornam parte dele. São acontecimentos autossuficientes, cada um deles começa do zero, cada início e fim são absolutos. É possível dizer que não terão continuação."

Neste momento, houve um certo tumulto na primeira fileira: alguém reconheceu o seu sobrenome no murmúrio dos comunicados sobre passageiros atrasados e começou a juntar apressadamente a bagagem de mão e as sacolas de compras do free shop, esbarrando nos seus vizinhos. Chequei o número do meu portão de embarque em pânico e perdi o fio da meada da palestra. Foi uma luta voltar à explanação da mulher, que agora falava sobre a dimensão prática da psicologia de viagem. Já estávamos fartos dessa teoria complicada e esquisita.

"A psicologia prática de viagem estuda o significado metafórico dos lugares. Olhem, por favor, para as telas luminosas com os nomes dos aeroportos de destino. Já se perguntaram alguma vez qual é o significado de 'Islândia' ou o que são os 'Estados Unidos'? O que sentem ao pronunciarem esses nomes? Fazer perguntas desse tipo tem uma utilidade particular na psicanálise topográfica, em que o ato de chegar aos profundos significados dos lugares nos leva a decifrar o tal chamado *itinerarium*, isto é, o caminho individual do viajante, do sentido profundo de sua viagem.

"A psicanálise topográfica ou psicanálise de viagem, ao contrário do que possa parecer, não introduz a mesma pergunta feita pelos funcionários da imigração: por que você veio aqui? Nossa pergunta levanta a questão do sentido e do significado. Essencialmente, torno-me aquilo de que participo. E sou aquilo para o que olho.

"Era esse o sentido das peregrinações na Antiguidade. Almejar e alcançar o lugar sagrado nos concedia santidade, nos purificava dos pecados. Será que o mesmo acontece quando viajamos para lugares ímpios, pecaminosos? E os vazios e tristes? Ou alegres e criativos?

"Pois não é que...", continuava a mulher, mas dois casais de meia-idade atrás de mim conversavam em voz baixa. Por um momento isso atraiu mais a minha atenção do que a explanação da palestrante.

Percebi que eram dois casais que trocavam impressões de suas viagens. Um convencia o outro:

"Vocês deveriam ir ao Caribe, especialmente a Cuba enquanto Fidel ainda está no poder. Quando ele morrer, Cuba vai ser igual a todo o resto. Por enquanto, ainda se pode ver lá um pouco da verdadeira pobreza — que carros que eles usam! Tem que se apressar, porque dizem que Fidel está muito doente."

COMPATRIOTAS

Entretanto, a mulher terminou essa parte da palestra e os viajantes começaram a fazer perguntas tímidas, mas não o que deviam perguntar. Pelo menos foi a impressão que tive. Eu própria não me atrevi a falar, por isso fui até o bar mais próximo para tomar um café. Já estava lá um grupo de pessoas e descobri que falavam entre si na minha língua. Lancei um olhar desconfiado para eles, eram parecidos comigo. Sim, essas mulheres podiam ser minhas irmãs. Então achei o lugar o mais afastado possível delas e pedi um café.

Não fiquei nada feliz ao encontrar meus conterrâneos em uma terra estrangeira. Fingi que não entendia a minha própria língua. Preferi permanecer anônima. Olhava para eles de soslaio, aproveitando a sua inconsciência do fato de serem entendidos. Observei-os com o canto do olho, e depois desapareci.

Um britânico cansado e pensativo que tomava mais uma cerveja e acompanhava com o olhar os que entravam no bar me confessou ter feito o mesmo. Conversei com ele por um instante, mas não tínhamos muitos assuntos em comum.

"Não fico nada feliz ao encontrar meus conterrâneos no estrangeiro."

Terminei o meu café e voltei para o local da palestra, dizendo que precisava ir embora, o que não era verdade. Cheguei na hora de ouvir as últimas discussões, enquanto a palestrante empolgada explicava algo a três ouvintes, os mais perseverantes, reunidos à sua volta.

PSICOLOGIA DE VIAGEM: CONCLUSÃO

"Somos, caros senhores, testemunhas do crescimento do 'eu' humano e de como está se tornando cada vez mais nítido e angustiante. Mal distinguido no passado, propício a se diluir, subjugado ao ego coletivo, preso nos aros de conveniências e papéis, esmagado pelas prensas das tradições, submetido a demandas. Agora ele incha e abarca o mundo.

"Antigamente, os deuses eram externos, inalcançáveis, provenientes de outro mundo, assim como os seus mensageiros — os anjos e os demônios. No entanto, o ego humano explodiu e incorporou os deuses, acolhendo-os em algum lugar entre o hipocampo e o tronco cerebral, entre a glândula pineal e a área de Broca. Só assim é que os deuses conseguem sobreviver nos esconderijos escuros e tranquilos do corpo humano, nas fendas do cérebro, nos espaços vazios entre as sinapses. É desse fenômeno fascinante que se ocupa o ramo de uma ciência emergente: a psicoteologia de viagem.

"Esse processo de crescimento é cada vez mais poderoso, pois o que possui o poder de influir sobre a realidade é tanto aquilo que não imaginamos quanto aquilo que imaginamos. Quem ainda se desloca no mundo real? Conhecemos pessoas que viajam para o Marrocos do filme de Bertolucci, para a Dublin de Joyce e para o Tibete do filme sobre o dalai-lama.

"Existe uma certa síndrome denominada com o nome de Stendhal que se manifesta através de fortes emoções, inclusive desmaios e fraqueza, ao chegar a um local conhecido das obras de literatura ou de arte. Há pessoas que se gabam de ter descoberto lugares completamente desconhecidos, e nós, nessas horas, sentimos inveja de elas terem experimentado alguns momentos da mais pura verdade, antes que esse lugar, assim como todo o resto, fosse engolido pela nossa mente.

"Por isso precisamos fazer a mesma pergunta repetidas vezes, com insistência: para onde elas navegam, para que países, para quais lugares? Outros países se transformaram em um complexo interno, um novelo de significados que um bom psicólogo topográfico consegue desfazer em dois tempos, interpretá-lo na hora.

"O nosso objetivo é familiarizá-los com a ideia da psicologia prática de viagens e incentivá-los a recorrerem aos nossos serviços. Não temam, caros senhores, esses cantinhos aconchegantes junto das máquinas de café localizadas nas proximidades dos free shops, esses consultórios provisórios onde a análise é feita rápida e discretamente, de vez em quando atrapalhada pelos avisos sobre as partidas de aviões. São apenas duas cadeiras atrás de um biombo feito de mapas.

"'Peru, então?', perguntará um psicanalista topográfico. É fácil confundi-lo com um caixa ou funcionário que trabalha no check-in do aeroporto. 'Peru, então?'

"E fará um breve teste de associação, observando com atenção qual das palavras se tornará a ponta do fio. É uma análise de curto prazo, sem arrastar desnecessariamente o assunto e sem recorrer às figuras maternas e paternas que, coitadas, não têm nada a ver com isso tudo.

"Peru, ou seja, para aonde?"

A LÍNGUA É O MÚSCULO MAIS FORTE DO CORPO HUMANO

Existem países onde as pessoas falam inglês. Mas não falam como nós, que temos uma língua própria, escondida na bagagem de mão, nos nécessaires, e usamos o inglês apenas quando estamos em viagem, em países estrangeiros, com pessoas estrangeiras. É difícil de imaginar, mas o inglês é a sua língua verdadeira. Muitas vezes, a única. Não têm nada ao que possam retornar ou recorrer em momentos de dúvida.

Como devem se sentir perdidos no mundo, onde qualquer instrução ou palavra da canção mais estúpida, o menu nos restaurantes, a mais simples correspondência comercial, os botões no elevador estão em sua língua particular. Ao falarem, podem ser entendidos por qualquer pessoa assim que abrem a boca, e as suas anotações provavelmente precisam ser feitas em códigos especiais. Onde quer que estejam, são sempre acessíveis, por todos e tudo.

Ouvi falar que já existem projetos em andamento para lhes dar alguma pequena língua própria, talvez uma daquelas línguas mortas, que ninguém mais usa, só para que eles possam ter algo exclusivo, só para eles.

FALAR! FALAR!

Dentro e fora, para si mesmo e para os outros, descrever todas as situações, todos os estados; procurar palavras, experimentá-las como aquele sapatinho que milagrosamente transforma Cinderela numa princesa. Mover as palavras como se fossem fichas usadas para apostar nos números na roleta. Será que dessa vez vou conseguir? Será que ganho?

Falar, agarrar as pessoas pela manga, mandar que elas se sentem diante de nós e nos ouçam. Depois transformar-se no ouvinte do "falar, falar" deles. Não teriam dito: Falo, pois existo? Ou: Fala-se, então se existe?

Usar para isso todos os recursos possíveis, metáforas, parábolas, gaguejos, frases inacabadas, não prestar atenção no fato de uma frase ser interrompida no meio como se depois do verbo de repente se abrisse um precipício.

Jamais deixar de esclarecer ou contar uma situação. Nunca deixar uma porta trancada; forçá-la com o impulso do xingamento, mesmo aquelas que levam a corredores vergonhosos e vexatórios, dos quais preferíamos nos esquecer. Não sentir vergonha de qualquer queda ou pecado. Um pecado contado é perdoado e uma vida contada é salva. Não seria esse o ensinamento dos santos Sigmund, Carl Gustav e Jacques?

Aquele que não aprendeu a arte de falar ficará preso numa armadilha para sempre.

A RÃ E O PÁSSARO

Existem dois pontos de vista no mundo: a perspectiva da rã e a visão de voo do pássaro. Qualquer outro ponto no meio deles apenas contribui para o caos.

Eis aeroportos desenhados lindamente sobre um folheto de propaganda de uma certa companhia aérea. O seu sentido se revela apenas quando são vistos de cima, assim como os desenhos monumentais no planalto Nazca foram criados pensando nos seres que se ergueriam para os céus — o aeroporto moderno de Sydney, por exemplo, tem o formato de um avião. Parece-me uma solução um tanto banal — um avião pousa dentro de outro avião. O caminho se torna o objetivo enquanto o instrumento vira o resultado. Já o aeroporto em Tóquio, no formato de um enorme hieróglifo, nos deixa perplexos. Que letra seria aquela? Não tendo aprendido o alfabeto japonês, não saberemos qual o significado de nossa chegada e com que palavra nos receberão ali. O que carimbam em nossos passaportes? Um enorme ponto de interrogação?

De um modo semelhante, os aeroportos chineses lembram as letras do alfabeto local, é preciso aprendê-las, ordená-las, formar um anagrama com elas. É possível que só então revelem alguma sabedoria inesperada sobre a jornada. Ou podemos tratá-las como aqueles sessenta e quatro símbolos dos hexagramas do *Livro das mutações*, e então todos os pousos serão um augúrio. Hexagrama 40. Hsieh. Liberação. Hexagrama 36. Ming I. Obscurecimento da Luz. Hexagrama 10. Lu. A conduta. 17. Sui. Seguir. 24. Fu. Retorno. 30. Li. O aderir.

Mas deixemos em paz essa complexa metafísica oriental que, aparentemente, tanto nos atrai. Vejamos o aeroporto em San

Francisco e agora temos algo de familiar, algo que inspira confiança, que nos faz sentir em casa: aqui vemos o corte transversal da coluna vertebral. O centro redondo do aeroporto é a medula espinhal, fechada dentro da dura e segura casca óssea de uma vértebra, e aqui se ramificam feixes de nervos, de onde partem os portões de embarque, cada um com o seu número específico e terminado com uma ponte que nos leva para dentro do avião.

E Frankfurt? Esse enorme aeroporto seria um Estado dentro de outro Estado? O que nos faz lembrar? Sim, sim, o circuito integrado de um computador, uma fina plaqueta. Aqui não há espaço para dúvidas — eles nos dizem o que somos, caros viajantes: impulsos nervosos do mundo, frações de instante, apenas aquela parte que permite substituir o mais pelo menos, ou talvez o contrário, manter tudo numa corrente incessante.

LINHAS, SUPERFÍCIES E TORRÕES

Sonhei, muitas vezes, com olhar sem ser vista. Espiar. Ser uma observadora ideal como aquela câmara escura que certa vez montei com uma caixa de sapatos. Ela fotografou para mim um pedaço do mundo através de um espaço negro e fechado com uma pupila microscópica, pela qual a luz penetrava o interior. Eu estava treinando.

O melhor lugar para esse tipo de treinamento é a Holanda. Lá, as pessoas, convencidas de sua completa inocência, não usam cortinas e, assim que anoitece, as janelas se transformam em pequenos palcos onde os atores desempenham os seus papéis. Uma série de quadros banhados numa cálida luz amarela, são atos singulares da mesma peça intitulada *Vida*. Pintura holandesa. Natureza viva.

Um homem aparece na porta com uma bandeja na mão e a coloca sobre a mesa; duas crianças e uma mulher sentam ao redor dela. A cena se prolonga, em silêncio, pois a acústica não funciona nesse teatro. Depois eles se mudam para o sofá, olham atentamente para a tela luminosa, mas para mim, que estou parada na rua, não fica claro o que tanto os atrai. Vejo apenas cintilações, uma luz trêmula, imagens muito breves e distantes para poder entendê-las. O rosto de alguém mexendo os lábios intensamente, uma paisagem, outro rosto... Alguns dizem que é uma peça entediante e que nada acontece. Mas eu gosto dela — por exemplo, o movimento de um pé brincando inconscientemente com o sapato ou o assombroso ato de bocejar. Ou uma mão que procura o controle remoto sobre a superfície de veludo e, tranquilizada ao encontrá-lo, murcha.

Ficar de lado. Assim se vê o mundo apenas em fragmentos, não haverá outro. Há momentos, migalhas, configurações instantâneas que, uma vez formadas, se despedaçam. A vida? Não existe tal coisa; vejo linhas, superfícies, corpos sólidos e as suas transformações no tempo. Já o tempo parece um simples instrumento para medir as pequenas mudanças, uma régua escolar com uma divisão simplificada de apenas três marcações: foi, é e será.

O TENDÃO DE AQUILES

Uma nova época começou em 1542, embora ninguém tivesse percebido isso. Não se tratava de nenhum aniversário comemorativo, tampouco de um fim do século. Do ponto de vista da numerologia, não há nada de interessante, apenas o número três. No entanto, naquele ano surgiram os primeiros capítulos de *De revolutionibus orbium coelestium*, de Copérnico, e todo o *De Humani corporis fabrica*, de Vesalius.

Naturalmente, os dois livros não podiam conter tudo, mas haveria algo capaz de conter tudo? À obra de Copérnico faltava o resto do Sistema Solar, planetas como Urano, que esperava

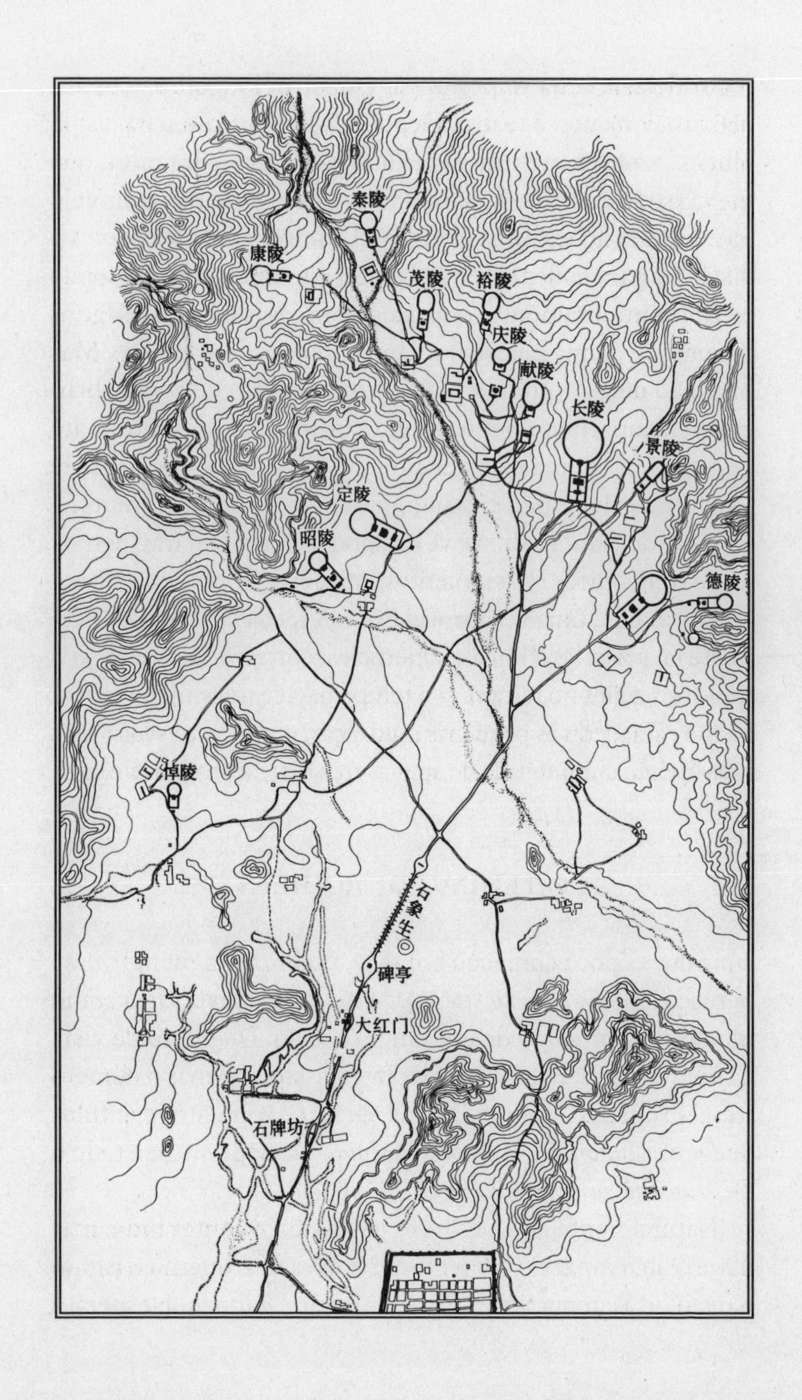
泰陵
康陵
茂陵
裕陵
庆陵
献陵
长陵
景陵
定陵
昭陵
德陵
悼陵
石象生
碑亭
大红门
石牌坊

pelo momento certo para ser descoberto, às vésperas da véspera da Revolução Francesa. E a Vesalius, por sua vez, faltavam muitas soluções mecânicas detalhadas no corpo humano, ligamentos, juntas, articulações, como, para dar apenas um exemplo, o tendão que liga a panturrilha ao calcanhar.

Os mapas do mundo, tanto o mundo interno quanto o externo, já haviam sido esboçados. A ordem, uma vez vista, iluminou a mente, gravando nela as fundamentais linhas e superfícies primárias.

Digamos que seja uma tarde do ameno mês de novembro de 1689. Philip Verheyen está seguindo a sua rotina de costume, sentado à mesa, banhado pela luz que penetra através de uma janela que parece ter sido projetada especialmente para aquele propósito, examina os tecidos estendidos sobre o tampo. Os alfinetes encravados na madeira seguram os nervos cinzentos. Sem olhar para o papel, ele esboça com a mão direita aquilo que vê.

Ver, afinal de contas, significa saber.

Mas agora alguém está batendo à porta, o cachorro late insistentemente e Philip precisa se levantar. Ele o faz com relutância. O seu corpo já havia ocupado a sua posição preferida com a cabeça debruçada sobre o espécime; precisa se apoiar em sua perna boa e tirar de debaixo da mesa aquela que existe como uma prótese de madeira. Vai até a porta mancando e consegue acalmar o cachorro. Diante da porta está um jovem e, só depois de uma pausa considerável, Philip reconhece que é o seu aluno Willem van Horssen. Não está nada satisfeito com essa visita, aliás, não estaria contente com nenhuma visita, mas recua para o fundo do vestíbulo, batendo com a perna de madeira sobre as lajes de pedra, e convida o visitante a entrar.

Van Horssen é alto, tem uma vasta cabeleira encaracolada e um rosto sorridente. Coloca sobre a mesa aquilo que comprou no caminho — um queijo, um pão, maçãs e vinho. Fala alto, gaba-se dos ingressos, o motivo de sua vinda. Philip precisa se controlar para não demonstrar impaciência e fazer uma careta típica de alguém que se vê, repentinamente, no meio de uma terrível algazarra. Supõe que o motivo da visita desse rapaz, por acaso um moço simpático, está explicado na carta que permanece ainda lacrada sobre a mesinha no vestíbulo. Enquanto o visitante prepara a mesa, o dono da casa a esconde disfarçadamente, e a partir de então vai fingir que conhece o seu conteúdo.

Vai fingir também que não conseguiu achar uma empregada, ainda que jamais tenha procurado uma. Vai fingir que conhece todos os sobrenomes mencionados pelo visitante, embora, na realidade, a sua memória não esteja bem. É reitor da Universidade de Leuven, mas desde o verão passado vive isolado no campo e se queixa do estado de sua saúde.

Juntos acendem a lareira e se sentam para comer. O dono da casa come com relutância, mas seu apetite aumenta a cada vez que petisca. O vinho combina bem com o queijo e a carne. Van Horssen lhe mostra os ingressos. Eles os examinam em silêncio, Philip se aproxima da janela e ajeita as lentes dos óculos para ver com mais nitidez o desenho intricado e a caligrafia. Ora, o próprio bilhete é uma obra de arte — abaixo do texto na parte superior foi impressa uma bela ilustração do mestre Ruysch, um tableau com esqueletos de fetos humanos. Dois deles estão sentados ao redor de uma composição de pedras e galhos secos segurando alguns tipos de instrumentos musicais, um que lembra um trompete e o outro, uma harpa. E olhando atentamente para o emaranhado de traços, há ainda mais ossos e caveiras, miúdos e delicados, e qualquer observador atento poderia montar com eles outros pequenos fetos.

"Lindo, não é?", pergunta o visitante, olhando por cima do ombro do dono da casa.

"O que há de lindo nisso?", ele responde desinteressadamente. "São apenas ossos humanos."

"É arte."

Mas Philip não deixa se envolver na discussão. Não lembra mais aquele Philip Verheyen que Van Horssen conhecia da universidade. A conversa não flui e é possível ter a impressão de que o dono da casa está pensando em outra coisa. Talvez a solidão tenha transformado os seus pensamentos em longos feixes e acostumado Verheyen a manter diálogos internos.

"Você ainda a tem, Philip?", pergunta, enfim, o antigo aluno depois de um longo silêncio.

O ateliê de Verheyen fica num pequeno anexo da casa, acessível por uma porta na entrada. Van Horssen não estranha o seu aspecto, que lembra mais uma oficina de litografia, cheia de placas, bacias de decapagem, jogos de cinzéis pendurados na parede, gravuras prontas secando em toda parte, além de tufos de estopa espalhados pelo chão. O visitante se aproxima involuntariamente das folhas de papel impressas — todas representando músculos e vasos sanguíneos, tendões e nervos, marcadas cuidadosamente, absolutamente transparentes, perfeitas. Também há um microscópio de primeira qualidade, com lentes polidas por Benedictus Spinoza, objeto da inveja de muitos, com o qual Philip observa feixes de vasos sanguíneos.

Debaixo da janela, única mas enorme, que dá para o sul, há uma mesa larga e limpa; sobre ela, um espécime, o mesmo há anos. Ao lado é possível ver um frasco dois terços cheio de um líquido amarelo.

"Se vamos a Amsterdam amanhã, então me ajude a recolher isso", diz Philip, e acrescenta em tom de reprovação: "Estive trabalhando".

Com os seus longos dedos, começa a desenganchar delicadamente os tecidos e vasos estendidos com a ajuda de pequenas cavilhas. As suas mãos são tão ágeis e leves quantos as de um caçador de borboletas, e não de um anatomista ou um gravador que traça sulcos em metal duro que o ácido transformará

Linguarum Genealogiam exhibens, una cum Literis, scribendiq; modis, Omnium Gentium.
Mare Germanicum
Mare Cantabricum
GALLICA
Nostre Pere, qui es és Cieux. Ton Nom soit Sanctifié.
Foro-Juliana
HISPANICA
Padre nuestro, que estas en los cielos. Sanctificado sea el tu Nombre
LUSITANIA
Catalani ca
Olysippo
Fret: Herculeum
Mauritan.
Majorca
Corsica
Sardinia
Sicilia
MARE MEDITERRANEUM
ITALICA
Padre nostro, che sei ne' Cieli. Sia Sanctificato il tuo Nome.
Hetrusca
LATINA
Pater noster qui es in Cælis.
Helvetia Deutsch
GERMANICA
Bohemia
Belgica
DANIA
Antiq. Saxonica
M. BALTICUM
SCAN DINA
Norwegica
GERMANIA TRANSMARINA
SUECICA
Einnonica
RUSSICA
Otse nash ishe jeszi unebeszih. Posuetisze imè toye.
Ingerm.
Liefland
Curland
Preusse
POLONICA
Oicze náss, ktorys jest w niebiesiech. Swiec-sie imie twoie.
SCLAVONICA
Tartarica
TARTARIA Vocibus Teutonicis
Sclavonicis mixta
PONTUS EUXINUS
HUNGARICA
Siebenbürgen
Wien
TURCICA
ILLIRICA
SLAVONICA
GRÆCA
Græca Barbara
ΠΑΤΕΡΑ ΜΑΝ Ο ΡΟΥ ΕΙΣΑΙ ΕΙΣ ΤΟΥΣ ΟΥΡΑΝΟΥΣ ΑΣ ΕΙΝΑΙ ΑΓΙΑΣΜΕΝΟΝ ΤΟ ΟΝΟΜΑ ΣΟΥ,
ASIA intra TAURUM ab IONIBUS Posteris inhabita ta.
HELLENICA
Cyprus
Creta
Picto Scotica
ANGLO SAXON
Hybern.
Wallica
Latinæ Germ. Angl. Saxo
INGUARUM Propagatio et versus Regiones Scythicas

no negativo de uma gravura. Van Horssen segura apenas o frasco de tintura no qual partes do espécime flutuam em um líquido levemente marrom, mas transparente, como se estivessem retornando para casa.

"Você sabe o que é isto?", diz Philip e aponta com a unha do dedo mindinho uma substância mais clara acima do osso. "Toque nisto."

O visitante estende o dedo na direção do tecido morto, mas não o alcança. Fica suspenso no ar. A pele foi cortada de tal forma que revela aquele lugar de um modo completamente inesperado. Não, não sabe o que é, mas adivinha:

"É o *musculus soleus*, um componente dele."

Philip olha para ele por um bom tempo, como se procurasse as palavras.

"A partir de agora é *chorda Achilles*", diz.

Van Horssen repete essas duas palavras como se as memorizasse.

"O tendão de Aquiles."

As mãos limpas num pedaço de pano tiram de debaixo das pilhas de papel um diagrama incrivelmente acurado em quatro perspectivas: a canela e o pé constituem um único conjunto e é difícil imaginar que antigamente não estivessem ligados assim, que não houvesse nada naquele lugar, apenas uma imagem borrada, agora totalmente esquecida. Tudo estava separado e agora está junto. Como era possível não notar esse tendão? É difícil de acreditar que partes do próprio corpo sejam descobertas como se estivéssemos abrindo caminho rio acima à procura das suas fontes. Do mesmo modo se faz incisões com um bisturi ao longo de um vaso sanguíneo para determinar o ponto em que ele começa. Os espaços em branco se cobrem com um sistema de desenho.

Descobre-se e se nomeia. Conquista-se e civiliza. Um pedaço de uma cartilagem branca a partir de agora estará sujeito a nossas leis, nos obedecerá.

No entanto, é o nome que causa a maior impressão sobre o jovem Van Horssen. Na verdade, ele é poeta e apesar de ter se formado em medicina, preferia escrever poemas. É o nome que faz imagens fabulosas surgirem em sua mente, como se estivesse vendo pinturas italianas habitadas por ninfas e deuses de carne e osso. Haveria um nome melhor para designar a parte do corpo pela qual a deusa Tétis segurou o pequeno Aquiles ao banhá-lo nas águas do rio Estige e torná-lo eternamente imune à morte?

Talvez Philip Verheyen tenha descoberto um rastro da ordem oculta — é possível que exista todo um mundo de mitologia nos nossos corpos? Talvez haja algum tipo de reflexo do grande e do pequeno, o corpo humano reunindo tudo com tudo: fábulas e heróis, deuses e animais, a ordem das plantas e a harmonia dos minerais? Talvez devêssemos seguir nessa direção na hora de dar nomes — o músculo de Ártemis, a aorta de Atena, o martelo e a bigorna de Hefesto, as espirais de Mercúrio.

Os homens vão dormir duas horas depois do anoitecer, ambos na mesma cama de casal, que deve ter sido deixada ali pelos antigos proprietários, pois Philip nunca teve uma esposa. A noite está fria, então precisam se cobrir com algumas peles de carneiros que emanam um cheiro de sebo de carneiro e de estábulo por causa da umidade que permeia o lugar.

"Você precisa voltar para Leiden, para a universidade. Precisamos de você lá", começa Van Horssen.

Philip Verheyen desengancha as tiras de couro e põe a perna de madeira de lado.

"Estou com dor", ele diz.

O outro entende que se trata do coto estendido sobre o banco, mas Philip Verheyen aponta para mais longe, para a parte do corpo já inexistente, para o espaço.

"As cicatrizes doem?", o jovem pergunta. Independente do que estivesse doendo, a compaixão que sente por esse homem magro e frágil jamais diminuiria.

"Dói a perna. Sinto dor ao longo dos ossos e os meus pés doem tanto que me levam à loucura. O dedão e sua articulação estão inchados e quentes, a pele coça. Aqui mesmo", inclina-se e aponta para uma pequena dobra no lençol.

Willem permanece em silêncio. O que poderia dizer? Depois ambos se deitam de costas e se cobrem até o pescoço. O dono da casa apaga a vela, desaparece na escuridão, e depois fala:

"Precisamos investigar a nossa dor."

É compreensível que não seja possível andar com agilidade com uma pessoa que se movimenta sobre uma perna de pau, mas Philip é corajoso e, se não fosse pelo leve coxear e pelo barulho da prótese sobre a estrada ressecada, seria difícil perceber que não possui uma perna. O ritmo lento também favorece as conversas. Uma manhã fresca, o movimento das ruas, o nascer do sol cujo disco é arranhado pelos finos álamos — tudo isso faz com que seja agradável caminhar. Na metade do caminho conseguem parar uma carroça que leva legumes para a feira de Leiden, por isso têm mais tempo para tomar um café da manhã reforçado na hospedaria O Imperador.

Depois, no embarcadouro junto do canal, sobem numa barcaça puxada por terra por cavalos poderosos; ocupam assentos baratos sobre o convés debaixo de uma tenda que os protege do sol, e, como o tempo está bonito, a viagem se torna um puro prazer.

Vou deixá-los assim — navegando numa barcaça rumo a Amsterdam, na mancha de uma sombra deslizante projetada na água pela tenda acima das suas cabeças. Ambos estão vestidos de negro, têm colarinhos brancos de cambraia engomada. Van Horssen é mais galhardo, mais bem-vestido, o que significa apenas que tem uma esposa que cuida de sua roupa, ou possui dinheiro suficiente para contratar uma empregada, nada mais do que isso. Philip está sentado de costas para a direção da viagem, recostado confortavelmente, com a perna boa dobrada, calçando um sapato de couro preto adornado com um laço roxo-escuro e desgastado. A perna de pau está apoiada num nó oco nas tábuas da barcaça. Os dois se veem sobre o pano de fundo de uma paisagem fugaz; campos delimitados por salgueiros, valas de drenagem, os cais dos pequenos embarcadouros e as casas de madeira com telhados de junco. Junto das margens penas de ganso flutuam sobre a água feito pequenas lanchas. O leve sopro de um vento ameno movimenta as penas dos chapéus.

Acrescentarei apenas que, ao contrário do mestre, Van Horssen não tem talento para desenho. É um anatomista e contrata um desenhista profissional para acompanhar todas as dissecações. O seu método de trabalho se baseia em anotações detalhadas, tão pormenorizadas que, quando as lê, tudo se projeta diante de seus olhos. Escrever também é um método.

Além disso, sendo anatomista, procura cumprir rigorosamente as recomendações do sr. Spinoza, cujos ensinamentos foram estudados aqui com intensidade até serem proibidos: olhar para as pessoas como se fossem linhas, superfícies e corpos sólidos.

A HISTÓRIA DE PHILIP VERHEYEN, ESCRITA POR SEU ALUNO E CONFIDENTE, WILLEM VAN HORSSEN

Meu professor e mestre nasceu em Flandres em 1648. A casa de seus pais era igual a outras casas flamengas: feita de madeira e coberta com um telhado de junco cortado em linha reta, como a franja do jovem Philip. Os pisos haviam sido cobertos recentemente com tijolos de barro e agora os membros da família anunciavam a sua presença com a batida de seus tamancos. Aos domingos, os tamancos eram trocados por sapatos de couro e os três membros da família Verheyen seguiam juntos para a igreja em Verrebroek por um caminho longo e reto margeado por álamos. Lá ocupavam os seus assentos e esperavam pelo pastor. As mãos gastas pelo trabalho estendiam-se com gratidão para pegar os livrinhos de orações; as folhas finas e as letras minúsculas reforçavam sua crença de que eram mais duráveis que a frágil vida humana. O pastor de Verrebroek sempre começava o sermão com estas palavras: "*Vanitas vanitatum*". Era possível tratá-las como uma espécie de saudação e realmente o pequeno Philip as entendia assim.

Philip era um menino calmo e calado. Ajudava o pai na fazenda, mas logo ficou claro que não seguiria seus passos. Não iria juntar leite todas as manhãs e misturá-lo com buchos de bezerros em pó para formar enormes queijos, nem separar o feno em feixes uniformes. Não observaria no início da primavera se a água se acumulava nos sulcos da terra arada. O pastor de Verrebroek convenceu os pais de Philip de que ele era suficientemente dotado para prosseguir seus estudos após concluir a escola paroquial. Assim, o menino de catorze anos começou a frequentar o liceu Heilige-Drievuldigheids, onde provou a sua extraordinária aptidão para o desenho.

Se for verdade que existem pessoas que veem coisas pequenas, e aquelas que veem apenas coisas grandes, estou certo de que Verheyen pertencia ao primeiro grupo. Acho, aliás, que o seu corpo desde o início se sentia melhor nesta posição particular — debruçado sobre a mesa, com os pés apoiados nas travessas de madeira, a coluna arqueada e uma pena nas mãos nem um pouco interessada em grandes objetivos, mas em registrar com precisão o reino do detalhe, o cosmos dos pormenores, das linhas e dos pontos onde uma imagem nasce. Água-forte e mezzatinta — deixar pequenos rastros, sinais, desenhar numa superfície metálica lisa e indiferente, envelhecendo-a até que se tornasse sábia. Ele me disse que o anverso sempre o surpreendia e reafirmava a sua convicção de que o esquerdo e direito eram duas dimensões completamente distintas. A sua existência deveria nos conscientizar da natureza suspeita daquilo que ingenuamente tomamos pela realidade.

E embora Verheyen fosse tão dotado para o desenho, tão ocupado em gravar, mordaçar, colorir e imprimir, aos vinte e poucos anos foi para Leiden para estudar teologia e se tornar sacerdote, assim como o seu mentor, o pastor de Verrebroek.

Mas, ainda bem antes disso, e de acordo com o que ele próprio me contou a propósito do magnífico microscópio que ficava sobre sua mesa — de quando em quando esse pastor o levava em pequenas excursões, percorrendo um trajeto de poucas milhas sobre estradas esburacadas para visitar um certo polidor de lentes, chamado por ele de "um audacioso judeu excomungado pela sua gente". Esse homem alugava quartos numa casa de pedra e parecia tão singelo que cada viagem até lá era um grande acontecimento para Verheyen, mesmo que fosse jovem demais para participar das conversas, das quais entendia pouca coisa. Esse polidor se vestia de uma maneira exótica e um tanto excêntrica. Usava uma longa veste e um chapéu alto e rígido que jamais tirava da cabeça. Philip me contava em tom de brincadeira que ele parecia com um risco, um traço vertical, e se alguém colocasse esse homem extravagante no meio de um campo aberto, poderia servir ao povo como um relógio solar. Muitas pessoas se reuniam em sua casa, comerciantes, estudantes e professores que se sentavam a uma mesa de madeira debaixo de um enorme salgueiro e tinham discussões intermináveis. De vez em quando, o anfitrião ou um dos convidados dava uma palestra só para reanimar a discussão. Philip lembrava que o anfitrião falava como se lesse, com fluidez, sem tropeçar. Construía frases longas cujo sentido o menino não entendia, mas que o orador dominava à perfeição. O pastor e Philip sempre levavam algo para comer. O dono da casa servia-lhes vinho, que ele diluía abundantemente com água. Isso era tudo o que Verheyen lembrava dos encontros, e Spinoza permaneceu para sempre o seu mestre, a quem ele leria e debateria com fervor. Talvez tenham sido aqueles encontros com uma mente tão metódica, a força do seu intelecto e a sua necessidade de compreender que instigaram o jovem Philip a estudar teologia em Leiden.

Tenho certeza de que não sabemos reconhecer o destino que os cinzéis divinos gravam para nós no avesso da vida. Precisam se manifestar preto no branco, na forma mais acessível para o ser humano. Deus escreve com a mão esquerda e através da escrita especular.

Em 1676, numa noite de maio, quando Philip estava no segundo ano dos seus estudos, ao subir uma escada estreita que levava para a sua mansarda alugada de uma viúva, rasgou a sua calça num prego e feriu levemente a barriga da perna, o que percebeu só no dia seguinte. Ficou sobre a pele um rastro vermelho marcado pela ponta do prego, um risco de poucos centímetros adornado com gotas de sangue, um movimento imprudente do Gravador sobre um corpo humano delicado que depois de alguns dias começou a ser consumido pela febre.

Quando enfim a viúva chamou o médico, descobriu-se que o pequeno ferimento já estava infeccionado. Suas bordas ficaram inchadas e vermelhas. O médico receitou compressas e canja para fortalecer o organismo, mas na noite seguinte já estava claro que seria impossível interromper esse processo, e a perna teria que ser cortada logo abaixo do joelho.

"Não se passa nem uma semana sem que eu tenha que amputar algo de alguém. Você ainda tem a outra perna", teria sido consolado pelo médico, Dirk Kerkrinck, meu tio e mais tarde amigo de Philip, para quem ele fez algumas gravuras anatômicas recentemente. "Você vai ter uma prótese de madeira e na pior das hipóteses, será um pouco mais barulhento do que tem sido até agora."

***

Kerkrinck fora aluno de Frederik Ruysch, o melhor anatomista nos Países Baixos, talvez até no mundo, portanto a amputação foi realizada de modo exemplar e correu bem. A parte doente foi separada do resto sem percalços, o osso serrado direito, os vasos sanguíneos fechados com um ferro incandescente. Mas antes mesmo que começasse a operação, o paciente agarrou a manga do amigo e insistiu que a perna amputada fosse preservada. Sempre foi muito religioso e decerto acreditava na ressurreição dos corpos de forma literal, que nos levantaríamos do túmulo com nossa aparência física, com o advento de Cristo. Ele me disse mais tarde que temia muito que a sua perna pudesse ressurgir sozinha; queria que, quando a sua hora chegasse, o seu corpo fosse sepultado inteiro. E se fosse um médico qualquer, e não o meu tio, se fosse o primeiro médico achado na rua, um simples barbeiro-cirurgião, um daqueles que tira verrugas e arranca dentes, não cumpriria, obviamente, esse pedido esquisito. Normalmente um membro amputado era envolto num pano e encaminhado para o cemitério onde solenemente, mas sem grandes formalidades religiosas, era depositado numa pequena cavidade sem nenhuma marcação. Porém, enquanto o paciente dormia anestesiado com álcool retificado, o meu tio se ocupou com cuidado da perna. Sobretudo, com a ajuda das injeções de uma certa substância, cuja composição fora mantida em segredo pelo seu mestre, retirou dos vasos sanguíneos e linfáticos todo o sangue infectado e a infiltração da gangrena. Após drenar o membro dessa forma, ele o colocou num recipiente de vidro cheio de um bálsamo feito de brandy de Nantes e de pimenta-preta, algo que deveria protegê-lo para sempre da deterioração. Quando Philip acordou da anestesia alcoólica, o amigo lhe mostrou a perna mergulhada em brandy, da mesma forma que se mostra o bebê recém-nascido às mães após o parto.

Verheyen recuperava a saúde lentamente no sótão de uma pequena casa em uma das ruazinhas de Leiden, onde era hospedado pela viúva. Foi ela quem cuidou dele. Aliás, se não fosse pela viúva, não se sabe como terminaria essa história, pois o paciente ficou deprimido, é difícil dizer se por causa da dor incessante da ferida que cicatrizava ou da sua nova situação. Virou aleijado aos vinte e oito anos de idade e os seus estudos de teologia perderam todo o sentido. Sem a perna não podia virar sacerdote. Envergonhado por ter desapontado os pais, não permitiu que eles fossem notificados sobre o ocorrido. Foi visitado por Dirk e por mais dois amigos. Ao que parece, foram atraídos mais pela presença do membro amputado na mesa de cabeceira do que pelo sofrimento do paciente. Parecia que esse pedaço de corpo humano estava vivendo sua vida própria como um espécime, submergido em álcool, num eterno atordoamento, sonhando os seus próprios sonhos de correr sobre a grama úmida da manhã e a areia quente na praia. Alguns colegas da faculdade de teologia também foram vê-lo, e Philip anunciou-lhes que não voltaria mais aos estudos.

Quando os convidados saíam, a dona da casa, a viúva Fleur, que eu conheci pessoalmente e a quem considero um anjo, aparecia no quarto de Philip. Ele morou lá por mais alguns anos, até comprar uma casa em Rijnsburg, onde se instalou de vez. A sra. Fleur levava para o quarto de Philip uma bacia e um jarro de estanho cheio de água morna. Mesmo que a febre tivesse cedido, e a ferida não sangrasse, ela banhava delicadamente a sua perna e o ajudava a se lavar. Depois, trocava a sua roupa, vestindo-o com uma camisa e calça limpas. Já havia costurado a perna esquerda das suas calças, e tudo em que tocasse com as suas mãos ágeis parecia natural, bem-feito, como se tivesse sido criado assim por Deus, como se Philip Verheyen tivesse nascido sem a perna esquerda. Quando ele precisava se levantar para fazer as suas necessidades no urinol, amparava-se no braço forte da viúva, o que inicialmente lhe causava muito constrangimento, mas depois virou algo natural, como tudo o que era relacionado com ela. Depois de algumas semanas, começou a levá-lo para baixo, onde ele fazia as refeições com ela e seus dois filhos na pesada mesa de madeira da cozinha. A viúva Fleur era alta e robusta. Tinha cabelos loiros, espessos e ondulados, como muitas mulheres flamengas. Escondia-os debaixo da touca de pano, mas sempre aparecia uma mecha rebelde que caía sobre as costas ou a testa. Suspeito que à noite, quando as crianças já dormiam o sono dos inocentes, ela ia ao quarto de Philip, da mesma forma que fazia quando levava o urinol, e deitava em sua cama. Não vejo nada de errado nisso, pois acho que as pessoas deveriam se apoiar da melhor forma possível.

No outono, quando a ferida já havia cicatrizado e restava apenas uma marca avermelhada no coto, Philip Verheyen ia caminhando todos os dias, batendo com a perna de pau sobre o pavimento irregular de Leiden, assistir às palestras no centro médico universitário, onde começou a estudar anatomia.

Em pouco tempo, se tornou um dos alunos mais prezados, pois soube usar como nenhum outro o seu talento de desenhista e transpor para o papel aquilo que a um olho inexperiente, à primeira vista, parecia um caos dos tecidos do corpo humano — tendões, vasos sanguíneos e nervos. Copiou também o famoso atlas de anatomia feito por Vesalius cem anos antes e cumpriu a tarefa excepcionalmente bem. Foi a melhor introdução ao seu próprio trabalho, cujo resultado o tornou famoso. Para muitos dos seus alunos, inclusive eu próprio, representava uma figura paterna rígida, mas cheia de afeição. Fazíamos as dissecações supervisionados por ele e então o seu olho atento e sua mão experiente nos conduziam pelas trilhas do mais complicado dos labirintos. Os alunos reconheciam a sua firmeza e seu conhecimento pormenorizado. Observavam os movimentos rápidos do seu estilete como se testemunhassem um milagre. Desenhar jamais consiste em reproduzir — para enxergar é preciso saber olhar, é preciso saber para o que se olha.

Sempre foi mais taciturno, e hoje em dia, olhando sob a perspectiva do tempo, posso dizer que era de algum modo ausente, absorto em seus próprios pensamentos. Desistia gradualmente de ministrar palestras, dedicando-se ao seu trabalho solitário em seu ateliê. Eu o visitava com frequência em sua casa em Rijnsburg. Com alegria lhe levava notícias da cidade, fofocas e histórias sensacionalistas da universidade. No entanto, percebi que estava ficando cada vez mais obcecado por um assunto. A sua perna, desconjuntada em partes, examinada com o maior cuidado do mundo, sempre permanecia dentro de um pote sobre a mesa de cabeceira, ou causava espanto estendida sobre a mesa. Quando me dei conta de que eu era a única pessoa com quem ele ainda mantinha contato, entendi também que Philip havia ultrapassado o limite invisível do qual já não havia mais retorno.

Naquele dia em novembro, a nossa barcaça havia atracado no cais de Herengracht em Amsterdam no início da tarde, e de lá seguimos ao destino final. Como já era o começo do inverno, os canais não fediam tanto quanto no verão e era agradável caminhar no meio do nevoeiro cálido e leitoso que se erguia diante dos nossos olhos, desvendando um céu sereno de outono. Viramos numa das ruelas estreitas do bairro judeu e queríamos parar em algum lugar para tomar cerveja. Foi bom ter tomado um café da manhã reforçado em Leiden, pois todas as tavernas que passamos no caminho estavam cheias e teríamos esperado muito para sermos atendidos.

O Edifício da Pesagem, onde as mercadorias descarregadas são pesadas, fica na praça do mercado, entre as bancas. Numa das suas torres, o empreendedor Ruysch arranjou o seu *theatrum*, e foi ali que chegamos uma hora antes do horário impresso no ingresso. Embora a entrada do público ainda estivesse interditada, já se aglomeravam alguns pequenos grupos de espectadores diante da porta. Olhava para eles com curiosidade, pois a aparência e os trajes de muitos deles comprovavam que a fama do professor Ruysch havia muito tempo tinha excedido as fronteiras dos Países Baixos. Ouvi conversas em línguas estrangeiras, vi cabeças adornadas com perucas francesas e punhos ingleses rendados que despontavam nas mangas dos casacos. Vieram também muitos estudantes que decerto tinham comprado ingressos mais baratos sem assentos marcados, pois já se amontoavam diante da entrada, procurando garantir os melhores lugares.

A todo momento, vinham falar conosco pessoas que conhecíamos de quando Philip era mais presente na universidade — altos membros do conselho municipal, cirurgiões do grêmio, todos curiosos sobre o que Ruysch inventou de novo e o que ia apresentar. Por fim, chegou o meu tio, que patrocinou a compra dos nossos ingressos, vestido de um preto imaculado, e cumprimentou Philip efusivamente.

O local lembrava um anfiteatro com os bancos dispostos em volta, subindo cada vez mais alto, quase até o teto. Estava bem iluminado e preparado cuidadosamente para o espetáculo. Junto das paredes ao longo da entrada e da própria sala, havia esqueletos de animais, ossos ligados por arames e suportados por estruturas discretas, dando a impressão de que os esqueletos poderiam voltar à vida a qualquer momento. Havia também dois esqueletos humanos, um de joelhos com as mãos erguidas em oração, e outro numa postura pensativa, com a cabeça apoiada sobre a mão cujos ossos minúsculos também eram ligados cuidadosamente com arames.

Quando os espectadores entravam sussurrando e arrastando os sapatos e, um por um, ocupavam os assentos marcados nos ingressos, passavam pelas famosas composições de Ruysch exibidas em vitrines, suas esculturas refinadas. "A morte não poupa nem a juventude", li na descrição embaixo de uma delas, que apresentava dois esqueletos pequenos de fetos brincando. Tinham os ossinhos cor de creme, caveirinhas redondas feito bolinhas arranjadas sobre um montículo feito com ossos igualmente delicados das minúsculas mãos e conjuntos de costelinhas. Havia outro tableau disposto simetricamente em relação aos anteriores, pequenos esqueletos humanos de aproximadamente quatro meses arranjados sobre uma pilha de cálculos biliares (segundo estava identificado) cobertos de vasos sanguíneos drenados e ressecados (sobre um dos galhos mais grossos havia um canário empalhado). O esqueleto à esquerda segurava uma foice em miniatura, o outro, porém, numa pose cheia de tristeza, aproximava das órbitas vazias um lenço feito de algum tipo de tecido ressecado, talvez de um pulmão. Uma mão sensível enfeitou tudo com renda cor de salmão e o resumiu com uma inscrição elegante sobre uma fita de seda: "Por que ansiaríamos as coisas deste mundo?", o que tornava impossível se assustar com essa visão. Fiquei comovido com o espetáculo antes mesmo que começasse, pois me parecia estar assistindo não às evidências ternas da morte, mas de uma morte em miniatura. Como eles poderiam ter morrido de verdade se ainda não haviam nascido?

Ocupamos os nossos lugares na primeira fila junto dos outros convidados de honra.

Sobre a mesa posicionada no centro, por entre sussurros nervosos, havia um corpo preparado para a dissecação, coberto ainda com um pedaço de tecido claro e brilhoso que permitia apenas vislumbrar a sua forma. Ele já havia sido anunciado nos nossos ingressos como um prato delicioso, *spécialité de la maison*: "Um corpo preparado graças ao talento científico do dr. Ruysch para manter e recriar a cor e a consistência naturais, de modo a parecer fresco e quase vivo". Ruysch mantinha os ingredientes dessa incrível tintura em segredo total; essa substância devia ser uma evolução daquela que ainda conservava a perna de Philip Verheyen.

Em pouco tempo, todos os lugares foram ocupados. Por fim, os seguranças deixaram mais alguns estudantes entrarem. A maioria eram estrangeiros que permaneciam encostados às paredes por entre os esqueletos, formando uma estranha comitiva. Esticavam os pescoços para verem a apresentação. Poucos minutos antes do início do espetáculo, alguns homens vestidos elegantemente e à moda estrangeira se sentaram na primeira fila.

Ruysch apareceu acompanhado de dois assistentes. Foram eles que, depois de uma curta introdução feita pelo professor, ergueram simultaneamente o tecido de ambos os lados e revelaram o corpo.

Não foi uma surpresa que chegassem sussurros de todos os lados.

Era o corpo de uma jovem e esbelta mulher. Ao que eu saiba, o segundo submetido a uma dissecação pública. Até então, aulas de anatomia só eram permitidas com corpos masculinos. Meu tio sussurrou em nossos ouvidos que o corpo era de uma meretriz italiana que matou o seu bebê recém-nascido. Da primeira fila, a sua perfeita pele morena e lisa parecia rosada e fresca. A ponta das orelhas e os dedos dos pés estavam levemente corados, como se ela tivesse ficado muito tempo deitada num recinto frio e congelado. Deve ter sido untada com algum óleo, ou talvez isso fizesse parte dos tratamentos de preservação de Ruysch, pois a sua pele brilhava. O seu ventre afundava a partir das costelas e o monte de Vênus dominava sobre esse corpo franzino e moreno como se fosse o osso mais importante, o mais significativo do organismo. Até para mim, acostumado às dissecações, era uma visão comovente. Normalmente dissecávamos os corpos de condenados que não cuidavam de si próprios e brincavam com a vida e a saúde. Era chocante a perfeição deste, e tive que realmente reconhecer o cuidado de Ruysch de conseguir um corpo em tão bom estado e de prepará-lo tão bem.

Ruysch começou a aula dirigindo-se ao público e mencionando os títulos de todos os doutores de medicina, professores de anatomia, cirurgiões e funcionários públicos presentes no evento.

"Bem-vindos, senhores. Gostaria de agradecer o seu comparecimento tão numeroso. Graças à generosidade da nossa prefeitura, revelarei diante de seus olhos aquilo que a natureza escondeu em nossos organismos, mas não com a intenção de descarregar sentimentos negativos sobre esse pobre corpo, nem com a necessidade de puni-lo pelo ato cometido, mas com o intuito de conhecermos a nós próprios e a maneira como fomos moldados pela mão do Criador."

Anunciou também que o corpo exposto já tinha dois anos, o que significava que durante esse tempo havia permanecido no necrotério, e graças ao método que ele próprio inventara, foi possível mantê-lo fresco até hoje. Enquanto olhava para esse belo corpo nu e indefeso, senti um nó na garganta, mesmo que não fosse alguém que ficasse impressionado com a visão de um corpo humano. Mas isso me fez pensar que poderíamos ter qualquer coisa, ser qualquer um, se — como se costuma dizer — quiséssemos muito; pois o homem está no próprio centro da criação, o nosso mundo é um mundo humano, não divino nem de qualquer outra natureza. Só há uma coisa que não podemos ter — a vida eterna. Aliás, por Deus, de onde surgiu em nossa cabeça a ideia de sermos imortais?

A primeira incisão foi feita habilmente ao longo da parede abdominal. Por um momento ressoaram murmúrios em algum ponto do lado direito da sala. Alguém deve ter passado mal.

"Esta jovem mulher foi enforcada", disse Ruysch e ergueu o corpo de tal forma que fosse possível ver o pescoço. Realmente havia nele uma marca horizontal, um risco apenas, e era difícil acreditar que aquilo pudesse ser o motivo da morte.

No início, ele se concentrou nos órgãos da cavidade abdominal. Descreveu detalhadamente o sistema digestivo, mas antes que começasse a falar sobre o coração, permitiu que todos olhassem para o baixo-ventre, onde, sob o monte de Vênus, havia extraído o útero aumentado após o parto. E tudo o que fazia parecia, mesmo a nós, os seus colegas de profissão que pertenciam ao mesmo grêmio, uma apresentação de mágica. Os movimentos de suas mãos claras e finas eram circulares, fluidos como os dos prestidigitadores nas feiras. O olhar as seguia fascinado. Esse corpo miúdo abria-se diante da plateia e revelava os seus segredos, confiante de que essas mãos não podiam machucá-lo. O comentário de Ruysch fora curto, coerente e compreensível. Aliás, chegou a fazer uma piada, mas com tato, sem diminuir a sua dignidade. Foi então que entendi a essência dessa apresentação e a sua popularidade. Com esses gestos circulares, ele transformava um ser humano num corpo e, diante dos nossos olhos, o despia de qualquer mistério, decompunha-o em elementos primários como se estivesse desmontando um relógio complexo. O horror da morte esvanecia. Não há o que temer. Somos um mecanismo, algo como o relógio de Huygens.

Depois do espetáculo as pessoas saíam taciturnas e emocionadas, e aquilo que sobrou do corpo foi piedosamente coberto com o mesmo tecido. Mas logo depois, já do lado de fora, onde o sol havia dispersado as nuvens por completo, começavam a conversar com mais ousadia, e os convidados, inclusive nós, foram à prefeitura participar do banquete preparado por essa ocasião.

Philip permaneceu soturno e calado e não parecia nada interessado na comida saborosa, no vinho ou no tabaco. Para dizer a verdade, eu tampouco estava animado. Estaria errado quem pensasse que nós, os anatomistas, voltamos à nossa rotina normal após uma dissecção. Por vezes, como hoje, "paira" algo que eu costumo chamar de "a verdade do corpo", uma estranha convicção de que, apesar da morte evidente e apesar da ausência da alma, o corpo deixado por si só constitui uma intensa totalidade. Obviamente, um corpo morto não pode estar mais vivo; refiro-me mais ao fato de preservar a sua forma. A forma de certo modo permanece viva.

Essa aula de Ruysch abriu a temporada de inverno e, a partir de agora, haveria palestras, discussões, demonstrações de vivissecções de animais em De Waag, tanto para os estudantes quanto para o público. E se as circunstâncias providenciassem corpos frescos, também ocorreriam dissecações públicas conduzidas por outros anatomistas. Até então, só Ruysch sabia preparar o corpo com antecedência, de acordo com o que ele próprio afirmava à época, mesmo dois anos antes, o que eu considerava difícil de acreditar — que apenas ele não precisava temer os dias quentes de verão.

Se não fosse pelo fato de acompanhá-lo no dia seguinte no caminho para casa, primeiro de barco, depois andando, nunca saberia o que afligia Philip Verheyen. Mas mesmo assim, aquilo que ele me contou me parece estranho e extraordinário. Sendo médico e anatomista, já ouvira falar algumas vezes desse fenômeno. No entanto, sempre atribuí essas dores a uma hipersensibilidade dos nervos ou a uma imaginação fértil. Mas conhecia Philip havia anos e ninguém se comparava a ele quanto à sua precisão mental e à solidez das suas observações e julgamentos. Um intelecto que adota um método adequado pode obter um conhecimento verdadeiro e útil sobre os menores detalhes do mundo com a ajuda de suas próprias ideias distintas e claras. Foi isso o que ele nos ensinou, na mesma universidade em que Descartes ministrara aulas de matemática cinquenta anos antes. Porque Deus que, em toda Sua perfeição, nos dotou de faculdades cognitivas, não pode ser um enganador; então, se as usarmos adequadamente, devemos chegar à verdade.

As dores o afligiam à noite, desde algumas semanas depois da cirurgia, quando o corpo relaxava e oscilava na fronteira incerta entre a realidade e o sonho, cheio de inquietantes imagens em movimento, viajantes dentro de uma mente sonolenta. Tinha a impressão de que a sua perna esquerda ficava dormente e precisava colocá-la urgentemente na posição adequada, sentia pontadas desagradáveis e os dedos formigando. Revirava-se semiconsciente. Queria mexer os dedos, mas a incapacidade de executar o movimento o acordava de vez. Sentava-se na cama, arrancava o cobertor e ficava examinando o lugar dolorido localizado aproximadamente trinta centímetros abaixo do joelho, pouco acima do lençol enrugado. Fechava os olhos e tentava se coçar, mas não tocava em nada, os dedos coçavam desesperadamente o vazio, sem lhe dar qualquer alívio.

Certa vez, quando a dor e a coceira o levavam à loucura, ele se levantou e acendeu uma vela com os dedos trêmulos. Saltando sobre um pé, transferiu para a mesa o recipiente com o membro amputado que Fleur, incapaz de convencer Philip a levá-lo para o sótão, cobria com um pano florido. Em seguida, retirou o membro de dentro do recipiente e, à luz da vela, tentou encontrar a causa da dor. A perna parecia agora um pouco menor, a pele escurecera com o efeito do brandy, mas as unhas permaneciam arredondadas, peroladas, e Verheyen tinha a impressão de que haviam crescido. Sentou-se no chão, estendeu as pernas diante de si e encostou a perna amputada no local pouco abaixo do joelho esquerdo. Fechou os olhos e tateou em busca do lugar dolorido. A sua mão tocou no pedaço de carne fria, mas não tocou na dor.

Trabalhava metódica e persistentemente no seu próprio atlas do corpo humano.

Primeiro, a dissecação — a preparação cuidadosa do modelo a ser desenhado, a exposição de um músculo ou feixe de nervos, a extensão de um vaso sanguíneo, o estiramento do espécime num espaço bidimensional, a redução a quatro direções: acima, abaixo, esquerda e direita. Usava alfinetes de madeira delicados que o ajudavam a transformar o complicado em algo muito transparente e claro. Só então saía, lavava e secava as mãos cuidadosamente, trocava de jaleco e depois voltava com o papel e o cinzel de grafite, para refletir essa ordem ali.

Fazia as dissecações sentado, tentando em vão dominar os fluidos do corpo que estragavam a nitidez e a exatidão da imagem. Transferia os detalhes para o papel com traços rápidos, e depois, já com calma, os revisava meticulosamente, detalhe por detalhe, nervo por nervo, tendão por tendão.

A amputação deve ter minado a sua saúde, pois sofria com frequência de fadiga e melancolia. A dor na perna esquerda que o incomodava incessantemente foi chamada por ele de "fantasma", mas temia revelar isso a alguém, suspeitando que era vítima de uma ilusão nervosa ou mesmo de uma loucura. Se alguém soubesse disso, sem dúvida ele perderia a sua alta posição na universidade. Pouco tempo depois, começou a praticar a medicina e foi admitido ao grêmio dos cirurgiões. A falta da perna fez com que fosse chamado com mais frequência que os outros colegas para todos os tipos de amputações, como se sua experiência pessoal garantisse o sucesso da operação, como se um cirurgião amputado fosse garantir — se é que é possível chamar assim — sorte na doença. Publicava trabalhos detalhados sobre a anatomia dos músculos e dos tendões. Em 1689, quando recebeu a proposta de assumir o posto de reitor da universidade, mudou-se para Leuven, levando em sua bagagem o recipiente com a perna bem embrulhado em panos.

Alguns anos depois, em 1693, eu, Willem van Horssen, fui o mensageiro enviado pelo tipógrafo para mostrar a Philip Verheyen a edição de seu primeiro livro — o grande atlas anatômico *Corporis Humani Anatomia*, que ainda cheirava a tinta tipográfica. Ele continha vinte anos de seu trabalho. Cada imagem, clara e transparente, e executada com perfeição, era acompanhada por um texto explicativo. Era como se, nesse livro, por um procedimento misterioso, o corpo humano tivesse sido gravado em sua essência, drenado do sangue facilmente deteriorável, da linfa, liberto daqueles fluidos suspeitos, do rugido da vida, revelando a sua ordem perfeita no silêncio absoluto do preto e branco. *Anatomia* o tornou famoso. Depois de alguns anos, a obra foi reeditada numa tiragem ainda maior e virou um manual.

Visitei Philip Verheyen pela última vez em novembro de 1710, chamado pelo seu empregado. Encontrei o meu mestre em péssimo estado e foi muito difícil conseguir me comunicar com ele. Estava sentado junto da janela meridional e olhava através dela, mas não tinha dúvidas que a única coisa que esse homem podia ver eram as suas próprias imagens internas. Não reagiu à minha entrada, apenas me olhou desinteressadamente e não fez qualquer gesto. Depois virou o rosto para a janela. Sobre a mesa jazia a sua perna, ou aquilo que havia sobrado dela, pois estava completamente decomposta em centenas, milhares de minúsculas partes, tendões, músculos e nervos reduzidos aos seus menores componentes que recobriam toda a superfície da mesa. O empregado, um simples garoto do campo, estava apavorado, com medo de entrar no quarto do patrão, fazendo sinais atrás das costas dele o tempo todo, comentando silenciosamente as suas reações, movendo apenas os lábios. Examinei Philip da melhor forma que pude, mas o diagnóstico não era bom. Parecia que seu cérebro tinha deixado de funcionar e mergulhado numa espécie de apatia. Eu já sabia que ele tinha ataques de melancolia; agora a bílis negra havia atingido o seu cérebro, talvez por causa das dores chamadas por ele de fantasmas. Na visita anterior, eu lhe levei mapas, pois havia ouvido falar que nada curava tão bem a melancolia quanto a contemplação de mapas. Receitei comida gordurosa para fortalecer o seu organismo e recomendei repouso.

No final de janeiro soube que ele havia morrido e segui imediatamente para Rijnsburg. Encontrei o seu corpo já preparado para o sepultamento, lavado e barbeado, depositado no caixão. Alguns parentes vindos de Leiden andavam pela casa, e quando perguntei ao empregado pela perna, ele apenas deu de ombros. A enorme mesa debaixo da janela havia sido esfregada e lavada com soda cáustica. Fui ignorado pela família quando perguntei novamente sobre o que havia acontecido com a perna. Segundo a vontade de Philip, expressa repetidas vezes, ela devia ser sepultada junto com o corpo. Foi enterrado sem ela.

Para me consolar e apaziguar a situação, os parentes me entregaram uma pilha consideravelmente grande dos papéis de Verheyen. O enterro teve lugar no dia 29 de janeiro no mosteiro de Vlierbeek.

CARTAS À PERNA AMPUTADA

As folhas soltas que eu recebi depois da morte de Verheyen me deixaram confuso. Durante os últimos anos de sua vida, o meu mestre registrava os seus pensamentos em forma de cartas dirigidas a uma destinatária singular, algo que estou certo de que a maioria tomaria como prova de sua loucura. Mas quando se examina atentamente essas anotações feitas às pressas e certamente não destinadas a olhos alheios, mas para a própria memória, é possível perceber que constituem um relato de uma certa viagem rumo a uma terra desconhecida e uma tentativa de esboçar o seu mapa.

Demorei deliberando o que deveria fazer com essa herança inesperada, e depois, por fim, decidi não a publicar sob nenhuma forma. Prefiro, como seu aluno e amigo, que ele passe para a posterioridade como um excelente anatomista e desenhista, o descobridor do tendão de Aquiles e de muitas outras partes do nosso corpo até então despercebidas, para que possamos nos lembrar das suas belas gravuras e nos limitemos à constatação de que é impossível entender tudo da vida dos outros. Mas, para desmentir os rumores que se alastraram em Amsterdam e Leiden depois de sua morte — de que o mestre tinha enlouquecido —, gostaria de apresentar aqui resumidamente alguns fragmentos delas e dessa forma provar que ele não havia perdido o juízo. No entanto, não tenho dúvidas de que Philip se deixou dominar por uma obsessão singular relacionada à sua dor inexplicável. E a obsessão é nada mais que a premonição da existência de uma linguagem individual, uma linguagem única através da qual conseguiremos revelar a verdade. É preciso, porém, seguir essa premonição até regiões que aos outros podem parecer absurdas ou desvairadas. Não sei por que essa linguagem da verdade soa angelical para alguns, enquanto para outros se transforma em símbolos matemáticos ou notas musicais. No entanto, há também aqueles a quem ela fala de uma forma muito estranha.

Nas *Cartas à minha perna amputada*, Philip procurava provar, com coerência e sem emoção, que uma vez que o corpo e a alma são essencialmente a mesma coisa, e constituem dois atributos do Deus infinito e universal, devem estar interligados através de algum tipo de proporcionalidade projetada pelo Criador. *Totam naturam unum esse individuum*. Era o que essencialmente mais lhe interessava: como duas substâncias distintas como o corpo e a alma se unem no corpo humano e interagem entre si. De que maneira um corpo que ocupa espaço pode estabelecer um contato causal com uma alma que não ocupa nenhum? Como e de onde surge a dor?

Escreveu, por exemplo:

"O que me desperta quando sinto dor e formigamento, já que a minha perna foi separada de mim e flutua em álcool? Nada a incomoda, não tem motivo para ficar dormente. Nenhuma dor desse tipo pode ser justificada logicamente, no entanto, ela existe. Agora olho para ela e sinto ao mesmo tempo nos dedos um calor insuportável, como se os tivesse mergulhado em água quente, e essa sensação é tão real, tão óbvia que se fechasse os olhos veria em minha imaginação uma bacia de água fervente e meu próprio pé mergulhado nela, a partir dos dedos até o tornozelo. Toco em meu membro inferior que existe fisicamente como um pedaço de corpo conservado, e não sinto aquilo. No entanto, sinto algo que não existe, no sentido físico, é um lugar vazio, não há nada lá que me pudesse proporcionar qualquer sensação. Dói-me algo que não existe. Uma assombração. Dor fantasma."

Inicialmente, a junção dessas duas palavras lhe pareceu estranha, mas logo começou a usar a expressão de boa vontade. Fazia também anotações detalhadas do progresso da dissecação da perna. Ele a decompunha cada vez mais e em pouco tempo não lhe restou nada além de usar um microscópio.

"O corpo é algo absolutamente misterioso", escreveu. "O fato de nós o descrevermos de uma forma tão detalhada não significa que o conhecemos. É como se fosse um argumento de Spinoza, aquele polidor de lentes que pole o vidro justamente para que nós possamos examinar tudo de perto, que inventa uma linguagem extremamente difícil para expressar as suas ideias, porque se diz: ver é saber.

"Eu quero saber e não me entregar à lógica. De que serve uma prova estruturada por fora em um argumento verdadeiramente geométrico; ela apenas cria uma aparência de uma consequência lógica e de uma ordem que agrada a mente. Existe um A e depois dele vem o B, primeiro as definições, depois os axiomas e afirmações numeradas, algumas conclusões adicionais e já se pode ter a impressão de que esse tipo de argumentação lembra uma gravura maravilhosamente desenhada num atlas onde se marca as partes seguidas com letras e tudo parece tão claro e transparente. No entanto, continua-se a não saber como aquilo funciona."

Ele acreditava, porém, no poder da razão e afirmava que fazia parte da sua natureza considerar as coisas como necessárias e não como casuais. Caso contrário, a razão negaria a si própria. Philip insistia seguidas vezes que precisamos confiar em nossa razão, visto que ela nos foi dada por Deus, e Deus é perfeito, portanto, como Ele poderia nos equipar com algo capaz de nos ludibriar? Deus não é traiçoeiro! Se usarmos o poder da razão adequadamente, chegaremos, enfim, à verdade. Saberemos tudo sobre Deus e sobre nós mesmos. Nós, que somos parte Dele, assim como todas as coisas.

Insistia, no entanto, que a suprema razão não é a lógica, mas a intuitiva. Ao conhecer intuitivamente, perceberemos de imediato a necessidade determinista da existência de todas as coisas. Tudo o que é necessário não pode ser diferente. Se tomarmos consciência disso, ficaremos aliviados e purificados. Não nos preocuparemos mais com a perda de nossos bens, com a passagem do tempo, com o envelhecimento e com a morte. Só assim conseguiremos dominar os afetos e alcançar a paz interior.

Precisamos, porém, nos esquecer da vontade primitiva de julgar o que é bom ou mau, da mesma forma que um homem civilizado precisa se esquecer dos seus instintos primitivos — vingança, avidez, ganância. Deus, isto é, a natureza, não é nem bom nem mau; o intelecto mal empregado é que mancha nossas emoções. Philip acreditava que todo o nosso conhecimento sobre a natureza é, essencialmente, o conhecimento sobre Deus. Ele é que nos livrará da tristeza, do desespero, da inveja e do pavor que constituem o nosso inferno.

É verdade, e não nego isso, que ele se dirigia à perna como se ela fosse um ser vivo e independente. Separada dele, ganhou uma espécie de autonomia demoníaca, mas simultaneamente mantinha uma relação dolorosa com ele. Admito também que aqueles são os fragmentos mais inquietantes das suas cartas, mas, ao mesmo tempo, não tenho dúvidas de que seja apenas uma metáfora, um certo atalho mental. Ele pensava que aquilo que um dia constituía um todo e depois foi separado em partes, continua a se manter intimamente conectado de um modo invisível, difícil de ser examinado. Já a natureza dessa relação não é clara e não será detectada pelos microscópios.

Porém, é claro que podemos confiar apenas na fisiologia e na teologia, que constituem os dois pilares da cognição. Aquilo que está entre elas não tem a menor importância.

Ao ler as suas anotações, é preciso lembrar que Philip Verheyen foi um homem que vivia acometido pelo sofrimento e não conhecia a causa de sua dor. Tenhamos isso em mente quando lermos as suas palavras:

"Por que sinto dor? Seria porque — segundo diz aquele polidor e talvez apenas nisso não esteja enganado — o corpo e a alma fazem, essencialmente, parte de algo maior e comum, são estados da mesma substância, como a água, que pode ser tanto líquida como sólida. Por que me dói algo que não existe? Por que sinto essa falta, sinto essa ausência? Somos, porventura, condenados à totalidade, e cada despedaçamento, esquartejamento, seria apenas aparente, acontecendo na superfície, enquanto embaixo o plano permaneceria intacto e invariável? Mesmo o menor dos fragmentos continuaria não pertencendo ao todo? Quando o mundo cai como uma enorme esfera de vidro e se despedaça em milhões de cacos — mesmo nisso não se mantém um todo grande, poderoso e infinito?

"A minha dor seria Deus?

"Passei minha vida viajando, viajei ao meu próprio corpo, à minha própria perna amputada. Fiz os mapas mais detalhados. Decompus o objeto examinado em fatores primos de acordo com a melhor metodologia. Contei os músculos, tendões, nervos e vasos sanguíneos. Usei para isso os meus próprios olhos, mas me apoiei também na visão mais apurada do microscópio. Tenho a impressão de não ter omitido nenhum fragmento, por menor que fosse.

"Hoje posso me fazer a seguinte pergunta: o que eu estive procurando?"

CONTOS DE VIAGEM

Faço bem ao contar histórias? Não seria melhor prender a mente com um clipe, puxar as rédeas e expressar-se não através das histórias, mas com a simplicidade de uma palestra onde, frase após frase, uma ideia toma forma, e nos parágrafos seguintes ela é alinhavada com outras? Poderia usar citações e notas de rodapé, poderia, na ordem de pontos ou capítulos, colher as consequências de demonstrar passo por passo o que quero expor. Verificaria a hipótese aventada e, enfim, seria capaz de levantar os argumentos à vista de todos, como os lençóis depois de uma noite de núpcias. Seria dona do meu próprio texto, poderia receber um pagamento honesto por cada palavra dele.

Em vez disso, concordo em fazer o papel de parteira, ou de jardineira, cujo mérito é, no máximo, semear e depois combater tediosamente as ervas daninhas.

Uma narrativa possui um tipo de inércia que nunca se pode dominar por completo. Exige pessoas como eu — inseguras de si, indecisas, fáceis de ser enganadas, ingênuas.

TREZENTOS QUILÔMETROS

Sonhei que estava olhando de cima para cidades espalhadas em vales e nas encostas das montanhas. A partir dessa perspectiva, era nitidamente visível que essas cidades eram troncos cortados de árvores enormes, provavelmente sequoias e gingko bilobas gigantescos. Fiquei pensando quão grandes deveriam ter sido aquelas árvores, já que agora cabiam cidades inteiras dentro de seus troncos. Admirada, tentei calcular a sua altura usando uma simples regra que decorei nos tempos da escola:

A corresponde a B
assim como
C corresponde a D

$A \times D = C \times B$

Se A for a área da seção de uma árvore, B, sua altura, C, a área da cidade, e D a procurada altura da árvore-cidade, e supondo que uma árvore média tem, por exemplo, 1 m^2 de área da seção em sua base, e uma altura máxima de 30 m, a cidade (ou melhor, a pequena povoação) poderia ter, hipoteticamente, 1 hectare (ou 10 000 m^2):

1 – 30
10 000 – D

$1 \times D = 10\,000 \times 30$
O que nos dá o resultado de 300 km.

***

Foi esse o resultado que eu obtive no meu sonho. Uma árvore deveria ter trezentos quilômetros de altura. Temo que essa aritmética onírica não possa ser levada a sério.

30 000 FLORINS

"Não é uma quantia tão elevada assim. É a renda anual de um comerciante que faz negócios com suas colônias, contanto que o mundo esteja em paz e os ingleses não detenham os navios holandeses, o que costuma resultar em infinitos processos legais. É uma quantia bastante razoável. Porém, é preciso acrescentar a ela o valor das caixas de madeira resistentes e estáveis e o custo do frete."

Foi esse o exato valor que Pedro I, o tsar da Rússia, gastou com os espécimes anatômicos colecionados durante anos por Frederik Ruysch.

Em 1697 o tsar viajou pela Europa acompanhado de um séquito de duzentas pessoas. Olhava tudo avidamente, mas o que mais o fascinava eram as *Wunderkammers*. É provável que ele também sofresse de alguma síndrome. Depois de Luís XIV lhe negar uma audiência, o tsar se instalou por alguns meses nos Países Baixos. Algumas vezes foi incógnito ao *Theatrum anatomicum*, no De Waag, na companhia de alguns brutamontes onde observava com uma expressão concentrada os movimentos fluidos do professor quando o seu bisturi abria e expunha aos olhos do público os corpos dos condenados. Conheceu pessoalmente o próprio mestre e é possível dizer que viraram amigos quando Ruysch ensinou o tsar a preparar borboletas.

Mas, acima de tudo, gostou particularmente da coleção de Ruysch, das centenas de espécimes fechadas em potes de vidro flutuando em líquido, um panóptico do corpo humano dividido em componentes, um cosmos mecânico de órgãos. Sentia calafrios quando olhava para fetos humanos. Era uma visão tão fascinante que não conseguia tirar os olhos deles, assim como dos dramáticos e fantásticos arranjos feitos de ossos humanos que o induziam a um agradável estado contemplativo. Ele precisava ter essa coleção só para si.

Os vidros foram embalados cuidadosamente em caixas forradas com estopa, amarradas com barbante e transportadas até o porto por cavalos. Uma dezena de marinheiros levou a carga preciosa para o porão do navio. O carregamento foi supervisionado pelo próprio professor, que xingava, cheio de raiva, pois por um movimento descuidado destruíram um belo exemplo de acefalia. Era um espécime muito raro, visto que não costumava conservar aberrações, mas procurava mostrar a beleza e harmonia do corpo. O pote de vidro quebrou e a famosa mistura conservadora se derramou sobre os paralelepípedos e foi absorvida pela terra entre eles. Já o preparado rolou sobre a rua suja, rachando em dois pontos. Num dos fragmentos do vidro havia apenas uma etiqueta feita cuidadosamente pela mão da filha do professor com uma inscrição ornamentada e com uma borda preta: *Monstrum humanum acephalum*. Um exemplar raro, atípico. Uma lástima. O professor o embrulhou num lenço e o levou coxeando para casa. Talvez fosse possível aproveitá-lo de alguma forma.

As salas esvaziadas pela coleção vendida eram uma visão triste. O professor Ruysch lançou um olhar demorado para elas e avistou manchas mais escuras sobre as prateleiras. Eram projeções planas dos vidros tridimensionais, vestígios na poeira onipresente, apenas a largura e o comprimento, sem traço algum do seu conteúdo.

O professor já estava próximo dos oitenta anos. A sua coleção foi o produto de seu trabalho ao longo dos últimos trinta anos, mas Ruysch começara a sua carreira relativamente cedo. É possível vê-lo na pintura de um tal de Backer conduzindo, aos trinta e dois anos, as melhores aulas de anatomia na cidade. O pintor conseguiu captar uma expressão característica no rosto do jovem Ruysch — uma autoconfiança misturada com esperteza mercantil. Sim, um corpo preparado para a dissecação, o corpo de um jovem encurtado pela perspectiva parece fresco. Esse corpo parece vivo — a cor da pele é leitosa e rosada, nada nele lembra um cadáver, o joelho dobrado traz à mente o movimento de um homem nu deitado de costas, mas instintivamente cobre as suas partes íntimas para que não sejam vistas pelos outros. É o corpo de um condenado à forca, um ladrão chamado Joris van Iperen. Os cirurgiões vestidos de preto constituem um contraste inquietante para esse corpo morto, indefeso e envergonhado. Ele nos mostra com o que exatamente o professor fez fortuna trinta anos depois — a mistura criada por ele mantém os tecidos frescos por muito tempo. Provavelmente, o líquido no qual Ruysch conserva os seus espécimes anatômicos muito raros, que parecem vivos, possui a mesma composição. No fundo da alma ele teme não ter mais tempo de reproduzi-lo agora, embora se sinta muito bem-disposto.

A filha do professor, uma mulher de cinquenta anos com mãos muito delicadas escondidas por entre rendas cor de creme, inteiramente dedicada ao pai, está organizando as empregadas para arrumar a cena. Quase ninguém se lembra de seu nome, ela se contenta quando alguém a chama de "filha do professor Ruysch" ou "senhora", a forma com que as empregadas se dirigem a ela. No entanto, nós nos lembramos — o seu nome é Charlotta. Ela tem direito de assinar os documentos em nome do pai e suas assinaturas são idênticas. Apesar das suas mãos delicadas, das rendas e de um vasto conhecimento anatômico, não passará para a história junto com o pai. Não será eterna como ele, tanto na memória humana quanto nos manuais. Até os próprios espécimes que ela preparou com uma dedicação tão grande, sempre no anonimato, terão uma vida mais longa que ela. Assim como todos esses fetos belos e miúdos que levam a sua silenciosa vida paradisíaca no líquido dourado, na água do Estige. Alguns deles, os mais preciosos, raros como orquídeas, possuem um par adicional de braços ou pernas, pois ao contrário do pai, o que a fascina é a deficiência e a imperfeição. Microcéfalos conseguidos com as parteiras que ela subornava. Ou intestinos *gargantuescos*, hipertrofiados, obtidos com cirurgiões. Médicos provincianos propunham à filha do professor Ruysch a venda de tumores raros, bezerros com cinco patas, fetos de gêmeos mortos e unidos pelo crânio. Contudo, ela devia mais às parteiras nas cidades. Era uma boa cliente, mesmo que soubesse barganhar.

Seu pai vai deixar o negócio ao irmão dela, Henrik, que está no quadro pintado treze anos depois do primeiro — Charlotta o vê diariamente quando desce a escada. Nele, o seu pai já é um homem maduro com uma barba estilo espanhol cuidadosamente aparada. Usa uma peruca e dessa vez a sua mão munida de uma tesoura cirúrgica se ergue sobre o corpo aberto de um bebê. A parede abdominal já está aberta e revela a sua ordem interna. Charlotta associa essa imagem com a sua boneca preferida, que tinha um pálido rosto de porcelana e o tórax de pano empalhado com serragem.

Não se casou, o que foi aceito, pois se dedicou ao pai. Não terá filhos, a menos que se conte aqueles belos e pálidos bebês que flutuam em álcool.

Sempre lamentou que sua irmã Rachel, com quem trabalhou na preparação dos espécimes, tivesse se casado. No entanto, Rachel sempre se sentiu atraída mais pela arte do que pela ciência. Não queria mergulhar as mãos em formol e o cheiro de sangue a deixava enjoada. Mas adornava com motivos florais os vidros dos espécimes. Criou, também, as composições feitas com ossos, especialmente as menores, para as quais inventava os títulos mais rebuscados. Porém, ela se mudou junto com o marido para Haia, e Charlotta ficou sozinha, pois os irmãos não contam.

Ela passa o dedo sobre a superfície da prateleira de madeira, deixando um rastro. Daqui a pouco será apagado pelos panos das empregadas. Ficou com pena por ter perdido a coleção, pois lhe dedicou toda a sua vida. Ela vira a cabeça na direção da janela para que as empregadas não percebam as lágrimas, e vê um simples movimento urbano. Teme que lá, no Longínquo Norte, os vidros não sejam guardados com o devido cuidado ou conservados adequadamente. A influência dos vapores da mistura de conservação por vezes faz com que a laca que sela os vidros perca a força de vedação, e o álcool evapora. Ela descreveu esse processo detalhadamente em latim numa longa missiva anexada à coleção. Mas será que lá eles leem em latim?

Hoje ela não conseguirá dormir. Está preocupada como se estivesse enviando os seus próprios filhos numa viagem para universidades distantes. Mas, por experiência própria, ela sabe que o melhor remédio para aflições é o trabalho, o trabalho que por si só é um prazer e prêmio. Silencia as moças buliçosas que temem a sua postura severa. Devem achar que alguém como ela irá diretamente para o céu.

Mas para que ela precisaria do céu? O que ela acharia num céu de anatomistas? Ele é escuro e tedioso, há apenas grupos de homens estáticos, debruçados sobre um corpo humano aberto, vestidos com roupas escuras que mal se destacam da penumbra que envolve o ambiente. Nos seus rostos, levemente iluminados pelo brilho do branco das golas das camisas, há uma expressão de satisfação ou mesmo de triunfo. Ela é solitária, não sente necessidade da companhia das outras pessoas. Portanto, não fica preocupada com a derrota, tampouco se sente excitada pelo sucesso. Pigarreia alto para se sentir mais confiante, levanta uma nuvem de poeira com o movimento da saia e sai do recinto.

Contudo, não vai para casa. É atraída para outra direção, rumo ao mar, para o porto, e depois de um instante avista de longe os mastros altos e delgados dos navios da Companhia das Índias Orientais. Permanecem atracados no ancoradouro enquanto barcos pequenos manobram entre eles, levando as mercadorias para o porto. Os barris e as caixas com o símbolo VOC selado sobre eles. Homens morenos e seminus com os corpos brilhando de suor carregam pelas pranchas caixas com pimenta, cravos e noz-moscada. Aqui, o aroma do mar, de peixes e do sal está temperado com canela. Charlotta segue pela beira-mar até avistar de longe o navio de linha do tsar e passa rapidamente por ele, pois não quer vê-lo ou imaginar que os vidros estão agora num porão escuro e sujo fedendo a peixe, tocados por mãos alheias, e que terão que ficar lá por muitos dias, sem luz, sem serem vistos por olhos humanos.

Ela aperta o passo e chega até as docas, de onde vê navios que se preparam para navegar em breve para os mares da Noruega e da Dinamarca. São embarcações completamente diferentes daquelas que pertencem à Companhia: ornamentadas, pintadas com cores vivas, com galeões em forma de sereias ou figuras mitológicas. As da Companhia são simples, toscas...

Charlotta testemunha a cena de um exercício de treino. Dois funcionários trajando roupas pretas e perucas marrons estão sentados a uma mesa posta no cais, diante da qual há um grupo relativamente grande de voluntários — são pescadores das vilas vizinhas, esfarrapados, com crânios alongados e barba por fazer, sem tomar banho desde a Páscoa.

Uma ideia desvairada lhe passa pela cabeça: poderia vestir roupas masculinas, passar um óleo fétido nos braços, escurecer o rosto com ele, cortar o cabelo e entrar naquela fila. O tempo nivela misericordiosamente as diferenças entre as mulheres e os homens; e ela sabe que não é bonita. Com as suas bochechas um tanto caídas e os lábios entre parênteses de duas rugas poderia se passar por um homem. Os bebês e as pessoas idosas têm uma aparência idêntica. Então, o que a prende? Um vestido pesado, a abundância de anáguas, uma touca branca desconfortável que mantém os seus cabelos finos presos e bem apertados, o seu pai velho e louco com os seus ataques de avareza quando lhe lança sobre a madeira da mesa e empurra com um dedo ossudo uma moeda para as despesas da casa? E que em sua loucura cuidadosamente simulada já havia decidido que iriam começar tudo do zero — era para ela se preparar. Reconstituiriam a coleção num período de poucos anos, pagando às parteiras para que ficassem atentas e não deixassem escapar nenhum parto ou aborto.

Poderia embarcar no dia seguinte; ouvira que a Companhia ainda precisava de marinheiros. Subiria numa dessas naus que a levaria para Texel, onde toda a frota está ancorada. Os navios da Companhia são volumosos, pançudos e bojudos para que possa caber neles uma grande quantidade de seda e porcelana, de tapetes e especiarias. São tão gananciosos que precisariam ainda de lábios enormes e bicos de patos. Ela seria um grumete, ninguém jamais notaria, pois é relativamente alta e forte, e além do mais, amarraria os peitos com uma faixa de pano. E mesmo se alguém descobrisse, eles estariam em pleno mar, a caminho das Índias Orientais; o que poderiam fazer com ela? Na pior das hipóteses mandariam que ela descesse num lugar civilizado, por exemplo, na Batávia, onde, aparentemente, de acordo com o que ela vira em gravuras, os macacos correm em bandos e permanecem sentados nos telhados das casas, e durante o ano todo as árvores dão frutos como no paraíso, e faz tanto calor que não se costuma usar meias-calças.

Isso tudo ela pensa, assim imagina, mas então a sua atenção é atraída por um homem enorme e robusto, com os braços e peito nus, tatuados, cobertos de desenhos coloridos dominados por naus, velas e mulheres morenas seminuas. É como se esse homem carregasse a história de sua vida inscrita em seu próprio corpo, esses desenhos devem apresentar suas viagens e suas amantes. Charlotta não consegue desgrudar os seus olhos dele. O homem lança às suas costas fardos enrolados em linho cru e os leva pela prancha para uma pequena embarcação. Deve sentir o olhar dela sobre si, pois a olha de relance. Ele não sorri nem franze a testa, já que não poderia achá-la atraente. Apenas uma senhorinha de preto. Mas ela não consegue tirar os olhos das suas tatuagens. Avista em seu braço um peixe colorido, uma enorme baleia. Como os músculos do marinheiro estão em movimento, ela tem a impressão de que a baleia está viva, existindo numa incrível simbiose com esse homem, colada a sua pele para sempre, nadando entre a escápula e o peito. Esse corpo enorme e robusto lhe causa uma tremenda impressão. Ela sente que as suas pernas estão ficando pesadas e lentas, e que o corpo se abre por baixo. É exatamente o que sente, o corpo se abrindo para esse braço, para essa baleia.

Charlotta cerra as mandíbulas até sentir a cabeça zumbir. Começa a se dirigir para casa ao longo do canal, mas finalmente diminui o passo e para. É tomada por uma sensação estranha, como se a água estivesse transbordando pelo cais. Suavemente, checando primeiro com as primeiras ondas o local de sua expansão, depois avançando com mais audácia, derramando-se sobre e por entre os paralelepípedos e num instante alcançando os primeiros degraus das escadas das casas. Charlotta sente nitidamente o peso do elemento — a sua saia e as anáguas absorvem a água, parecem feitas de chumbo, e assim, ela não consegue se mover. Sente essa inundação em cada milímetro de seu corpo e vê os barcos espantados se chocarem contra as árvores. Sempre alinhados com a proa contra a corrente, eles agora parecem completamente desnorteados.

Na madrugada do dia seguinte, o veleiro russo que transportava a coleção disposta cuidadosamente no porão levantou a âncora e zarpou para o alto-mar. Passou tranquilamente pelos estreitos da Dinamarca e, depois de uma dezena de dias, foi recebido pelo mar Báltico. O capitão, bem-humorado, contemplava a compra de um telúrio esplendorosamente realizado por artesãos holandeses, pois os seus interesses não se restringiam à navegação. No fundo da alma preferia ser um astrônomo, um cartógrafo, alguém que vai além do espaço disponível ao nosso olhar e às nossas naus.

De vez em quando descia para o porão para verificar se a carga valiosa estava em seu devido lugar. No entanto, mais ou menos na altura de Gotlândia, o tempo mudou. O vento cessou depois de uma tempestade branda, o ar ficou parado sobre as águas e o último calor de agosto o transformou num enorme âmbar atmosférico. As velas murcharam e permaneceram assim durante um par de dias. O capitão, para ocupar a tripulação com alguma tarefa, ordenava enrolar e desenrolar cabos, esfregar o convés, e à noite organizava exercícios de treinamento. Porém, após o crepúsculo, os contornos da sua autoridade se desmanchavam e ele próprio se trancava no casulo aconchegante da sua cabine, em parte por causa da sua aversão aos marinheiros carrancudos e primitivos, em parte para se dedicar ao diário de bordo que escrevia para os seus dois filhos.

No oitavo dia da calmaria os marinheiros começaram a ficar irritados porque os legumes comprados em Amsterdam, particularmente a cebola, se revelaram de má qualidade e a maioria acabou mofando. O abastecimento de vodca já estava acabando. O capitão tinha medo de olhar debaixo do convés onde os barris estavam guardados. Aliás, os relatórios do primeiro oficial eram bastante ameaçadores. À noite ele ouvia o som dos passos que retumbavam sobre o convés. Primeiro eram de uma única pessoa. Depois, de várias, até enfim se transformarem num trote uniforme e em gritos rítmicos (estariam dançando?) que viraram gritos estridentes de bêbados e refrões desafinados, cantados de forma tão patética e dolorosa que lembravam o lamento de alguns animais marinhos. Isso durou uma série de noites longas, quase até o amanhecer. Durante o dia via os seus olhos inchados, as pálpebras intumescidas e os olhares esquivos. Contudo, tanto ele, como o primeiro oficial chegaram à conclusão de que a escuridão no meio de um mar parado não era propícia para resolver problemas sérios. Só depois do décimo dia da calmaria, quando os excessos noturnos já não podiam ser tolerados, ele saiu ao convés em pleno sol, quando as insígnias e as dragonas estavam visíveis, e prendeu o líder da agitação, um tal de Kalukin.

Infelizmente, constatou com o coração trêmulo que uma parte da carga havia sido danificada. Mais de uma dezena dos potes que estavam transportando tinha sido aberta e o seu conteúdo líquido, um brandy forte, consumido até a última gota. Os próprios espécimes ainda estavam lá, espalhados pelo chão, submergidos em estopa e serragem. Ele não ficou para examiná-los. Enjoado e com medo, foi vomitar solitário em sua cabine. Na noite seguinte, foi preciso vigiar a entrada do porão com uma arma na mão e faltou pouco para que um motim estourasse a bordo. O calor de agosto, a lisura da superfície do mar e a própria carga deixavam as pessoas loucas.

Enfim, não havia outra solução — o capitão mandou juntar os restos humanos num saco de linho, costurá-lo, e ele próprio o jogou no mar. E como se fosse pelo toque de uma varinha mágica, o mar, afagado com esse manjar, gorgolejou e se agitou. Em algum lugar perto do continente sueco, o vento soprou e empurrou o veleiro do tsar em direção a casa.

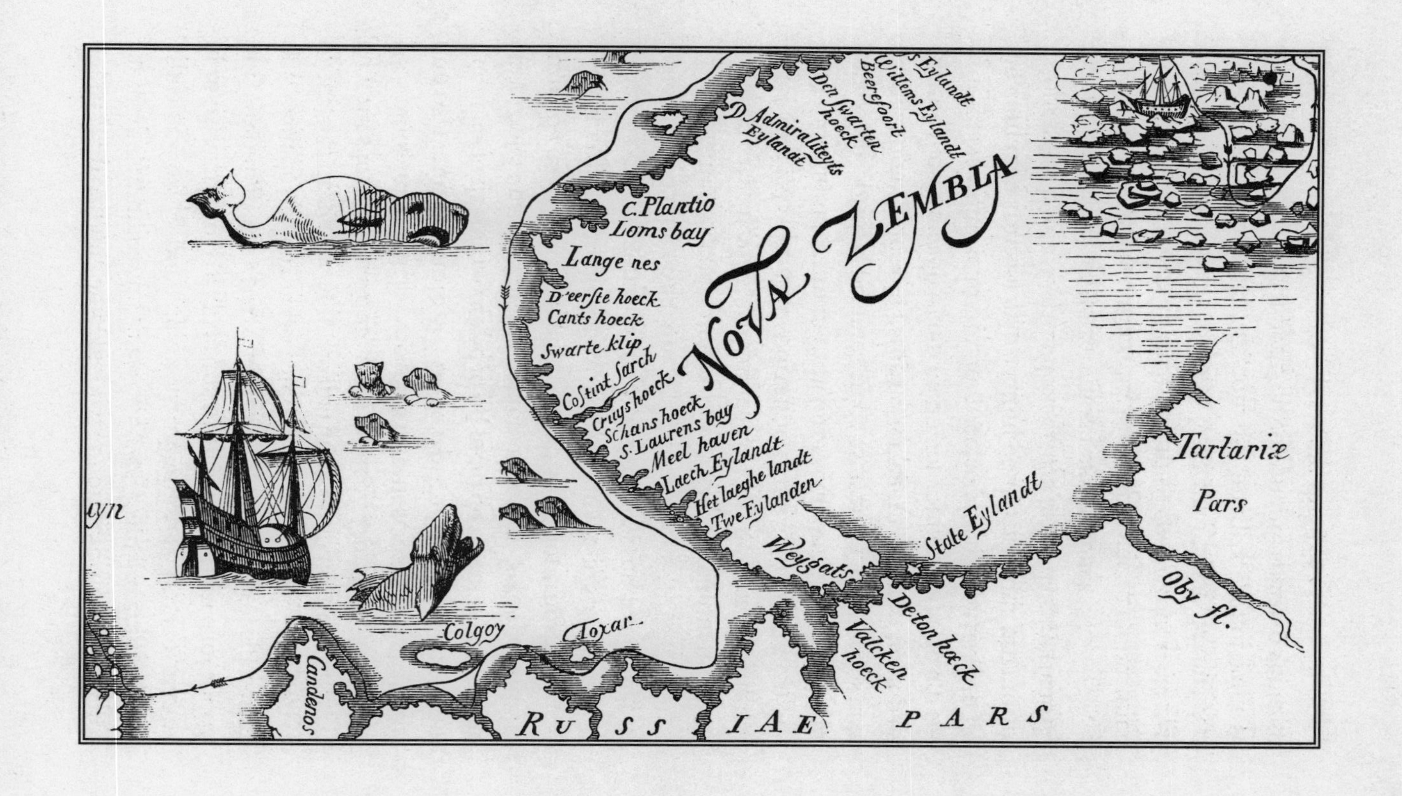
Willems Eylandt
Beeresfoort
Den Swarten hoeck
D. Admiraliteyts Eylandt
NOVA ZEMBLA
C. Plantio
Loms bay
Lange nes
D'eerste hoeck
Cants hoeck
Swarte klip
Costint Sarch
Cruys hoeck
Schans hoeck
S. Laurens bay
Meel haven
Laech Eylandt
Het laeghe landt
Twe Eylanden
Weygats
State Eylandt
Tartariæ Pars
Oby fl.
Deton hoeck
Valcken hoeck
Colgoy
Toxar
Candenos
RUSSIAE PARS

Depois de chegar a São Petersburgo, o capitão foi obrigado a escrever um relatório confidencial. Kalukin foi condenado e enforcado, e a própria coleção, embora incompleta, foi transferida para recintos especialmente preparados.

Já o capitão, por ter falhado em supervisionar o transporte, foi mandado junto com a família para o Norte distante, onde passou o resto de sua vida organizando expedições baleeiras e contribuiu para elaborar mapas mais precisos da Nova Zembla.

IRKUTSK-MOSCOU

Voo Irkutsk-Moscou. O avião decola em Irkutsk às oito da manhã e chega a Moscou no mesmo horário — às oito do mesmo dia. É o exato momento do nascer do sol, então todo o voo é feito durante a alvorada. Queda-se num único instante, num enorme, plácido e extenso Agora, como a Sibéria.

Deveria ser uma hora dedicada à confissão de toda uma vida. O tempo flui dentro do avião, mas não vaza para fora dele.

MATÉRIA ESCURA

Na terceira hora do voo, quando o meu companheiro voltou do banheiro e tive que me levantar para deixá-lo passar e sentar no seu lugar aconchegado, trocamos algumas observações convencionais sobre o tempo, as turbulências e a comida. Na quarta hora do voo, acabamos nos apresentando mutuamente. Era físico e voltava para casa depois de uma série de conferências. Quando tirou os sapatos, notei que tinha um enorme buraco no calcanhar da sua meia. Desse modo o corpo físico do físico piscou um olho para mim e, a partir daquele momento, a conversa ficou mais descontraída. Contava-me muito entusiasmado sobre as baleias, mas na realidade trabalhava com algo completamente diferente.

Matéria escura, essa era a sua especialidade. Sabemos que ela existe, mas está fora do nosso alcance, não podemos acessá-la através de nenhum tipo de instrumento. As provas de sua existência surgem evidentemente à base de cálculos complexos e resultados matemáticos. Tudo indica que ela ocupa três quartos do universo. A nossa matéria, a matéria clara, aquela que conhecemos e a qual compõe o nosso cosmos, é muito mais rara. Já a escura está em toda parte, diz o homem de meia furada, bem aqui à nossa volta. Observa pela janela e aponta com o olhar as nuvens ofuscantemente brancas abaixo de nós:

"Inclusive ali. Em toda parte. O pior é que não sabemos o que ela é na verdade. E por que é assim."

Queria colocá-lo imediatamente em contato com aqueles climatologistas que estavam viajando para um congresso em Montreal. Levantei-me do assento e tentei pescá-los com o olhar, mas percebi imediatamente que não estavam naquele voo.

A MOBILIDADE É UMA REALIDADE

No aeroporto, um enorme outdoor afixado em uma parede de vidro afirma oniscientemente:

мобильность становится реальностю.

A mobilidade é uma realidade.

Vamos ressaltar que é apenas um anúncio de telefones celulares.

CORRENTES

À noite, o inferno paira sobre o mundo. Primeiro, deforma o espaço; tudo se estreita, compacta e imobiliza. Os detalhes se desmancham, os objetos perdem os seus rostos, tornando-se atarracados e indistintos. É estranho que durante o dia se possa considerá-los "belos" ou "úteis"; agora eles lembram blocos disformes e é difícil adivinhar a sua utilidade. Mas no inferno tudo é hipotético. Toda essa heterogeneidade de formas, a presença das cores e matizes revela-se completamente estéril. Para que tudo isso? A que serve o revestimento cor de creme de uma poltrona, a estampa floral do papel de parede, as franjas nas bordas de uma cortina? Que diferença faz o verde para o vestido pendurado no encosto de uma cadeira? É difícil entender agora o olhar cheio de desejo que ele despertava enquanto estava exposto na vitrine da loja. Já não há botões, colchetes ou fechos; na escuridão, os dedos encontram apenas algumas saliências, asperezas, grãos de matéria dura.

Depois, o inferno nos tira inclementemente do sono. Por vezes, nos coloca diante de imagens perturbadoras, terríveis ou sarcásticas — uma cabeça cortada, o corpo amado ensanguentado, ossos humanos em cinzas. Ah, sim, o inferno gosta de impressionar. Mas, na maioria das vezes, ele nos desperta sem grandes cerimônias — os olhos se abrem para a escuridão e logo em seguida desponta uma corrente de pensamentos; o olhar que mira um abismo escuro é a sua vanguarda. O cérebro noturno é Penélope, que à noite desfia o tapete de sentidos tramado durante o dia. Às vezes há um fio, em outras, são vários. O desenho complexo é decomposto em fatores primos — a trama e a urdidura. A trama é deixada à parte, restam linhas retas e paralelas, o código de barras do mundo.

Nessas horas tudo se torna claro: a noite devolve ao mundo a sua aparência natural, primordial, sem adocicá-lo. O dia é pura extravagância, a luz é uma pequena exceção, um lapso, uma perturbação da ordem natural. Na verdade, o mundo é escuro, quase preto. Imóvel e frio.

Ela senta ereta na cama. Enquanto desliza, uma gota de suor faz cócegas entre seus seios, a camisola gruda no corpo como uma pele prestes a descamar e que em breve precisará ser trocada. Annushka escuta na escuridão e ouve um gemido baixinho no quarto de Piétia. Por um instante, procura tatear os chinelos com os pés, mas se dá por vencida. Corre descalça até o filho. Vê um vulto sombrio se mover ao seu lado e soltar um suspiro.

"O que foi?", o homem murmura ainda dormindo e cai de volta no travesseiro.

"Nada. É Piétia."

Acende um pequeno abajur no quarto da criança e no mesmo instante vê os seus olhos. Estão relativamente lúcidos, olham para ela a partir dos vales escuros que a luz esculpe meticulosamente em seu rosto. Toca em sua testa, instintivamente, como de costume. Não está quente, mas grudenta, fria por causa do suor. Levanta o menino com cuidado, o põe em posição sentada e massageia as suas costas. A cabeça do filho cai sobre o seu ombro, Annushka sente o cheiro do seu suor, reconhece nele a dor, já sabe distingui-lo. Piétia tem um cheiro diferente quando está doente.

"Você vai conseguir aguentar até amanhã?", sussurra carinhosamente, mas logo percebe o quanto a pergunta é estúpida. Por que deveria aguentar? Para quê? Estende a mão para pegar uma cartela de comprimidos que está sobre a mesinha de cabeceira, tira um e o coloca na boca do menino. Depois um copo com água morna. Piétia bebe, engasga, ela lhe dá outro gole depois de um instante, dessa vez com mais cuidado. Daqui a pouco o comprimido vai começar a fazer efeito. Ela ajeita o corpo inerte do filho sobre o lado direito, puxa os joelhos na direção da barriga. Tem a impressão de que assim estará mais confortável. Deita ao seu lado na beira da cama e descansa a cabeça em suas costas magras. Ouve o ar se transformar em respiração, encher o pulmão e se esvaziar na noite. Espera até esse processo se tornar rítmico, leve, automático, depois se levanta com delicadeza e volta para a sua cama, pisando na ponta dos pés. Preferia dormir no quarto de Piétia, como tinha feito até a volta do marido. Assim era melhor, ficava mais tranquila adormecendo e acordando com o rosto virado para o filho. Sem ter que abrir o sofá-cama todas as noites — que bem podia seguir abandonado. Mas um marido é um marido.

O marido voltou há quatro meses, depois de dois anos de ausência. Voltou com roupas civis, as mesmas em que havia saído, já um pouco fora de moda apesar de, aparentemente, pouco usadas. Ela as cheirou, mas não cheiravam a nada, talvez um leve odor de umidade, aquele cheiro de imobilidade, de um armazém fechado a sete chaves.

Annushka percebeu de imediato que ele voltou mudado, e permanece assim até agora, diferente. Na primeira noite, examinou o seu corpo — também estava diferente, mais duro, maior, mais musculoso, embora estranhamente frouxo.

Tateou uma cicatriz no braço, e outra por baixo dos cabelos, que se tornaram visivelmente mais ralos e grisalhos. As mãos estavam mais firmes e os dedos engrossaram como se ele tivesse trabalhado fisicamente. Annushka as colocou sobre os seus seios nus, mas elas permaneceram indecisas. Procurou incentivá-lo a fazer amor, mas ele permanecia tão quieto e a sua respiração era tão rasa que se sentiu envergonhada de ter feito aquilo.

À noite, ele acordava com um grito rouco e cheio de ira, se sentava na escuridão e depois de um instante se levantava e ia até o bar para tomar uma dose de vodca. Depois sentia o seu bafo que cheirava a frutas, a maçãs. Nessas horas, ele lhe pedia: "Toque em mim, toque".

"Me conte como foi lá e você se sentirá aliviado. Conte", dizia, sussurrando em seu ouvido, seduzindo-o com um hálito cálido.

Mas ele não contava nada.

Enquanto ela tomava conta de Piétia, ele andava pelo apartamento vestido com um pijama listrado e tomava um café muito forte olhando pela janela, para os blocos de apartamentos. Depois espreitava para dentro do quarto do menino, por vezes se agachava junto dele e tentava estabelecer algum contato. Em seguida ligava a televisão e fechava as cortinas amarelas. A luz do dia ganhava um aspecto doentio, tornava-se espessa e febril. Vestia-se apenas por volta do meio-dia, quando uma enfermeira vinha visitar Piétia, mas nem sempre o fazia. Às vezes simplesmente fechava as portas e então o som da televisão se tornava indistinto, virava um chiado irritante, um apelo a um mundo que perdeu qualquer sentido.

O dinheiro chegava regularmente todos os meses. E não era pouco — bastava para comprar os medicamentos para Piétia, uma cadeira de rodas bem pouco usada e para pagar a enfermeira.

Hoje não vai cuidar do menino, tem o dia de folga. Daqui a pouco virá a sogra, mas Annushka não sabe se ela vem mais para visitar o filho ou o neto e de quem cuidará com mais carinho. Ela vai colocar uma sacola de plástico quadriculada junto da porta e tirará dela um penhoar de náilon e chinelos, a roupa que costuma usar em casa. Vai espreitar para dentro do quarto do filho, lhe perguntar alguma coisa, e ele vai responder sem desgrudar os olhos da televisão: sim ou não. Mais nada, não há o que esperar, então irá ver o neto. É preciso dar banho nele e alimentá-lo, trocar os lençóis suados e urinados, administrar os remédios. Depois, ligar a máquina com a roupa para lavar e preparar a comida. Depois, brincar com o menino e, se o tempo estiver bom, colocá-lo na varanda, embora não haja muita coisa para ver de lá, apenas blocos de apartamentos que lembram enormes arrecifes cinzentos de um mar que já secou, habitados por organismos diligentes apoiados sobre o horizonte indistinto de uma enorme cidade, a gigantesca Moscou. Mas o menino sempre ergue os olhos para o céu, o seu olhar fica suspenso sobre o ventre das nuvens, seguindo-as por um tempo, até que saiam do seu campo de visão.

Annushka é grata à sogra por esse único dia da semana. Quando sai, beija discretamente a sua bochecha macia e aveludada. Os seus encontros são assim, sempre na porta, pois ela logo descerá as escadas correndo, cada vez mais leve à medida que se aproxima do térreo. Tem o dia inteiro à sua frente, mas não o dedicará a ela mesma. Em vez disso, resolverá uma série de assuntos. Pagará as contas, fará compras, pegará as receitas de Piétia, visitará o cemitério e, por fim, viajará para o outro lado dessa enorme cidade desumana para se sentar na penumbra e chorar. Isso tudo demora muito porque há engarrafamentos por todos os lados. Então, espremida entre os passageiros, olha pelas janelas do ônibus para carros enormes com vidros fumê que deslizam para a frente, sem esforço, movidos por alguma força diabólica, embora tudo esteja parado. Olha para as praças cheias de jovens e camelôs vendendo mercadorias chinesas baratas.

Annushka sempre precisa fazer uma conexão na estação Kievskaya e lá, ao sair das plataformas subterrâneas, cruza com várias pessoas. Porém, ninguém chama tanto a sua atenção, ninguém a apavora mais que aquela figura estranha parada junto da saída, diante de tapumes provisórios que encobrem uma construção recém-instalada, tapumes cobertos com tantos anúncios que parecem estar gritando.

Essa mulher dá voltas sobre uma faixa de terra não explorada entre o muro e as lajes da calçada recém-instaladas; assim, testemunha o desfile das pessoas que correm incessantemente, recebe essa parada de pedestres cansados e apressados, que tende a pegar ainda no meio do caminho do trabalho para casa, ou vice-versa. Eles logo mudarão seus meios de transporte, descerão do metrô para pegar o ônibus.

Ela está vestida de uma maneira completamente diferente de todos. Costuma usar uma quantidade excessiva de roupas: calças e uma série de saias por cima delas, combinadas de tal forma que uma se sobrepõe a outra, formando camadas. A parte superior é acertada da mesma maneira, reunindo uma enorme quantidade de camisas, samarras e coletes. E, sobre tudo isso, ela põe um casaco acolchoado, o cúmulo da simplicidade refinada, o eco de um mosteiro oriental distante ou de um campo de trabalho. Esse conjunto tem um certo sentido estético de que Annushka gosta, as cores lhe parecem meticulosamente escolhidas, embora seja possível que não tenha sido uma escolha humana, mas um *haute couture* da entropia — matizes que empalidecem, tecidos que se desfiam e desfazem.

Contudo, a cabeça é o elemento mais bizarro. Ela a envolveu hermeticamente com uma faixa de tecido, que apertou com uma touca que cobre as orelhas e deixou o rosto coberto, revelando um único fragmento dele — a boca que não para de jorrar injúrias. A visão é tão chocante que Annushka nunca procura entender o significado que esses xingamentos podem ter. E agora, enquanto passa por ela outra vez, aperta o passo, temendo que a mulher possa se agarrar a ela, e o seu nome possa surgir na torrente das palavras cheias de ira.

É um agradável dia de dezembro, as calçadas estão secas, a neve que as cobria fora retirada, e os seus sapatos são confortáveis. Annushka não sobe no ônibus, mas atravessa a ponte e caminha ao longo de uma larga estrada com várias faixas. Ela tem a impressão de estar andando pela margem de um enorme rio desprovido de pontes. Está contente com essa caminhada e vai chorar só quando chegar à sua igreja, num canto escuro onde sempre se ajoelha e se mantém naquela posição incômoda até as pernas ficarem dormentes e ela atingir a etapa seguinte: queimação e dor — um grande nada. Agora, porém, ela coloca a bolsa a tiracolo e segura com força a sacola de plástico, da qual emergem flores, também de plástico, para serem levadas ao cemitério. Procura não pensar em nada, especialmente no lugar de onde saiu. Aproxima-se do bairro mais elegante da cidade, onde há coisas atraentes para ver. Há uma abundância de lojas onde manequins lisos e esbeltos exibem indiferentes as roupas mais caras. Annushka para e olha para uma bolsa feminina bordada com um milhão de miçangas, adornada com tule e renda, uma verdadeira maravilha. Enfim, chega a uma farmácia especializada, onde precisa aguardar a sua vez para receber os remédios necessários. Medicamentos inúteis que mal conseguem aliviar os sintomas.

Na feira, ela compra um saquinho com pastéis e os come sentada em um banco na praça.

A pequena igreja está abarrotada de gente, especialmente turistas. O jovem sacerdote, que costuma andar pelo templo como um comerciante no meio de suas mercadorias, dessa vez está ocupado — conta aos turistas a história da construção da igreja e da sua iconóstase. Recita melodiosamente os seus ensinamentos, a cabeça em seu corpo esbelto e alto se ergue acima da multidão, sua bela e clara barba lembra uma impressionante auréola que deslizou da cabeça e caiu sobre o peito. Annushka recua. Como ela poderá rezar e chorar na companhia de turistas? Fica esperando, mas entra um novo grupo e ela decide procurar outro lugar para as suas lágrimas. Um pouco mais longe dali há outra igreja ortodoxa, pequena e antiga, que normalmente vive fechada. Um dia ela entrou lá, mas não gostou — foi repelida pelo frio e pelo cheiro de madeira úmida.

Mas dessa vez Annushka desiste de fazer exigências, precisa achar um lugar onde possa enfim chorar. Um lugar quieto, mas não vazio. Precisa sentir a presença de algo maior do que ela, de grandes braços abertos vibrando de vida. Annushka precisa também sentir um olhar alheio pousando nela, para que o seu choro seja visto, para não precisar falar para o espaço vazio. Podem ser olhos pintados sobre a madeira, sempre abertos, infatigáveis, olhos eternamente serenos: que aqueles olhos a observem sem piscar.

Ela pega três velas e joga as moedas dentro da lata. A primeira é para Piétia, a segunda para o marido taciturno e a terceira para a sogra em seu penhoar que não amassa. Ela as acende com a chama das outras poucas que queimam ali, olha ao redor e encontra um lugar num nicho escuro do lado direito da igreja para não incomodar as mulheres idosas que estão rezando. Ela faz o sinal da cruz com veemência, três vezes seguidas, e esse gesto abre o ritual das suas lágrimas.

Mas quando ergue os olhos para orar, outro rosto surge da penumbra — uma enorme face de um ícone tenebroso. É um grande pedaço de uma tábua quadriculada pendurada no alto, quase abaixo da abóbada da igreja, e nela há uma simples imagem de Cristo pintada em tons de cinza e marrom. O semblante é escuro, o fundo também escuro, sem nenhuma auréola, sem coroa; ardem unicamente os olhos encravados nela, do jeito que ela queria. No entanto, não era esse o olhar que desejara. Annushka esperava olhos meigos cheios de amor. Esse olhar a paralisa, hipnotiza. O corpo dela se encolhe sob o seu poder. Ele estava ali só por um momento, desliza do teto, vindo de longe, da escuridão mais profunda — esse é o lugar de Deus, seu esconderijo. Esse Deus não necessita de nenhum corpo, apenas do rosto que ele deve enfrentar agora. É um olhar penetrante, que perfura o interior de sua cabeça dolorosamente com uma chave de fenda, atravessa o seu cérebro. Em vez de ser o rosto de um salvador, poderia ser o de um afogado que não morreu, mas se escondeu da morte onipresente debaixo da água, e agora, movido por correntes inexplicáveis, emerge na superfície, consciente, extremamente lúcido e diz: olhe, aqui estou. Mas ela não quer olhar para ele, baixa os olhos; não quer saber que Deus é fraco e perdeu, foi expulso e se esconde pelos lixões do mundo em seus abismos fedorentos. Não há motivos para chorar, não é o lugar para lágrimas. Esse Deus não vai ajudar, apoiar, purificar ou salvá-la. O olhar do afogado perfura a sua testa, ela ouve um murmúrio, um trovão subterrâneo distante, uma vibração debaixo do piso da igreja.

Deve ser porque ela quase não dormiu na noite passada, quase não comeu nada e está se sentindo fraca. As lágrimas não fluem, só restam seus leitos secos.

Ela se levanta num salto e sai. Caminha rígida direto para o metrô.

Acredita que vivenciou algo, que algo a atravessou, a tensionou por dentro como a corda de um instrumento musical, fazendo-a produzir um som limpo, inaudível aos outros. Um som baixo e destinado ao seu corpo — um breve concerto executado numa frágil concha acústica. Ela ainda o escuta, toda a sua atenção voltada para dentro, mas nos seus ouvidos ressoa apenas a pulsação do seu próprio sangue.

As escadas se dirigem para baixo, ela tem a impressão de que isso tudo dura uma eternidade, uns descem, outros sobem. Normalmente Annushka desliza o olhar pelo rosto dos outros, mas agora seus olhos, atingidos por aquela imagem, estão impotentes. Eles se detêm em cada um dos passantes, e cada rosto é sentido como uma bofetada, forte e ardente. Daqui a pouco já não aguentará essa visão, precisará tapar os olhos como aquela desvairada na frente da estação e, assim como ela, Annushka também começará a gritar injúrias.

"Tenha piedade, piedade", sussurra e encrava os dedos no corrimão, que se move mais rápido do que as escadas. Se ela não o soltar agora, cairá.

Ela vê a multidão muda que desce e sobe, ombro a ombro, amontoada. Cada pessoa desliza como se estivesse amarrada a uma linha que a leva para o seu devido lugar, a algum lugar na periferia distante da cidade, no décimo andar de um prédio onde pode enfiar a cabeça debaixo de um cobertor e cair num sono feito de farrapos de dias e noites. E, na verdade, esse sonho não acaba com o raiar do sol, os farrapos formam colagens e manchas. Algumas configurações são sagazes — aliás, seria possível dizer que até bem pensadas.

Ela vê a fragilidade dos braços, a delicadeza das pálpebras, os contornos instáveis dos lábios que são facilmente entortados num esgar. Ela vê o quanto fracas são as mãos e pernas que não possuem força para carregar a nenhum destino. Vê os corações batendo ritmicamente, uns mais depressa, outros mais devagar, num simples movimento mecânico. Os sacos alveolares lembram sacolas sujas, ela ouve o chiado da respiração. As roupas se tornaram transparentes, assim, ela testemunha as bodas com a entropia. Nossos corpos pobres e feios, a matéria destinada à destruição — sem exceções.

As escadas rolantes levam todas essas criaturas diretamente para dentro de um abismo, um vão. Eis os olhos dos Cérberos em cabines envidraçadas no final das escadas, eis falsos mármores e colunas enganosas, poderosas esculturas de demônios — umas segurando foices, outras, feixes de trigo. Pernas poderosas feito colunas, ombros de gigantes. Os tratores, máquinas infernais, arrastam instrumentos de tortura afiados e dentuços com os quais machucam a terra, provocando feridas que nunca cicatrizam. Por todos os lados há grupos de pessoas comprimidas, as suas mãos erguidas em pânico e em súplica, as suas bocas escancaradas, gritando. É o Juízo Final que acontece aqui, no subterrâneo do metrô iluminado com lustres de cristal que projetam uma luz amarela e sem vida. Os juízes não estão em nenhum lugar em que possam ser vistos, mas em todos os lugares você sente a sua presença. Annushka quer recuar e correr para cima, contra a corrente, mas as escadas não permitirão.

Precisa descer, não será poupada de nada. As bocas dos trens subterrâneos se abrirão diante dela silvando, e ela será sugada por túneis sinistros. Mas o abismo está em toda parte, mesmo nos andares mais altos da cidade, mesmo no décimo e no décimo sexto piso dos arranha-céus, nos topos dos pináculos, nas pontas das antenas. Não há como fugir dele. Não seria isso que aquela desvairada gritava em meio a seus insultos?

Annushka cambaleia e se encosta no muro. Manchas brancas do reboco fixam-se no seu sobretudo de lã. A parede a ungiu.

Precisa trocar de meio de transporte, já está escuro, desce ao deus-dará, não consegue enxergar nada pelos vidros do ônibus, o frio já pintou ali ramos prateados, mas ela conhece o trajeto de cor, não se enganou. Mais alguns quintais — vai cortando o caminho — e logo estará diante de seu prédio. Mas diminui o passo, as pernas não querem levá-la ao destino, resistem, os passos se tornam cada vez mais miúdos. Annushka para. Volta a cabeça para o alto e vê que as luzes em seu apartamento estão acesas. Devem estar esperando por ela, então avança, mas, um instante depois, para de novo. O vento frio penetra o seu sobretudo, levanta as abas, agarra as suas coxas com seus dedos gelados. As suas carícias são como giletes, como cacos de vidro. Lágrimas escorrem pelas suas bochechas por causa do frio, e isso agrada ao vento, que já achou uma maneira de fazer o seu rosto arder. Annushka se lança para a frente na direção da escada, mas quando chega à porta, recua, ergue a gola do sobretudo e, o mais rápido que pode, retorna ao lugar de onde veio.

Faz calor apenas na grande sala de espera da estação Kievskaya e nos banheiros. Ela permanece parada e indecisa quando as patrulhas a ultrapassam (seguem sempre num passo lento e solto, arrastando levemente os pés, como se estivessem passeando à beira-mar). Finge que está estudando o quadro de horários. Ela própria não sabe por que está com medo, já que não fez nada de errado. Além disso, as patrulhas estão interessadas em outra coisa — selecionar inequivocamente na multidão homens de pele escura e jaquetas de couro e mulheres com lenços na cabeça.

Ela sai da estação e vê de longe que aquela mulher empacotada ainda fica andando por lá, com a voz já rouca por causa dos xingamentos. As próprias injúrias já são, aliás, irreconhecíveis. Assim, depois de um momento de hesitação, Annushka se aproxima sossegadamente e fica parada diante dela. A outra gagueja apenas por um instante, deve enxergá-la bem através do pano com o qual cobriu o rosto. Annushka dá mais um passo para a frente e agora está tão próxima dela que sente o seu cheiro de poeira, mofo e óleo velho. A outra fala cada vez mais baixo, sai do transe enfim, e silencia. A perambulação se converte num balanço, como se não pudesse ficar parada. Ficam se encarando por um instante enquanto os transeuntes passam por elas indiferentes; de vez em quando alguém lança um olhar para elas; estão com pressa, e seus trens partirão em breve.

"O que você está dizendo?", Annushka pergunta.

A mulher empacotada fica imóvel, prende a respiração de espanto e depois avança assustada para o lado, na direção da passagem para a obra, por cima da lama congelada. Annushka a segue sem tirar os olhos dela, permanece a uma distância de alguns passos, atrás do casaco acolchoado, atrás das *valenkis* que continuam dando passos miúdos. Não vai deixá-la escapar. A mulher olha por cima do ombro e tenta apressar o passo, está quase correndo, mas Annushka é jovem e forte. Tem músculos resistentes, tantas vezes ela própria desceu carregando o carrinho e Piétia junto, e tantas vezes os levou para cima quando o elevador estava quebrado.

"Ei, você aí!", grita de vez em quando, mas a mulher não reage.

Atravessam quintais por entre casas, passam por lixeiras e praças com gramados pisoteados. Annushka não se sente cansada, mas perde a sacola com as flores que ia levar para o cemitério — seria perda de tempo voltar para recuperá-la.

Enfim, a mulher se agacha e arqueja, incapaz de recuperar o fôlego. Annushka para alguns metros atrás dela e espera que se levante e vire em sua direção. Perdeu, precisa se entregar. E realmente, a mulher olha por cima do ombro e é possível ver o seu rosto, ela desvendou os olhos. Suas íris são de uma tonalidade azul-clara e olham assustadas para os sapatos de Annushka.

"O que você quer de mim? Por que está me perseguindo?"

Annushka não responde, se sente como se tivesse caçado um animal enorme, um peixe gordo, uma baleia, mas não sabe o que fazer com ela; está com pena do troféu. A mulher tem medo e esse medo a fez perder todas as suas palavras.

"Você é da polícia?"

"Não", diz Annushka.

"Então, o que você quer?"

"Quero saber o que você fala. Você vive falando alguma coisa o tempo todo, eu te vejo todas as semanas quando venho para a cidade."

Ao que a outra lhe responde, já com mais ousadia:

"Não falo nada. Me deixe."

Annushka se debruça sobre ela e estende a mão para ajudá-la a se levantar, mas a mão muda seu curso e acaricia a sua bochecha cálida, agradável, macia.

"Não tinha más intenções."

A primeira reação da mulher é ficar imóvel, surpresa com a carícia, mas parece que depois, amolecida com esse gesto, se levanta desajeitadamente.

"Estou com fome", diz. "Vamos, aqui perto há um quiosque onde vendem sanduíches quentes baratos, você vai me comprar algo para comer."

Vão caminhando em silêncio lado a lado. No quiosque, Annushka compra duas baguetes compridas com queijo e tomates, vigiando para se certificar de que a outra mulher não fuja. Ela própria não consegue comer. Segura o pão diante dela feito uma flauta prestes a tocar uma melodia invernal. Sentam-se em cima de uma mureta. A mulher come a sua baguete e depois, sem dizer nada, pega o pão de Annushka. Ela é idosa, mais velha que a sua sogra. As suas bochechas são sulcadas por rugas que correm transversalmente da testa até o queixo. Mastiga a comida com dificuldade, pois perdeu os dentes. As rodelas de tomate escapam de cima do pão, ela as apanha no último momento e as coloca cuidadosamente no lugar. Arranca grandes pedaços só com os lábios.

"Não posso voltar para casa", Annushka diz de repente e olha para baixo. Está um pouco surpresa com o fato de ter falado isso, e só agora se dá conta, apavorada, do significado do que acabou de dizer. A mulher responde balbuciando, mas depois de engolir um pedaço de pão, pergunta:

"Você tem um endereço?"

"Tenho", diz e recita: "Kuzniecka 46, apartamento 78".

"Então, simplesmente o esqueça", a mulher balbucia com a boca cheia.

Vorkuta. Ela nasceu lá no fim dos anos 1960 quando os blocos de apartamentos que agora parecem antiquíssimos tinham acabado de ser construídos. Ela se lembra deles quando ainda eram novinhos e tinham um reboque áspero, exalavam cheiro de concreto e amianto, usado como isolamento térmico. Recorda da lisura promissora do revestimento em PVC. Mas num clima frio tudo envelhece mais rápido, o frio destrói a estrutura consistente das paredes, desacelera os elétrons em sua incessante circulação.

Ela se lembra da brancura ofuscante dos invernos. O branco e os contornos afiados de uma luz exilada que existem unicamente para servir de tarja para a escuridão, cujo volume é definitivamente maior.

Seu pai era foguista numa enorme termoelétrica e a mãe trabalhava numa cantina. Por isso viviam relativamente bem — a mãe sempre trazia comida para casa. Agora Annushka percebe que todos lá sofriam de alguma doença estranha. Era uma enorme tristeza escondida no fundo do corpo, debaixo das roupas, ou talvez até algo maior que a tristeza, mas ela não consegue achar a palavra certa para nomeá-la.

Moravam no sétimo andar de um prédio de oito andares, um de muitos prédios iguais àquele, mas com o passar dos anos, à medida que ela crescia, os andares superiores foram se esvaziando, e as pessoas se mudavam para localidades mais agradáveis, na maioria das vezes para Moscou, ou para qualquer outro lugar longe dali. Aqueles que ficavam mudavam-se para os andares inferiores e lá ocupavam os apartamentos vazios, onde era menos frio, e onde estavam mais próximos das pessoas e da terra. Morar no oitavo andar durante um inverno polar que dura vários meses é como permanecer numa gota de água congelada suspensa na abóbada do mundo feita de concreto, no meio de um inferno invernal. Da última vez que visitou a irmã e a mãe, elas estavam morando no térreo. O seu pai havia morrido fazia muito tempo.

Annushka teve sorte de conseguir ingressar numa boa escola pedagógica em Moscou. E azar de não a ter concluído. Se ela tivesse se formado, seria professora e talvez nunca teria conhecido o homem com quem se casara. Os seus genes não teriam se juntado e formado a mistura tóxica responsável por Piétia ter vindo ao mundo com uma doença incurável.

Inúmeras vezes Annushka tentou negociar com quem pudesse — com Deus, Virgem Maria, santa Paraskeva, com toda a iconóstase, até mesmo com o reino mais próximo e vago do destino. Me leve no lugar de Piétia, eu carregarei a sua doença, eu morrerei, só para ele ficar bom. E se isso fosse pouco, ainda colocava a vida de outras pessoas no prato da balança: do seu marido taciturno (que ele leve um tiro lá onde está) e da sua sogra (que tenha um derrame). Mas, obviamente, nunca houve nenhuma resposta para essa oferta.

Annushka compra uma passagem e desce para a plataforma no andar de baixo. A estação ainda está lotada, as pessoas retornam da cidade para dormir em suas camas. Alguns já cochilam nos vagões. Os hálitos sonolentos formam névoas sobre os vidros; é possível desenhar neles com o dedo, qualquer coisa, não importa o quê, pois logo a imagem desaparecerá. Annushka chega até a última estação, Iougo-Zapadnaia, desce e para na plataforma. Depois de um momento, percebe que o trem retornará, o mesmo trem. Ela ocupa de novo o mesmo assento e a partir de então faz o caminho circular de ida e volta, até que, depois de alguns percursos, muda a linha para Kolhtsevaia. Vai dando voltas, e perto da meia-noite, chega à Estação Kievskaya como se estivesse retornando para casa. Lá fica sentada na plataforma até ser expulsa por uma guarda ameaçadora que a manda sair porque o metrô está fechando. Ela sai, relutante. Do lado de fora o frio é cortante, mas ela acha um pequeno boteco junto da estação com uma televisão presa ao teto. Há alguns viajantes perdidos, sentados às mesas. Ela pede chá com limão, um e depois outro, e, mais tarde, um *borsch* pouco apetitoso, aguado, e acaba cochilando com a cabeça apoiada na palma da mão. Está feliz porque nenhum pensamento, nenhuma aflição, esperança ou expectativa perturbam a sua cabeça. É uma boa sensação.

O primeiro trem ainda está vazio. Depois a cada estação ele vai se enchendo de pessoas, até ficar congestionado e Annushka se encontrar comprimida entre as costas de dois gigantes. Como não consegue alcançar a alça para se segurar, está condenada a ser amparada por aqueles corpos anônimos. Depois, de repente, a turba diminui e tudo se esvazia na estação seguinte. Sobram apenas alguns indivíduos. E assim, Annushka aprende que algumas pessoas não descem na estação final. Ela própria desce e troca de trem. Mas continua olhando para eles pela vidraça. Acham lugares no final do vagão e colocam as sacolas ou mochilas, normalmente velhas e feitas de cânhamo, junto das pernas. Cochilam com os olhos semicerrados ou desembrulham alguma comida, fazem o sinal da cruz seguidas vezes murmurando algo e mastigam, reverentes.

Ela troca de trens porque teme que alguém possa vê-la, pegar a sua mão, sacudi-la e, o pior de tudo, trancá-la em algum lugar. Às vezes somente passa para o outro lado da plataforma, e em outras vezes, vai para outras plataformas. Nessas horas ela percorre as escadas rolantes e os túneis. Nunca lê nenhum tipo de sinalização, o que lhe propicia uma sensação de completa liberdade. Vai, por exemplo, para Chistye Prudy, muda da linha Sokolnitcheskaya para a linha Kalujsko-Rijskaia e continua até Medvedkovo. Depois volta de lá e segue para o outro lado da cidade.

Para nos banheiros para se arrumar, manter um visual limpo, não pelo fato de ter tal necessidade (para dizer a verdade, não a tem), mas para não ser notada por uma daquelas Cérberas que vigiam as escadas rolantes de suas guaritas envidraçadas. Annushka suspeita que elas aprenderam a dormir com os olhos abertos. Compra numa banca absorventes, sabonete, a pasta de dentes mais barata e uma escova. Passa a tarde dormindo e andando na linha Koltsevaya. À noite, emerge na superfície pelas escadas rolantes para verificar se, por acaso, a empacotada não está lá. Mas, não, ela não está. Faz frio, ainda maior que no dia anterior, de modo que, aliviada, volta para debaixo da terra.

No dia seguinte, a empacotada está em seu lugar de costume, balançando-se sobre pernas rígidas. Grita palavrões. Annushka para no seu campo de visão do outro lado da passagem, mas a mulher parece não a enxergar, imersa em suas lamentações. Enfim, aproveita o momento em que o local fica vazio e para na sua frente.

Море Пещаное
Море Каспиское или Хвалынское
Море Азовское
Море Черное
Море Бaлтиское
Сайктпетербургъ

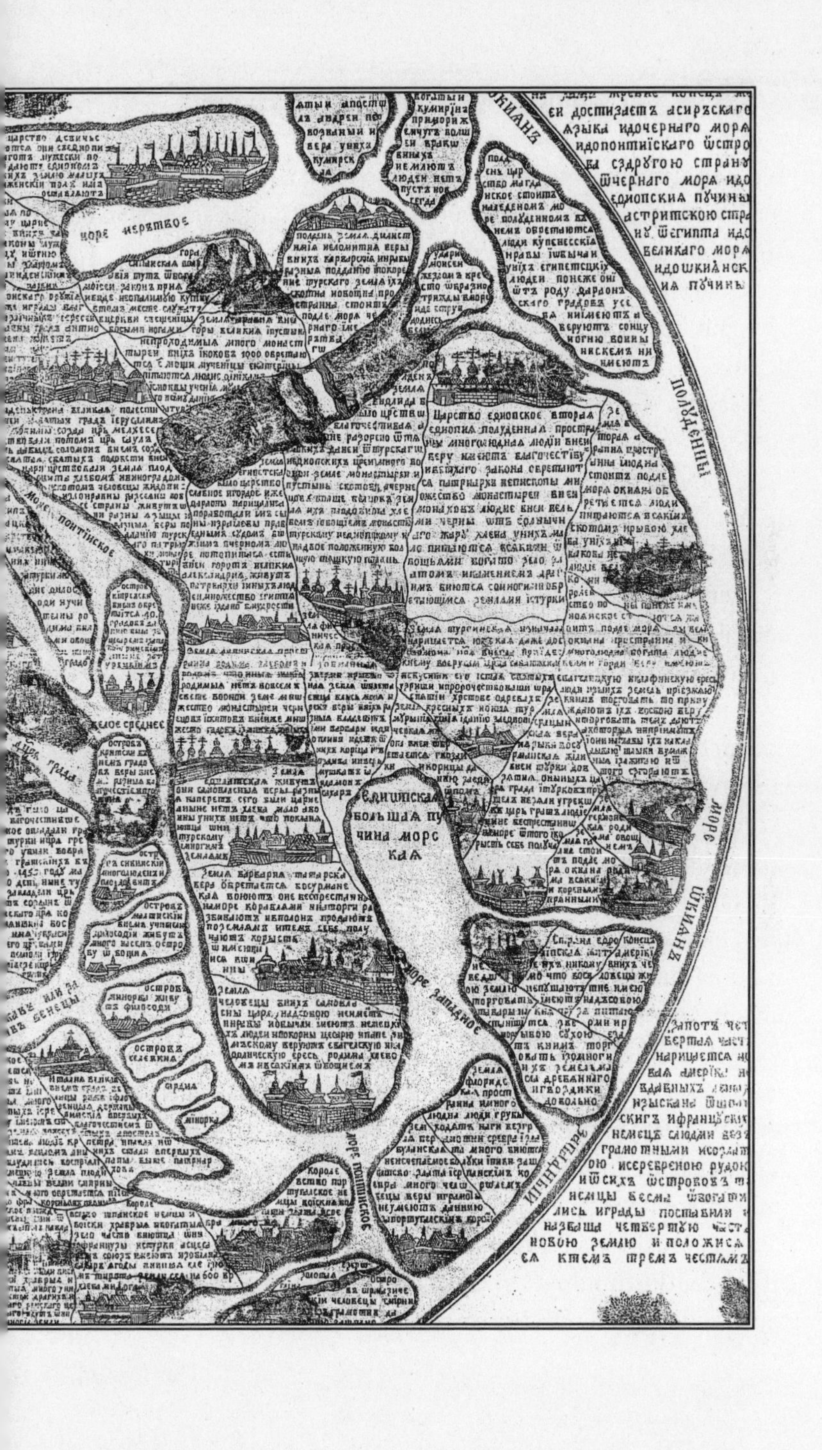

ей достизаетъ асирѣскаго
азыка идочерного мора
идопонтиїскаго ѿстро
ва сдрꙋгою странꙋ
ѿчернаго мора идо
едиопскиа пꙋчины
астритскою стра
нꙋ ѿегипта идо
великаго мора
идошкианск
иа пꙋчины
окиянъ
полꙋденны
море
ѡкиянъ
море нератвое
море понтїйское
белое среднее
велицкая большаа пꙋчина морская
море западное
море португальское
Земля
Запотъ чет
вертая част
нарицается но
вая америка но
вденных земл
изыскана ѿшп
скигъ ифранцꙋских
немецъ слюдми везъ
грамотными исорат
ою исеребреною рудою
ишскихъ ѿстрововъ т
немцы весма ѿбогати
лись играды поставили и
назваша четвертꙋю част
новою землю и положиса
са ктемъ тремъ честамъ

"Venha, vou comprar uma rosca para você."

A mulher fica imóvel, arrancada de seu transe, esfrega as mãos enluvadas, bate os pés contra o chão à maneira das vendedoras de feiras que congelam no frio. Vão juntas até a banca. Annushka está realmente contente de vê-la.

"Qual é o seu nome?", pergunta.

A mulher, ocupada com a rosca, apenas dá de ombros. Mas, depois de um instante, diz com a boca cheia:

"Galina."

"E eu sou Annushka."

A conversa acaba por aí. Mais tarde, quando o frio as espanta de volta à estação, Annushka faz outra pergunta:

"Galina, onde você costuma dormir?"

A empacotada ordena que ela venha encontrá-la ao pé da banca depois de o metrô fechar.

Annushka passa a noite inteira viajando na mesma linha e examina indiferentemente o seu rosto que se reflete na vidraça, contra o fundo das paredes escuras dos túneis subterrâneos. Já reconhece pelo menos dois outros passageiros, mas não se atreve a conversar com eles. Viajou por algumas paradas na companhia de um deles — um homem alto e magro, não velho, talvez até jovem, é difícil dizer. Tem uma barba rala e clara que chega até a altura do peito e cobre o seu rosto. O homem usa uma simples boina proletária desgastada, uma longa capa cinzenta com os bolsos abarrotados, uma mochila desbotada e botas de cano alto amarradas até o topo. De dentro delas emergem meias feitas à mão que apertam as pernas das suas calças marrons. Parece não prestar atenção em nada, está imerso em seus pensamentos. Salta com ímpeto para a plataforma da estação e aparenta estar se dirigindo a um alvo distante e concreto. Aliás, Annushka já o tinha avistado duas vezes da plataforma. Uma vez, dormindo num trem completamente vazio que parecia se dirigir ao seu descanso noturno. E outra, cochilando com a testa apoiada na vidraça, onde o seu hálito havia criado uma névoa que ocultava a metade do seu rosto.

O outro homem reconhecido por Annushka é um ancião. Ele anda com dificuldade, usa uma bengala, ou melhor, um cajado grosso com a ponta recurvada. Quando entra no vagão, precisa segurar a porta com uma mão e nessas horas normalmente alguém o ajuda. Dentro do trem, as pessoas lhe cedem lugar, embora com relutância. Parece um mendigo. Annushka procura apanhá-lo num momento propício, assim como havia surpreendido a empacotada. Mas o máximo que consegue é permanecer no mesmo vagão por algum tempo, parar diante dele por aproximadamente meia hora, e assim decorar cada detalhe de seu rosto e da roupa que veste. Mas não se atreve a falar com ele. O homem anda com a cabeça abaixada, não presta atenção naquilo que acontece ao seu redor. Depois, a multidão que retorna do trabalho a arrasta. E ela se deixa levar pela corrente quente de cheiros e toques. Livra-se dela apenas depois de atravessar a catraca, como se o subterrâneo a tivesse cuspido feito um corpo estranho. Agora precisará comprar uma passagem de volta, mas sabe que o seu dinheiro está prestes a acabar a qualquer momento.

Por que ela os gravou na memória? Acho que pelo fato de serem, de alguma forma, constantes, como se movimentassem de uma maneira diferente, mais devagar. Todos os outros são como um rio, uma corrente, uma água que flui de um lugar para outro, formam redemoinhos e ondas. No entanto, cada uma dessas formas é fugaz, desaparece, e o rio se esquece delas. Já esses dois homens, eles se movimentam contra a corrente, por isso se destacam tanto. Assim, não se submetem às leis que regem um rio. Acho que era isso o que a atraía tanto.

Depois que o metrô fecha, ela espera pela empacotada diante da entrada lateral e, quando está prestes a perder a esperança, a mulher aparece, enfim. Os seus olhos estão vendados e todas aquelas camadas de roupas fazem com que ela lembre um barril. Manda Annushka a seguir e ela obedece. Está muito cansada, para dizer a verdade, está esgotada e, se pudesse, se sentaria em qualquer lugar. Atravessam a passarela sobre o canteiro de obras, passam pelo tapume coberto de cartazes e em seguida descem para a passagem subterrânea. Depois de um tempo, entram num corredor apertado onde ela sente um calor agradável. A mulher aponta um lugar no chão e Annushka deita sem tirar a roupa e cai imediatamente no sono. E quando adormece do jeito que sempre quis, sem nenhum pensamento que a aflija, tomada por um sono profundo, a imagem que acabou de ver enquanto atravessava o corredor apertado retorna por um momento sob suas pálpebras.

Um quarto escuro e nele uma porta aberta para um outro cômodo claro. Há uma mesa, e pessoas sentadas ao redor dela. As suas mãos repousam sobre o tampo, as suas costas estão eretas. Permanecem sentados se entreolhando num silêncio e numa imobilidade absolutos. Poderia jurar que uma daquelas pessoas é o homem de boina proletária.

Annushka dorme pesadamente. Nada consegue acordá-la, nenhum sussurro, nenhum gemido do outro lado da parede, nenhum rangido de cama, nenhuma televisão. Dorme como se fosse um pedaço de rocha, atingida pelas ondas insistentes que batem contra ela, uma árvore caída coberta agora por musgo e cogumelos. Pouco antes de acordar é que tem um sonho engraçado. Nele, brinca com um nécessaire colorido com estampa de elefantes e gatos pequenos, girando-o em suas mãos. E de repente o solta, mas o nécessaire não cai, permanece suspenso no ar entre as suas mãos, e Annushka descobre que pode brincar com ele sem tocá-lo, que consegue movê-lo apenas com a força da vontade. É uma sensação muito prazerosa, de uma alegria que ela não sentia havia muito tempo — na verdade, desde a sua infância. Acorda, então, de bom humor e agora vê que o lugar onde está não é nenhum dormitório para operários abandonado, como havia achado ontem, mas uma simples sala das caldeiras. Por isso está tão quente. E ela está dormindo sobre caixas de papelão colocadas junto de uma pilha de carvão. Em cima de umas folhas de jornal há um pedaço de pão bastante duro e uma fatia bastante grossa de toucinho com pimenta ardida. Adivinha que a comida tinha sido deixada por Galina, mas não toca nela antes que consiga fazer as suas necessidades num toalete asqueroso sem portas, e depois lavar as mãos.

Ai, como é bom, como é gostoso se tornar parte da multidão que esquenta lentamente. Os sobretudos e as samarras exalam os cheiros do interior das casas — o odor de gordura, de amaciante, de perfumes adocicados. Annushka passa pela catraca e, a partir daquele momento, se deixa levar pela primeira onda. Dessa vez é a linha Kalininskaia. Parada na plataforma, sente o bafo quente do ar subterrâneo sendo empurrado pelo trem que vem se aproximando. As portas se abrem e ela é sugada para dentro, apertada entre os corpos de tal forma que não precisa se segurar. Quando o trem faz uma curva, ela se entrega a esse movimento, se balança feito uma folha de grama em meio a outras folhas de grama, como uma espiga por entre outras espigas. Na parada seguinte ainda há passageiros entrando, embora já não seja possível enfiar lá nem sequer um fósforo. Annushka fecha os olhos e sente como se estivesse sendo carregada no colo, como se mãos bondosas e tranquilizadoras a embalassem e abraçassem afetuosamente. Depois, de repente, a maioria das pessoas desce numa das estações, e é preciso se manter firme sobre as suas próprias pernas.

Quando o vagão se esvazia quase por completo, próximo da estação final, Annushka acha um jornal. Primeiro, ela o examina bastante desconfiada, é possível que tenha esquecido como se lê, mas depois o pega na mão e o folheia ansiosa. Lê que uma modelo morreu de anorexia e as autoridades estão ponderando a possibilidade de proibir moças exageradamente magras de participarem dos desfiles de moda. Ela lê também sobre terroristas e que um atentado fora abortado mais uma vez. Tinham detonadores e TNT no apartamento. Que baleias desorientadas encalham nas praias e morrem lá. Que a polícia rastreou uma quadrilha de pedófilos pela internet. Que vem uma frente fria. Que *mobilnost's tanowitsa realnostiu* — a mobilidade constitui uma realidade.

Há alguma coisa errada com esse jornal, deve ser falso, fraudulento. Toda frase que ela lê é insuportável, dói. Os olhos de Annushka se enchem de lágrimas e grandes gotas pingam sobre o jornal. O papel fajuto as absorve imediatamente como se fosse um mata-borrão.

Lá onde o metrô sai para a superfície, Annushka gruda o rosto na vidraça e olha. A cidade tem todas as tonalidades de cinza, de um branco sujo até o negrume. É composta de retângulos e blocos irregulares, quadrados e um emaranhado de linhas retas. Ela segue com o olhar as linhas de alta tensão, depois pousa a vista sobre os telhados e conta as antenas. Fecha os olhos. Depois os abre e descobre que o mundo saltou de um lugar para outro. Um pouco antes do crepúsculo, quando mais uma vez visita o mesmo local, vê que, por um instante, alguns minutos, o sol baixo atravessa as nuvens brancas que desabrocham para iluminar os blocos de apartamentos com um brilho vermelho, apenas as suas pontas, os andares mais altos, que parecem enormes tochas acesas.

Depois, senta num banco sobre a plataforma debaixo de um enorme anúncio. Come aquilo que sobrou do seu café da manhã. Lava-se no banheiro e volta para o seu lugar. Daqui a pouco vai começar o horário de pico. As pessoas que seguiram em uma direção de manhã, agora vão viajar em outra. O trem que para diante dela está bem iluminado e quase vazio. Há um homem em todo o vagão — o homem de boné. Está em pé, ereto como uma corda estirada. Quando o trem se põe em movimento, ele se sacode levemente e depois desaparece engolido pela boca negra do subterrâneo.

"Vou lhe comprar uma rosca", Annushka diz para a empacotada, que para de se balançar e por um instante fica imóvel, como se conseguisse digerir uma frase apenas permanecendo inerte. Um segundo depois, vai na direção dos quiosques.

Comem encostadas na parte de trás do quiosque, depois que a empacotada se benzeu e se curvou uma dezena de vezes.

Annushka a questiona sobre as pessoas que estavam sentadas em silêncio na sala das caldeiras no dia anterior, e a mulher novamente fica inerte, dessa vez com um pedaço da rosca na boca. Fala algo sem nexo, do tipo: "Como assim?". E depois solta, irritada: "Cai fora, mocinha".

Ela parte. Annushka se locomove de metrô até a uma da manhã e depois, quando ele fecha e as Cérberas expulsam as últimas pessoas de lá, ela fica rondando o lugar onde, ao que lhe parece, ficava a entrada da sala quente das caldeiras, mas não a acha. Vai, então, à estação e lá passa a noite valentemente apoiada nos cotovelos sobre a mesa laminada, gastando os últimos trocados para tomar uma sucessão de chás e *borschs* servidos em copos de plástico.

Assim que ouve o rangido da grade se abrindo, compra uma passagem na máquina e desce para o andar inferior. Na janela do trem vê que os seus cabelos já estão oleosos, o penteado se desfez e os outros passageiros se sentam ao seu lado com relutância. Às vezes, por um momento, passa por sua cabeça a ideia da possibilidade de encontrar algum conhecido, o que lhe causa pânico. No entanto, as pessoas que conhece não costumam pegar essa linha; só por cautela, Annushka procura assento num canto junto da parede. Aliás, quem seriam os seus conhecidos? A carteira, a atendente da loja no térreo do seu prédio, o vizinho da frente; nem sequer sabe os seus nomes. Tem vontade de cobrir o seu rosto, como a empacotada. Aliás, seria uma boa ideia — vendar os olhos para ver o mínimo possível e quase não ser vista. As pessoas a cutucam, mas ela sente um certo prazer ao ser tocada. Uma mulher idosa que se senta ao seu lado tira uma maçã da sacola de plástico e lhe entrega a fruta, sorrindo. Na estação Park Kultury, quando Annushka fica junto do quiosque onde vendem *pirozhki*, um jovem de cabelos curtos lhe compra uma porção. Adivinha, então, que a sua aparência não é das melhores. Agradece e não recusa, mesmo que ainda tenha alguns trocados no bolso. Testemunha várias ocorrências, por exemplo, vê a polícia prendendo um homem de jaqueta de couro; um casal, ambos embriagados, brigando alto em público; uma adolescente entrar no trem na estação Tcherkisovskaia e soluçar, repetindo: Mãe, mãe, mas ninguém tem coragem de ajudá-la e então já é tarde demais, porque a moça desce na estação Komsomolskaya. Vê alguém fugindo, um homem de pele escura de baixa estatura que esbarra nos transeuntes e fica entalado no meio da multidão ao pé das escadas. Lá, dois outros homens o apanham e torcem os seus braços. Ela vê uma mulher lamentando brevemente que lhe roubaram tudo, absolutamente tudo, depois ouve a sua voz ressoar de uma distância cada vez maior, se esvaecendo, e por fim, silenciando. E duas vezes naquele dia vê um idoso rígido com um olhar ausente passar diante dela no trem iluminado. Annushka nem sequer sabe que já anoiteceu, e que lá em cima todos os postes e lâmpadas estão acesos e emitem uma luz amarela que penetra o ar espesso e gelado. Naquele dia, ela não chegou a ver a luz do sol. Sai para a superfície na estação Kievskaya e se dirige para a passagem temporária junto do canteiro de obras com a esperança de encontrar a empacotada.

A mulher está em seu lugar de costume e fazendo o que sempre faz — cisca, traçando círculos e figuras de oito, disparando os seus velhos insultos e parecendo um embrulho de panos molhados. Annushka fica parada diante dela até ser notada e a mulher silenciar. Depois, ainda que não tivessem combinado, elas começam a andar com passos firmes, sem trocar nenhuma uma palavra, como se tivessem pressa de chegar a algum destino que irá desaparecer para sempre se não forem suficientemente rápidas. Sobre a ponte, o vento as atinge feito um chicote.

Num quiosque na rua Arbat vendem blinis saborosos e baratos banhados em gordura e cobertos com nata azeda. A empacotada põe as moedas sobre um pires de vidro e ambas recebem porções fumegantes. Procuram um lugar sobre uma mureta para comer a iguaria em paz. Annushka, como se estivesse hipnotizada, observa os jovens que ocupam os bancos apesar do frio, tocam violão e tomam cerveja. Mais fazem barulho do que de fato cantam. Duas moças chegam cavalgando; sim, é uma visão impressionante, os cavalos são altos, bem cuidados, provavelmente acabaram de sair do picadeiro. Uma das amazonas cumprimenta os jovens com o violão, desmonta graciosamente da sela e conversa com os rapazes segurando o cabresto com firmeza. A outra tenta convencer um grupo de turistas dispersos a lhe darem dinheiro para alimentar os cavalos — ou é o que ela diz —, mas eles percebem que é para a cerveja. O animal não parece esfomeado.

A empacotada cutuca Annushka.

"Coma."

Mas Annushka não consegue desgrudar os olhos daquela cena, olha para eles com voracidade, os blinis fumegam em sua mão. Vê em todos o seu Piétia, têm a mesma idade que ele. Piétia retorna ao seu corpo, como se Annushka nunca o tivesse dado à luz. Ele permanece lá encolhido, pesado feito uma pedra, doloroso, incha dentro dela, cresce. Talvez ela deva pari-lo de novo, dessa vez através de cada poro da pele, suá-lo. Por enquanto ele avança até a sua garganta, fica encalhado nos pulmões e não conseguirá sair de nenhuma outra forma a não ser através de um soluço. Pois é, ela não conseguirá engolir nenhum blini, está estufada. Piétia ficou alojado em sua garganta, quando poderia estar lá sentado com eles, estendendo a mão com uma lata de cerveja, dando-a para a moça com o cavalo, inclinando todo o corpo para trás e caindo na gargalhada. Poderia estar em movimento, se inclinar até tocar nos seus próprios sapatos, levantar os braços para o alto, poderia colocar o pé no estribo e lançar uma perna para trás. Sentar-se sobre o dorso desse animal, dar uma volta na rua ereto, sorridente, com um bigode que começaria a surgir sobre o seu lábio superior. Poderia subir e descer as escadas correndo feito um relâmpago, pois tem a mesma idade que aqueles rapazes, e ela, a mãe dele, estaria preocupada com a possibilidade de ele tirar uma nota baixa em química, de não conseguir ingressar na faculdade e terminar como o seu pai, ter problemas para encontrar um emprego, se casar com uma moça que não despertaria a simpatia da sogra e acabar tendo um filho cedo demais.

Esse mar de chumbo se acumula nela até não aguentar mais e coincide com o gesto da moça que quer apaziguar o cavalo agitado puxando a sua cabeça para baixo pelo cabresto, para forçá-lo a ficar quieto. E quando o cavalo tenta se soltar, ela o chicoteia e grita: "Fique parado, seu merda. Fique parado, peste!".

Nessa hora os blinis cobertos de nata azeda caem da mão de Annushka e ela se lança com os punhos cerrados contra a garota que briga com o cavalo e começa a atacá-la cegamente.

"Deixe ele em paz! Deixe!", grita com um nó na garganta.

Leva um instante para que os rapazes espantados reajam. Tentam afastar a mulher de casaco quadriculado que enlouqueceu de repente, mas já vem vindo outra para ajudá-la, uma maluca empacotada, toda envolta em panos. Ambas tentam arrancar as rédeas das mãos da garota e afastá-la do cavalo. A moça começa a guinchar, cobre a cabeça com as mãos, não esperava um ataque tão irado. O cavalo dá coices, resfolega, se solta das mãos da garota e corre assustado pelo meio da rua Arbat (por sorte, a essa hora o calçadão está quase vazio). O som dos cascos ecoa pelas paredes dos prédios e traz à mente uma briga de rua, uma greve. As janelas se abrem. Mas agora aparecem dois policiais no final da rua, caminhavam serenamente, talvez conversando sobre jogos de computador — até então estava tudo em ordem. E então eles avistam um tumulto, pegam seus cassetetes em total prontidão e saem correndo.

"Se balance", diz a empacotada. "Se mexa!"

Estão sentadas na delegacia esperando a sua vez para prestar depoimento a um policial antipático com um rosto rosado.

"Se balance." Durante essas horas de espera ela fica falando sem parar, sem dúvida assustada. A adrenalina avivou a língua da empacotada. Ela sussurra no ouvido de Annushka para que ninguém ouça — nem o homem que fora assaltado, nem as duas jovens putas de pele escura, nem sequer o cara com a cabeça ferida que segura o curativo com uma só mão. Annushka chora, as lágrimas escorrem pelo seu rosto sem parar e dá para ver que o seu estoque se esvaziará por completo.

Em seguida, quando chega a sua vez, o policial de rosto vermelho grita sobre o ombro para alguém em outra sala:

"É aquela fanática."

E a voz do outro lado responde:

"Pode soltá-la, mas ficha a outra por perturbação da ordem pública."

Então o policial se dirige à empacotada:

"Mulher, da próxima vez, vamos levá-la para fora da cidade, uns cem quilômetros de distância daqui, entendeu? Não queremos gente de culto nenhum por aqui."

Enquanto isso, pega o documento de Annushka e, como se não soubesse ler, pede para ela repetir o seu nome, patrônimo, sobrenome e endereço — ele pede para informar o endereço. Annushka toca na superfície da mesa com a ponta dos dedos, semicerra os olhos como se estivesse recitando um poema e passa os seus dados. Repete o endereço duas vezes:

"Kuzniecka 46, apartamento 78."

Eles soltam as duas separadamente, com uma hora de intervalo. Primeiro, a empacotada. E quando Annushka sai, não há sinal da outra. Nenhuma surpresa, o frio é cortante. Ela vagueia perto da delegacia, as suas pernas a apressam, querem carregá-la por essas ruas largas para algum lugar, até a origem de todas elas, até suas nascentes nos subúrbios acidentados, e além deles, onde paisagens novas e distintas se abrem — uma enorme planície que brinca com a sua respiração. Mas o ônibus de Annushka está se aproximando, ela corre e o alcança no último instante.

As pessoas já estão em movimento e as ruas foram tomadas pelo trânsito matinal, embora o sol ainda não tenha nascido. O ônibus de Annushka demora a chegar à periferia. Depois, ela fica parada diante do prédio e olha para o alto, para as janelas do seu apartamento. Ainda estão escuras, mas quando o céu começa a clarear, ela vê uma luz se acender na cozinha e só então se dirige para a entrada.

Se balance, se mova, mova. Só assim você conseguirá fugir dele. Aquele que governa o mundo não tem poder sobre o movimento e sabe que o nosso corpo errante é sagrado, você só consegue escapar dele quando se locomove. Ele reina sobre tudo o que está imóvel e congelado, tudo o que é passivo e inerte.

Por isso se mexa, balance, se curve, ande, corra, fuja, pois quando você se esquecer e ficar parada, cairá em suas enormes mãos que a transformarão numa marionete, e ele vai te envolver em seu bafo fétido, que cheira a fumaça, gases e enormes lixões, como os da periferia da cidade. Ele transformará a sua alma colorida em uma pequena alma achatada, recortada em papel de jornal e a ameaçará com fogo, doença e guerra. Ele a amedrontará até você perder a paz e parar de dormir. Ele a marcará e inscreverá em seus registros, lhe entregará o documento desta ruína. Ele ocupará a sua mente com coisas fúteis: o que comprar, vender, onde é mais barato e onde é mais caro. A partir daí você vai se preocupar com ninharias — o preço da gasolina e como isso afetará o pagamento dos seus empréstimos. Você vai viver cada dia de forma dolorosa, como se a vida fosse um castigo, mas jamais saberá por quem, quando e que tipo de crime foi cometido.

Antigamente, há muito tempo, o tsar tentou reformar o mundo, mas sofreu uma derrota e o mundo caiu bem nas mãos do anticristo. O Deus verdadeiro e bom foi expulso do mundo, o vaso com o poder divino foi quebrado, a terra o absorveu e ele desapareceu nas profundezas. Mas quando ele sussurrava do seu esconderijo, foi ouvido por um homem justo, um soldado chamado Eufêmio, que gravou essas palavras na sua mente. À noite, ele jogou fora o fuzil, tirou a farda, desenrolou as grevas e descalçou as botas. Ficou debaixo do céu, nu como Deus o trouxe ao mundo, e depois fugiu para a floresta, vestiu um agasalho e foi andando de um vilarejo a outro, anunciando as novas sombrias. Fujam, saiam das casas, andem, fujam, pois só assim escaparão das armadilhas do anticristo. Qualquer batalha aberta com ele está totalmente perdida. Deixem aquilo que possuem, abandonem a terra e sigam a estrada.

Outras pessoas começaram a se juntar a esse homem santo até que se formou uma multidão, um enorme grupo solto, e aqueles que pertenciam a ele se reconheciam pelo olhar e por pequenos gestos. E mesmo que constituíssem uma enorme comunidade, não distinguiam entre eles pessoas de maior ou menor importância, governantes ou súditos, pregadores ou ouvintes. Todos eram iguais, eternos errantes que não podiam ficar parados nem por um instante e mesmo durante o sono deviam se movimentar, e quando ficassem doentes, outros os carregariam para que Satanás não os apanhasse na inércia. Eram vistos nos caminhos, nas vias e estradas, a pé e a cavalo, sobre carroças e coches, até que se começou a chamá-los de "correntes", um nome derivado do ato de correr, fugir. Com o passar do tempo, era possível encontrá-los nos trens, nos ônibus, no metrô, nas filas, nos navios e aviões.

Tudo o que possui o seu lugar fixo neste mundo, todos os países, todas as igrejas, todos os governos humanos, tudo o que manteve a sua forma neste inferno está a serviço do anticristo. Tudo o que está determinado, que se estende daqui até ali, o que está contido em rubricas, inscrito em registros, numerado, evidenciado, juramentado; tudo o que está recolhido, exposto, rotulado. Tudo o que nos prende: casas, poltronas, camas, famílias, terra, o ato de plantar e zelar por aquilo que foi plantado. Planejar, esperar pelos resultados, traçar cronogramas e manter a ordem. Por isso crie os seus filhos, já que você os trouxe imprudentemente a este mundo, e siga o caminho. Enterre os seus pais, já que eles imprudentemente fizeram com que você existisse, e vá. Vá para longe, fora do alcance da sua respiração, fora dos seus cabos e das suas redes, antenas e ondas, para não ser detectado pelos seus instrumentos sensíveis. Quem se detiver, ficará petrificado, quem parar, acabará preso como um inseto, o coração atravessado por uma agulha de madeira, as mãos e os pés perfurados e presos na soleira e no teto.

Foi exatamente assim que ele morreu, Yefim, aquele que se rebelou. Ele foi capturado e seu corpo foi pregado na cruz, imobilizado como um inseto, exposto a olhos humanos e desumanos, sobretudo os desumanos, os que mais se deliciam com esses espetáculos; não é de estranhar que eles o repitam e celebrem todos os anos, erguendo suas preces a um corpo morto.

O ódio dos nômades corre no sangue dos tiranos de toda espécie, servos do inferno. Por isso perseguem ciganos e judeus, por isso mandam assentar todas as pessoas livres, marcam com um endereço que para nós é uma sentença.

Querem construir uma ordem petrificada, falsear a passagem do tempo. Querem que os dias se repitam, imutáveis, querem construir uma grande máquina onde todos os seres precisarão ocupar o seu próprio lugar e fazer movimentos ilusórios. Instituições e repartições, carimbos, circulares, hierarquia e patentes, títulos, solicitações e recusas, passaportes, números, cartões, resultados das eleições e promoções. Acumular pontos, colecionar, trocar certas coisas por outras.

O que eles querem é imobilizar o mundo através dos códigos de barras, rotular tudo para que se saiba que tudo é mercadoria, e o quanto vai lhe custar. Que essa língua estrangeira seja ilegível para as pessoas, que seja lida por máquinas e robôs, que, à noite, em enormes lojas subterrâneas, organizarão recitais de sua própria poesia em código de barras.

Mova-se, mova-se. Bendito aquele que parte.

A TERCEIRA CARTA DE JOSEFINA SOLIMAN PARA FRANCISCO I, IMPERADOR DA ÁUSTRIA

Vossa Majestade permanece em silêncio, decerto por estar ocupado com importantes assuntos do Estado. Eu, no entanto, não cesso em meus esforços e me dirijo novamente à Vossa Majestade apelando por misericórdia. Lavrei a minha última carta há mais de dois anos e até agora continuo aguardando uma resposta.

Repito, então, o meu apelo.

Sou a única filha de Angelo Soliman, servidor de Vossa Majestade, um eminente diplomata do Império, um homem ilustre e amplamente respeitado. Suplico piedade para mim, pois jamais conseguirei ter paz tendo a consciência do fato de que meu pai, o corpo do meu pai, até agora não foi enterrado de forma cristã, mas se encontra empalhado e tratado com substâncias químicas no Gabinete de Curiosidades da Natureza na corte de Vossa Majestade.

Desde o nascimento do meu filho, vivo acometida por uma doença que está em constante evolução. Temo que essa questão, pela qual pelejo, seja tão irremediável quanto a minha enfermidade, e nada há de ser feito em meu auxílio. A palavra "pelejar" se encaixa perfeitamente aqui, pois — se me permite recordá-lo —, após a morte, meu pai foi despojado da pele e em seguida empalhado. Atualmente, constitui uma peça exibida na coleção de Vossa Majestade, que, embora tivesse rejeitado o pedido de uma jovem mãe, talvez não rejeite o de uma moribunda.

Visitei esse tenebroso local antes de deixar Viena. Casei-me com um servidor de Vossa Majestade, o sr. Von Feuchtersleben, engenheiro militar que foi transferido a serviço para os confins setentrionais do nosso país, para Cracóvia. Eu estive lá, o vi, e posso dizer que visitei o meu pai no inferno, pois sendo católica, acredito que, privado de seu corpo, ele não receberá a bênção de ressuscitar no dia do Juízo Final. Essa mesma fé me sugere que, ao contrário daquilo que alguns possam achar, o corpo é a nossa maior dádiva, é sagrado.

Desde que Deus se fez homem, o corpo humano foi consagrado para sempre e todo o mundo adquiriu a forma de um único homem individual. Não existe nenhuma maneira de acessar um outro ser humano e o mundo que não seja através do corpo. Nunca seríamos salvos se Cristo não tivesse tomado a forma humana.

Meu pai foi esfolado como um animal, estufado com palha e deixado na companhia de outros seres humanos empalhados no meio dos restos de unicórnios, sapos monstruosos, fetos de duas cabeças flutuando em álcool e outras esquisitices. Eu vi com os meus próprios olhos aqueles que se amontoavam para ver Vossa coleção. As suas bochechas enrubescem ao olhar para a pele do meu pai. Eu os ouvi elogiarem Vossa valentia e audácia.

Quando Vossa Majestade visitar a sua coleção, vá até Angelo Soliman, Vosso servidor, cuja pele lhe serve mesmo após a sua morte. Essas mãos, que foram empalhadas com pouco zelo, um dia me tocavam, me carregavam no colo; a bochecha, hoje ressequida e caída, um dia roçava o meu rosto. Esse corpo amou e foi amado, e depois foi acometido pelo reumatismo. Foi daquele mesmo braço que Vosso médico tirava o sangue do meu pai. Esses restos humanos assinados com o nome e sobrenome de Angelo Soliman um dia foram um homem vivo.

Com frequência me pergunto, e isso não me deixa dormir em paz, qual foi o real motivo do tratamento tão cruel atribuído aos restos mortais do meu falecido pai.

Teria sido a cor da sua pele escura, negra? Um homem branco num país selvagem seria tratado da mesma forma — empalhado e exposto aos olhares curiosos? Basta um homem ser diferente, tanto na aparência como no seu interior, se destacar de alguma forma, para que as leis e os costumes comumente aceitos não se apliquem a ele? Essas leis teriam sido pensadas e criadas só para pessoas idênticas? No entanto, o mundo está repleto de diversidade. Muitas milhas ao sul, vivem pessoas diferentes daquelas que se estabeleceram no norte. Já no leste, vivem pessoas distintas daquelas que vivem no oeste. Que sentido tem uma lei que se aplica apenas a um grupo de pessoas? Lá, aonde chegarem os nossos navios e nosso dinheiro, a lei deveria ser seguida por todos sem exceção. Vossa Majestade mandaria empalhar um dos seus cortesãos se fosse branco? Os homens das mais baixas camadas sociais têm direito a serem enterrados. Assim sendo, se Vossa Majestade nega esse direito ao meu pai, não está questionando a sua humanidade?

Acredito que aqueles que nos governam não se importam em governar nossas almas, embora se considere amplamente o contrário. Hoje em dia é um conceito bastante incompreensível e abstrato. Se Deus for aquele — que me seja perdoada a minha amargura — que deu corda ao relógio, o Relojoeiro ou, de fato, o espírito da natureza que se manifesta de uma maneira nebulosa e completamente impessoal, o conceito da alma tornou-se incômodo e vergonhoso. Que governante reinaria sobre algo tão efêmero e incerto? Que monarca esclarecido desejaria ter o poder sobre algo cuja existência não fora comprovada nos laboratórios?

Não há dúvidas, Vossa Majestade, que o verdadeiro poder humano pode se referir apenas ao corpo humano — e é assim que ele é exercido. A constituição dos Estados e das fronteiras entre eles implica que o corpo humano permaneça num espaço claramente delimitado; a existência de vistos e passaportes controla a sua necessidade natural de se movimentar e deslocar. O soberano que determina os impostos possui influência sobre aquilo que os seus súditos vão consumir, sobre onde vão dormir e se as suas roupas serão feitas de linho ou de seda. Vossa Majestade determina, também, qual dos corpos será de maior ou de menor importância. Os seios abundantes de uma ama de leite distribuirão o alimento de forma desigual. A criança de um palácio localizado sobre uma colina vai mamar até ficar saciada, enquanto o bebê proveniente de uma aldeia no fundo do vale vai sugar os restos. Quando Vossa Majestade assina uma declaração de guerra, joga, simultaneamente, em poças de sangue milhares de corpos humanos.

Exercer o poder sobre o corpo significa ser o rei da vida e da morte. É mais do que ser o imperador do maior país. Por isso me dirijo a Vossa Majestade desta forma, como a um arrendatário da vida e da morte, tirano e usurpador, e não peço mais — exijo. Devolva-me o corpo do meu pai para que eu possa enterrá-lo. Eu o seguirei, Vossa Majestade, como uma voz das trevas, e, mesmo depois da minha morte, eu não o deixarei em paz, não cessarei de sussurrar.

Josefina Soliman von Feuchtersleben

AS COISAS QUE NÃO FORAM CRIADAS POR MÃOS HUMANAS

Depois de ver a exposição de sariras, não me causam espanto as coisas que não foram criadas por mãos humanas. Há entre elas livros que crescem espontaneamente nas montanhas, na umidade das suas cavernas, e se deixam descobrir de tempos em tempos por homens justos que, solenemente, os transferem para os templos. Há também ícones com o rosto divino. Basta somente deixar por algum tempo uma tábua com a superfície limpa e a primeira demão aplicada. E aguardar. Às vezes, à noite, um rosto divino pode aparecer ali, espreitar sob ele, emergir da escuridão mais profunda, dos próprios alicerces pantanosos do mundo. Talvez estejamos vivendo numa enorme câmara escura, trancados numa caixa escura, e assim que uma pequena abertura puder ser feita, tão logo uma pequena agulha a perfurar, a imagem externa entrará junto com um raio de luz e deixará uma marca na superfície interna e fotossensível do mundo.

Fala-se também sobre uma certa estatueta magistral de Buda, feita do melhor dos metais, que do mesmo modo teria surgido sozinha. Era apenas necessário remover a terra que a recobria. A estatueta representava Buda sentado com a cabeça apoiada sobre a mão. Esse Buda sorria enigmaticamente, com um pouco de delicadeza e ironia, como alguém que tinha acabado de ouvir uma piada sutil. Uma piada cujo desfecho não cabe na última frase, mas na respiração daquele que a conta.

A PUREZA DO SANGUE

Uma ilhoa do outro hemisfério com quem cruzei num hotel em Praga me contou o seguinte:

As pessoas sempre carregaram milhões de bactérias, vírus e doenças; não há como evitar isso. Mas é possível, ao menos, tentar. Depois do pânico mundial com a doença da vaca louca, alguns países introduziram novas regulações jurídicas. Qualquer habitante da ilha que viajasse para a Europa jamais poderia ser doador de sangue. Seria possível dizer que, de acordo com a lei, ele estaria contaminado para o resto de sua vida. E é o que acontecerá com ela — nunca mais doará sangue. É o preço que ela pagou por essa viagem, um custo não incluso na passagem. A pureza perdida. A honra perdida.

Eu lhe pergunto se valeu a pena, se fazia sentido sacrificar a pureza do sangue para visitar algumas cidades, igrejas e alguns museus.

Ela respondeu com seriedade que todas as coisas têm um preço.

KUNSTKAMERA

O propósito de uma peregrinação é um outro peregrino. Dessa vez reconheci imediatamente a mão delicada de Charlotta. Num vidro alongado fechado com uma tampa, que lembrava uma escultura, um pequeno feto de olhos fechados flutuava, suspenso por dois fios de crina de cavalo. Os seus pés miúdos tocavam nos restos avermelhados da placenta. Sobre a tampa havia uma pequena natureza-morta do fundo do mar: tudo se associava com o marinho, inclusive o próprio protagonista desse espetáculo — o feto. Viemos da água. Foi por esse motivo, decerto, que Charlotta colocou conchas, estrelas-do-mar, corais e esponjas sobre a tampa de ardósia. E, no ponto central da composição, alegrava os nossos olhos com um cavalo-marinho dissecado — *hippocampus*.

E mais um espécime me impressionou muito — gêmeos siameses conservados na água do Estige, e junto deles, o seu esqueleto dissecado. É uma prova de uma grande economia de materiais — dois espécimes obtidos de um único corpo duplo.

LA MANO DI CONSTANTINO

A primeira coisa que chamou a minha atenção depois de chegar à Cidade Eterna foram os belos homens de pele negra que vendiam bolsas e carteiras. Comprei um pequeno porta-moedas vermelho porque me roubaram o anterior em Estocolmo. A segunda, bancas cheias de cartões-postais. Aliás, você podia parar por ali mesmo e passar o resto do tempo na sombra às margens do rio Tibre, ou talvez tomando um vinho em um dos seus cafés pequenos e caros. Cartões-postais com paisagens, panoramas de ruínas antigas, cartões-postais preparados ambiciosamente para mostrar o máximo possível naquele espaço plano, estão todos sendo lentamente substituídos por fotografias focadas nos detalhes. Deve ser uma boa ideia, pois alivia mentes sobrecarregadas. O mundo está em demasia, é melhor se concentrar no detalhe e não na totalidade.

Eis um belo pormenor de um chafariz, um gatinho sentado sobre uma cornija romana, os genitais de *David* de Michelangelo, o enorme pé de uma escultura de pedra, um torso mutilado que imediatamente nos faz pensar a que rosto pertencia aquele corpo. Uma única janela na parede ocre e, enfim — sim — uma mão com o dedo indicador erguido verticalmente para o céu, monstruosa, arrancada de uma impressionante totalidade bem na altura do pulso — a mão do imperador Constantino.

E foi assim que fiquei contagiada com aquele cartão-postal. Realmente é preciso ter cuidado, logo no início, para o que se olha! A partir daquele momento, via em toda parte mãos apontando para algo, virei escrava daquele detalhe que me possuía.

Uma estátua seminua de um guerreiro com um capacete de gala e uma lança numa das mãos; a outra aponta para algo no alto. Dois querubins chamando a atenção dos outros com seus dedos gordinhos para o fato de que lá, sobre as suas cabeças — mas o que seria aquilo? E mais ainda, duas turistas caindo na gargalhada, contorcendo-se de rir com seus dedos em riste, um grupo de pessoas diante de um hotel elegante, pois Richard Gere e Nicole Kidman acabaram de sair de lá. E na praça de São Pedro dava para ver centenas de dedos indicadores iguais àqueles.

No Campo di Fiori vi uma mulher que ficou petrificada numa bica de água por causa do calor. O seu dedo junto da orelha, como se quisesse recordar uma melodia dos tempos de sua juventude e já começava a ouvir as suas primeiras notas.

E depois avistei um homem idoso e doente numa cadeira de rodas puxada por duas moças. Ele estava paralisado, tubos de plástico brancos emergiam de seu nariz e sumiam dentro de uma mochila preta. Uma expressão de pavor absoluto estava congelada no seu rosto e a sua mão direita apontava com o seu dedo nodoso e predatório para algo que devia estar logo atrás do seu ombro esquerdo.

MAPEAR O VAZIO

James Cook partiu para os mares meridionais para observar a passagem de Vênus sobre o disco solar. Vênus lhe revelou não só a sua beleza, mas também a terra que já havia sido observada pelo holandês Tasman. A partir de suas anotações, os navegadores sabiam que a encontrariam por lá. Todos os dias procuravam por ela e todos os dias cometiam os mesmos erros — tomavam nuvens por terra. À noite, conversavam sobre uma ilha misteriosa que certamente seria bela, pois permanecia sob custódia de Vênus. E, sendo a terra de Vênus, tinha que possuir também outras qualidades superiores, a respeito das quais cada um dos marinheiros tinha as suas próprias fantasias.

O primeiro oficial vinha do Taiti. Estava convencido de que essa terra seria como o seu Havaí — cálida, tropical, banhada pelo sol, cercada por longas, infinitas praias, cheia de flores, ervas úteis e belas mulheres com seios nus. Já o capitão vinha de Yorkshire (um fato do qual se orgulhava muito) e essencialmente não se oporia caso essa terra fosse como a sua terra natal. Perguntava-se, aliás, se terras dos dois lados do globo não poderiam estar ligadas por algum tipo de correspondência, uma intimidade planetária, uma semelhança — se não óbvias e triviais, então talvez manifestações mais profundas, de outra espécie. O grumete Nils Jung sonhava com montanhas, imaginando que essa terra fosse montanhosa, com picos cobertos de neve que alcançassem o céu, e que houvesse entre elas vales férteis cheios de ovelhas pastando e riachos limpos repletos de trutas (aparentemente, ele vinha da Noruega).

E foram seus olhos que avistaram a Nova Zelândia no dia 6 de outubro de 1769.

A partir de então o *Endeavour* navegou em frente, na direção da terra que emergia de trás das nuvens, quilômetro por quilômetro. À noite, o comovido capitão Cook transpunha os seus contornos para o papel, desenhando mapas.

Durante os anos que passaram mapeando, tiveram muitas aventuras que já haviam sido descritas vivamente. Quando alguém sugeriu que uma terra tão extraordinária devia ser habitada, no dia seguinte avistaram fumaça se erguendo sobre o matagal. Quando começaram a temer o surgimento de eventuais obstáculos para conseguir produtos da terra e a imaginar homens selvagens valentes, ainda na mesma manhã estes apareceram na terra — terríveis e apavorantes. Tinham rostos tatuados, botavam as línguas para fora e sacudiam as lanças. Para manifestar sua superioridade e estabelecer a hierarquia imediatamente, eles mataram selvagens a tiros inúmeros. Foi então que os descobridores foram atacados.

Ao que parece, Nova Zelândia foi a última terra que nós imaginamos.

OUTRO COOK

No verão de 1841, Thomas, grande defensor de uma mente sóbria, saiu caminhando de Loughborough, sua cidade natal, e percorreu a pé uma distância de dezessete quilômetros até Leicester, onde participaria do encontro da Sociedade da Temperança. Estava acompanhado de mais alguns cavalheiros. No caminho longo e cansativo, Cook teve a ideia — agora parece tão estranho que ninguém tenha pensado nisso antes dele, mas esta é a famosa simplicidade das ideias geniais — de reservar um vagão de trem para transportar todos os viajantes juntos na próxima viagem.

Um mês depois conseguiu organizar a primeira excursão para mais de uma centena de pessoas (não se sabe, porém, se todos se dirigiam para o encontro da Sociedade da Temperança). Assim surgiu a primeira agência de viagens.

Thomas Cook e James Cook: dois cozinheiros que cozinharam a nossa realidade.

BALEIAS. AFOGAR-SE NO AR

Todos os habitantes da região costeira australiana saíam para a praia quando corria a notícia de que mais uma baleia desorientada estava encalhada na areia. As pessoas se revezavam em turnos, molhavam a sua pele delicada com água e a encorajavam a voltar para o mar. As senhoras idosas vestidas como hippies afirmavam que sabiam o que estavam fazendo. Aparentemente, tudo o que você tinha que fazer era dizer: "Vá, vá, meu irmão", ou eventualmente, "minha irmã". E, com os olhos fechados, compartilhar a sua energia com ela.

O dia inteiro, figuras miúdas andavam de lá para cá na praia esperando a maré subir para levá-la de volta para as profundezas. Prendiam redes aos barcos e tentavam arrastá-la à força. No entanto, o enorme animal transformava-se num peso inerte, num corpo indiferente à vida. Não havia nada de estranho no fato de as pessoas começarem a falar de "suicídio". Um pequeno grupo de ativistas apareceria para argumentar que os animais deveriam morrer em paz, se assim o desejassem. Por que o ato de suicídio deveria ser um privilégio duvidoso apenas do ser humano? Talvez a vida de cada ser vivo tenha seus próprios limites, invisíveis aos olhos, e depois de ultrapassá-los, se extinga por sua própria conta. Que isso seja levado em consideração na Carta dos Direitos dos Animais elaborada em Sydney ou Brisbane. Queridos irmãos, nós lhes damos o direito de escolher a sua própria morte.

Xamãs duvidosos vinham até a baleia agonizante e praticavam rituais em torno dela, apareciam também fotógrafos amadores e caçadores de sensações. A professora de uma escola local levou a sua turma de alunos até lá e depois as crianças retrataram a "Despedida da baleia".

Normalmente uma baleia demorava alguns dias para morrer. E durante esse tempo, os habitantes do litoral costumavam se apegar a essa criatura serena e majestosa de uma vontade impenetrável. Alguém lhe dava um nome, normalmente um nome humano. Aparecia a emissora da televisão local e, graças à televisão por satélite, todo o país, e o mundo inteiro, participava do processo de agonia. O problema desse indivíduo na praia encerrava todos os noticiários em três continentes. Aproveitava-se a ocasião para passar filmes sobre aquecimento global e ecologia. Os estudiosos discutiam nos estúdios e os políticos incluíram a questão da proteção da natureza em seus programas eleitorais. Por quê? Ictiologistas e ecologistas respondiam a essa questão e todos tinham as suas próprias teorias.

O sistema de ecolocalização danificado. Poluição da água. Testes nucleares no fundo dos mares, pelos quais nenhum país queria se responsabilizar. Ou será que, a exemplo dos elefantes, se tratava de uma morte voluntária? Velhice, talvez? Desapontamento? Os cérebros dos mamíferos são suscetíveis à pressão das trevas. Há pouco tempo se descobriu quão parecidos são os cérebros das baleias e dos humanos. E além das semelhanças, elas contam com certas áreas que um *Homo sapiens* não possui, localizadas na melhor porção, a mais desenvolvida, dos lóbulos frontais.

Enfim, a morte se tornava real e o corpo morto precisava ser retirado da praia. Isso costumava acontecer na presença de poucas pessoas, ou mesmo sem testemunhas. Somente os funcionários de casacos verde-limão retalhavam o corpo e o colocavam sobre reboques para levá-lo a um destino indeterminado. Se existia um cemitério para essas baleias, certamente se encontrava lá.

A orca Billy morreu afogada no ar.

As pessoas desconsoladas em seu pesar.

Mas às vezes se conseguia salvar algumas delas. Depois de muito esforço e de um trabalho cheio de dedicação de dezenas de voluntários, as baleias respiravam fundo e retornavam para o mar aberto. Era possível vê-las esguichando alegremente, lançando para o céu os seus famosos borrifos e depois mergulhando nas profundidades do oceano. A praia aplaudia.

Algumas semanas depois, eram caçadas na costa do Japão e os seus belos e tenros corpos se transformavam em ração para cães.

A ZONA DE DEUS

Faz alguns dias que ela está com as malas feitas. As roupas estão dispersas, amontoadas em pilhas sobre o tapete do quarto. Anda por entre elas para chegar à cama, vadeando no meio das pilhas de camisetas, calcinhas, meias enfiadas umas dentro das outras, calças dobradas cuidadosamente pelos vincos e alguns livros para serem lidos no caminho, um par de romances que estão na moda e que ela ainda não teve tempo de ler. Há também um suéter quente e sapatos de inverno que ela comprou especialmente para essa ocasião, já que vai se aventurar em pleno inverno.

As roupas são apenas roupas — peles inescrutáveis e macias de uso múltiplo, capas protetoras para um corpo frágil de mais de cinquenta anos, macacões contra a radiação solar e os olhares curiosos. São indispensáveis para sua longa viagem e a estadia de várias semanas nos confins do mundo. Colocava-as no chão de acordo com uma lista que ela preparava dia após dia nos seus raros momentos livres, já consciente de que teria que ir. Porque uma palavra dada tem que ser cumprida.

Enquanto ajeitava tudo cuidadosamente na sua mala vermelha com rodinhas, tinha que admitir sinceramente que precisava de pouca coisa. A cada ano descobria que a quantidade diminuía. Dispensava os vestidos, a mousse modeladora para o cabelo, o esmalte para as unhas e todas as ferramentas de manicure, os brincos, o miniferro de passar de viagem, cigarros. Este ano percebeu que não precisaria mais de absorventes.

"Não precisa me levar", disse ao homem, que virou o rosto sonolento em sua direção. "Vou pegar um táxi."

Ela passou o dorso da mão sobre as suas pálpebras pálidas e delicadas e beijou a sua bochecha.

"Me ligue quando chegar lá. Senão, vou morrer de preocupação", balbuciou e sua cabeça pousou sobre o travesseiro. Tinha passado a noite de plantão no hospital, houve um acidente e o paciente morreu.

Ela vestiu calças e uma blusa de linho pretas. Calçou os sapatos e pendurou a bolsa no ombro. Agora está parada, imóvel no corredor, e ela própria não sabe por quê. Em sua família se costuma dizer que é preciso sentar por um minuto antes de se lançar em qualquer tipo de viagem — um antigo costume dos confins da Polônia oriental; mas aqui, neste pequeno vestíbulo, não há nenhuma cadeira, nenhum lugar para sentar. Então ela ficou em pé acertando seu relógio interno, seu cronômetro interno, por assim dizer, cosmopolita, esse cronômetro de carne e osso que tiquetaqueia surdamente ao ritmo da sua respiração. E de repente ela se recompõe, pega a mala pela alça feito uma criança que havia se distraído e abre a porta. Já está na hora de ir. Está pronta. Vai.

O taxista de pele morena colocou sua bagagem com cuidado no porta-malas. Alguns dos seus gestos lhe pareceram desnecessários, demasiadamente íntimos. Teve a impressão de que ele a acariciou de leve quando acomodou sua mala.

"Vai viajar?", perguntou, sorrindo, mostrando os grandes dentes brancos.

Ela confirmou que sim. Ele abriu um sorriso ainda mais largo com a gentil intermediação do retrovisor.

"Para a Europa", ela acrescentou, e o taxista expressou a sua admiração com um som entre um suspiro e uma exclamação.

Seguiam por uma estrada que margeava a baía. A maré começava a baixar e aos poucos a água ia revelando o fundo pedregoso semeado de conchas. O sol ofuscava e ardia, era preciso ter cuidado com a pele. Nessa hora, ela pensou com tristeza em suas plantas no jardim, e se perguntou se o marido realmente se lembraria de aguá-las, do jeito que prometera. E nas tangerinas (se conseguiriam resistir até o seu retorno, quando ela faria uma geleia), nos figos, que estavam apenas amadurecendo, e nas ervas transplantadas para a parte mais seca do jardim, onde o solo é quase pedregoso, embora pareçam gostar de lá, considerando que esse ano o estragão atingiu um tamanho impressionante. Até a roupa lavada estendida no jardim ficou impregnada do seu perfume acre e revigorante.

"Dez", disse o taxista.

Ela lhe pagou.

No aeroporto local, mostrou a passagem no balcão e despachou a bagagem até o destino. Ficou com a mochila e se dirigiu sem pressa para o avião, no qual embarcavam passageiros sonolentos acompanhados de crianças, cachorros e sacolas de plástico cheias de provisões.

Quando o pequeno avião se ergueu no ar para levá-la ao aeroporto principal, viu uma imagem tão exuberante que foi tomada por uma sensação de enlevo. "Enlevo", uma palavra engraçada e antiquada, cômica nesse contexto, pois estava realmente elevada à altura das nuvens. As ilhas e as praias arenosas lhe pertenciam tanto quanto suas mãos e seus pés; o mar, que se enrosca formando espirais de espuma nas margens, os cacos dos navios e barcos, a suave e serpenteante linha costeira e o interior verde das ilhas — tudo isso lhe pertencia. *God's Zone*, assim os moradores chamavam a ilha. A Zona de Deus. Foi para lá que Ele se mudou e levou consigo toda a beleza do mundo. E agora a distribui de graça, incondicionalmente, a todos os seus moradores.

No aeroporto grande, foi ao banheiro e lavou o rosto. Depois demorou observando a fila pequena e impaciente que se formou diante dos pontos com internet gratuita. As pessoas em viagem paravam ali por um momento para enviar um sinal aos amigos próximos e distantes: estou aqui. Pensou, aliás, em ir até as telas, digitar o nome de seu servidor, seu endereço e checar quem tinha lhe escrito também, mas sabia o que acharia lá. Nada de interessante: mensagens sobre o projeto em que estava trabalhando no momento, piadas de uma amiga da Austrália, e talvez os raros e-mails dos seus filhos. O remetente das mensagens que se tornaram o motivo de sua viagem estava algum tempo sem dar notícias.

Estranhou todos os rituais de segurança; havia muito que não viajava de avião. Ela e a sua mochila passaram pelo raio X. Seu alicate de unhas foi confiscado e ela ficou com pena porque era bastante bom, usava-o havia anos. Os funcionários tentavam avaliar com um olhar profissional quem entre os passageiros poderia estar armado com explosivos, especialmente os de rostos morenos ou as moças alegres e tagarelas de lenços na cabeça. Parecia que o mundo ao qual ela se dirigia, e em cuja fronteira se encontrava agora, logo atrás da linha amarela, era regido por outras leis, e seus estrondos sombrios e raivosos chegavam até mesmo ali.

Depois de passar pelo controle de passaportes, fez pequenas compras no duty-free. Achou o seu portão de embarque — nove —, sentou-se com o rosto virado para a entrada e tentou se dedicar à leitura.

O avião decolou no horário previsto, sem contratempos. Mais uma vez aconteceu o milagre de uma máquina grande como um prédio se soltar graciosamente do abraço da terra e se elevar suavemente até as alturas.

Depois de consumir a comida de plástico servida a bordo, todos começaram a se acomodar para dormir. Alguns com os fones nos ouvidos assistiam a um filme sobre a viagem fantástica de bravos cientistas reduzidos por algum tipo de "acelerador" ao tamanho de bactérias, e que agora se dirigiam para o corpo de um paciente. Olhava para a tela sem os fones e ficou impressionada com as imagens fantásticas de um cenário parecido com o fundo do mar, com os corredores dos vasos sanguíneos em tons de carmim, as contrações pulsantes das artérias, e, dentro delas, linfócitos agressivos que lembravam extraterrestres vindos do espaço, glóbulos delicados e côncavos, ovelhinhas inocentes. O comissário de bordo passou pelo corredor distribuindo água discretamente, uma única rodela de limão na jarra inteira. Ela tomou um copo.

Quando chovia, a água escorria pelas aleias no parque, lavando-as e cobrindo-a com uma delicada camada de areia clara. Era possível escrever nelas com a ponta de um graveto — essas faixas ondulantes clamavam para serem inscritas. Você podia desenhar as casas do jogo da amarelinha, princesas com vestidos armados e cinturas de vespa e, alguns anos mais tarde, charadas e confissões, a álgebra amorosa de todos aqueles M + B = GA, o que significava que alguma Maria ou Mônica amava um Bruno ou Benjamim, já GA representava um Grande Amor. Sempre acontecia quando ela voava: olhava do alto para toda a sua vida, para determinados momentos que pareciam ter esvanecido sobre a terra, apagados da memória. O mecanismo banal do flashback, uma reminiscência mecânica.

Quando recebeu o e-mail, não sabia quem era o remetente, quem se escondia sob aquele nome e por que se dirigia a ela com tanta intimidade. Essa amnésia durou uma dezena de segundos — deveria ter ficado envergonhada. Aparentemente, como constatara mais tarde, era um simples cartão de Natal. Recebeu-o na metade de dezembro, com a chegada dos primeiros dias de calor. Porém, nitidamente ultrapassava as fórmulas convencionais. Parecia um grito distante, abafado e indistinto vindo do outro lado de um megafone. Não entendia tudo, algumas frases a deixavam preocupada. Por exemplo, aquela sobre a vida, "que parecia um vício repugnante sobre o qual perdemos o controle há muito tempo". E a pergunta: "Você já tentou largar o cigarro alguma vez na vida?". Sim, já tentou. E não foi nada fácil.

Durante uns bons dias, ela digeriu essa estranha mensagem escrita por um homem que ela tinha conhecido mais de trinta anos antes. Desde então nunca mais o vira e já o havia arrancado da memória. No entanto, ela o amara na juventude durante dois intensos anos. Respondeu de forma cortês, num tom completamente distinto, e a partir daquele momento os e-mails começaram a chegar diariamente.

Esses e-mails tiraram toda a sua paz. Ao que parecia, despertaram um fragmento adormecido do seu cérebro em que ela guardava aqueles anos fragmentados em imagens, em fiapos de diálogos, sombras de cheiros. Agora, todos os dias enquanto ia dirigindo para o trabalho, no instante em que girava a chave de ignição, acionava aquelas gravações, filmes registrados com uma câmera fajuta, com cores desbotadas ou mesmo em preto e branco, cenas genéricas, instantes aleatórios sem ordem ou lógica, e ela não tinha ideia do que fazer com eles. Por exemplo, eles saindo da cidade, na verdade, uma cidadezinha, subindo uma colina, por onde passa uma linha de alta tensão. A partir dali, as suas palavras vêm acompanhadas por um zumbido, como se fosse um acorde sublinhando a importância daquele passeio, um som grave e monótono, uma tensão que não aumenta nem diminui. Andam de mãos dadas; é o tempo dos primeiros beijos, que não há como descrever de outra forma a não ser "estranhos".

O seu liceu era um edifício antigo e frio onde dois andares de salas de aula se multiplicavam por corredores largos. Todas eram muito parecidas — três fileiras de mesas e, de frente para elas, a mesa do professor. Lousas cobertas de uma borracha verde-escura podiam ser movidas para cima e para baixo. O monitor de cada classe tinha a obrigação de umedecer a esponja antes das aulas. Nas paredes, havia retratos de homens em branco e preto. Só no gabinete de física era possível encontrar um rosto feminino: o de Maria Skłodowska-Curie, a única indicação da igualdade dos sexos. Essa galeria de rostos que pendiam sobre as cabeças dos alunos estava ali para lembrar que por algum milagre a escola fazia parte de uma grande família científica e, apesar do seu provincianismo, era herdeira das melhores tradições e pertencia ao mundo em que tudo pode ser descrito, explicado, provado e demonstrado através dos exemplos.

Na sétima série, ela começou a se interessar por biologia. Achou, em algum lugar, um artigo sobre mitocôndrias — que seu pai pode ter lhe dado. Nele, se afirmava que em tempos remotos, no oceano primordial, as mitocôndrias eram seres autônomos que acabaram sendo interceptados por outros seres unicelulares e forçadas, para o resto dos tempos, a trabalharem em prol dos seus hospedeiros. Essa escravidão foi sancionada pela evolução — e cá estamos nós. A descrição do processo foi feita exatamente através dessas palavras e com esses exatos termos — "interceptado", "forçado", "escravidão". Para dizer a verdade, isso sempre a havia inquietado. A hipótese de ter havido toda essa violência no início.

Ela já sabia na época do liceu que viraria bióloga, por isso ficava entusiasmada em aprender biologia e química. Nas aulas de russo, escrevia cartinhas cheias de fofocas repassadas gentilmente pelos colegas por debaixo das mesas das amigas. Nas aulas de polonês, morria de tédio até que, no décimo ano, ela se apaixonou por um colega de uma outra turma que tinha o mesmo nome e sobrenome que o autor do e-mail e cujo rosto ela agora se esforçava para evocar. Parece que foi por isso que ela aprendeu tão pouco sobre o positivismo e a Jovem Polônia.*

A sua jornada diária é uma viagem pendular por um arco graciosamente recurvado, oito quilômetros de litoral, ida e volta, de casa para o trabalho e vice-versa. O mar está sempre presente nessa jornada e é possível dizer com toda a certeza que a sua viagem é um percurso marítimo.

Já no trabalho, ela deixava de pensar nos e-mails, voltava a ser ela mesma, e, de qualquer forma, lá não havia espaço para lembranças nebulosas. Logo depois de retirar o carro do acesso da garagem e de se juntar ao fluxo de carros na estrada, ficava sempre levemente excitada — havia tantas coisas esperando por ela no laboratório e no escritório. E eis que a solidez familiar desse edifício baixo e envidraçado reajustava a sua consciência, e o seu cérebro começava a funcionar com mais eficácia, concentrando-se como um motor bem lubrificado, infalível, que sempre leva ao destino.

Ela fazia parte de um programa importante cujo objetivo era eliminar pragas como doninhas e gambás, que — imprudentemente introduzidas na região pelo ser humano — agora estavam devastando populações das espécies endêmicas de pássaros, alimentando-se sobretudo com seus ovos.

* Movimento artístico do modernismo polonês. [N. T.]

Trabalhava numa equipe que testava venenos nesses pequenos mamíferos. O veneno era injetado nos ovos colocados em caixas de madeira especiais, distribuídas como uma espécie de isca nas florestas e no mato. Precisava ter um efeito rápido, humanitário e, além disso, tinha que se decompor imediatamente para que os animais mortos não envenenassem as populações de insetos. Um veneno cristalino, totalmente seguro para o mundo, que almejava eliminar exclusivamente os animais nocivos, um único tipo de organismo escolhido, capaz de neutralizar-se por si mesmo depois de cumprir a missão. Um James Bond da ecologia.

Era disso que ela se ocupava e foi ela quem criou essa substância, depois de trabalhar nela por longos sete anos.

De algum modo ele soube disso. Deve ter lido na internet, lá é possível achar qualquer coisa. Se você não está na internet, é como se não existisse. Precisa ter lá pelo menos uma pequena menção, nem que seja na lista dos formandos da sua escola secundária. Deve tê-la achado com facilidade, porque ela manteve o seu sobrenome de família. Então, deve ter digitado o seu sobrenome no Google e apareceram algumas páginas, os seus artigos, a grade anual de horários para os estudantes e a sua atuação no campo de ecologia. A princípio pensou que ele havia se interessado nisso. E assim, por uma completa ingenuidade, ela se deixou envolver naquela correspondência.

Era difícil dormir nesse enorme avião transcontinental. As pernas ficavam dormentes e inchadas. Ela cochilava e ficava ainda mais desorientada em relação ao tempo. Será que a noite pode ser tão longa? — pergunta o desnorteado corpo humano desgrudado da terra, o seu lugar, onde o sol nasce e se põe e a glândula pineal, o terceiro olho oculto, registra atentamente o seu movimento no céu. Começa a alvorecer, enfim, e os motores do avião mudam de tom. Passam do tenor, ao qual o ouvido já havia se acostumado, para registros mais graves, barítonos e baixos; e afinal, mais rápido do que ela esperava, a grande máquina desliza graciosamente para pousar sobre a terra. Quando atravessa a ponte de desembarque e acessa o aeroporto, sente o quanto o ar está quente, grudento e úmido, e se enfia por entre as fendas. Os pulmões se rebelam, recusando-se a recebê-lo. Mas, felizmente, não precisará lidar com ele. O próximo avião decola em quase seis horas e ela pretende passar esse tempo no aeroporto, dormindo e cochilando, tentando se encontrar no fuso horário. Mais doze horas de voo a aguardam.

Pensava com frequência no homem que lhe enviou inesperadamente aquele e-mail. E depois as mensagens que o seguiram, até que se estabelecesse entre eles uma correspondência cheia de subentendidos e suposições. Não se escreve diretamente esse tipo de coisas, mas diante de pessoas com quem um dia se manteve uma relação física íntima, se mantém algum tipo de lealdade — assim ela entendia. Foi por isso que ele a procurou? É óbvio que sim. A perda da virgindade é um acontecimento único e irreversível, não há como repeti-lo. Por isso, quer se queira quer não, ele se transforma em algo solene, independentemente de toda a ideologia. Ela se lembrava muito bem de como foi a sensação: uma dor curta e pungente, um corte, uma incisão — como é surpreendente que tenha sido feito por uma ferramenta tão suave e rombuda.

Lembra-se também dos grandes edifícios em tons de cinza e bege junto da universidade, de uma farmácia sombria com a luz eternamente acesa, em qualquer tempo e época do ano, e dos velhos potes marrons com o conteúdo cuidadosamente descrito sobre o rótulo. As cartelas amarelas com comprimidos para dor de cabeça, seis em cada uma delas, amarradas com elástico. Lembra-se do agradável formato ovoide dos telefones prensados em ebonite, em geral pretos ou da cor de mogno. Não tinham discos, apenas manivelas, e o som que emitiam lembrava um pequeno tornado acionado algures em longos túneis de cabos só para evocar a voz desejada.

Está surpresa que consegue ver tudo com tanta nitidez, pela primeira vez na vida. Deve ser um sinal de velhice, pois dizem que, quando se envelhece, afloram os esconderijos no cérebro responsáveis por gravar detalhadamente todos os acontecimentos do passado. Nunca havia tido tempo para pensar em assuntos tão antigos; enxergava o passado como se fosse um borrão. Agora esse filme desacelera e revela os detalhes — quão espaçoso é o cérebro humano. O dela preservou até a sua bolsa marrom de antes da guerra, uma herança da mãe, equipada com um lindo fecho metálico que parecia uma joia e os lados forrados com um material emborrachado macio. Era suave e frio ao toque; quando você alcançava o interior, parecia que um ramo morto do tempo tinha ficado preso ali.

O segundo avião, para a Europa, é ainda maior, de dois andares. Viajam nele turistas descansados e bronzeados. Tentam enfiar souvenirs excêntricos no compartimento de bagagem de mão — um tambor alto enfeitado com um desenho étnico, um chapéu de palha e um Buda de madeira. Está enfiada entre duas mulheres bem no meio da fileira de assentos, num lugar muito desconfortável. Encosta a cabeça na poltrona, mas sabe que não conseguirá dormir.

Saíram da mesma cidadezinha para estudar na universidade, ele, filosofia, e ela, biologia. Encontravam-se todos os dias depois das aulas, um pouco perdidos, assustados com uma grande cidade. Às vezes conseguiam entrar sorrateiramente e passar a noite no alojamento do outro. Lembra, aliás, que ele chegou a subir até o primeiro andar por uma calha. Recorda, também, o número do quarto: 321. Mas a cidade e a universidade duraram apenas um ano. Ainda teve tempo de prestar os exames, e a sua família emigrou. O seu pai vendeu todo o seu consultório por uma mixaria: a cadeira odontológica, os armários de metal envidraçados, autoclaves e ferramentas. Aliás, onde estaria todo esse equipamento? Num lixão, talvez? Será que o esmalte cor de creme ainda continua descascando? Já a mãe vendeu os móveis. Não havia desespero nem tristeza, havia, no entanto, uma inquietação na hora de se desfazer dos bens, pois era um recomeço da vida. Seus pais eram mais novos que ela agora (na época lhe pareciam pessoas idosas), prontos para enfrentar uma aventura, não importava onde — na Suécia, Austrália, ou talvez em Madagascar, em qualquer lugar, desde que fosse distante daquela vida setentrional, deteriorada e claustrofóbica num país comunista absurdo e hostil no fim dos anos 1960. Seu pai afirmava que aquele país não fora feito para gente, mesmo que depois, durante o resto da sua vida, morresse de saudades. E ela queria partir e, como qualquer moça de dezenove anos, queria conhecer o mundo.

Esse país não foi feito para gente, mas para pequenos mamíferos, insetos e mariposas. Está dormindo. O avião está suspenso num ar límpido e gélido que mata as bactérias. Todos os voos nos desinfetam. Todas as noites nos purificam. Vê uma pintura, não conhece o seu título, lembra-se dela da infância: uma jovem mulher toca nas pálpebras de um idoso ajoelhado diante dela. É um quadro da biblioteca do seu pai e ela sabe onde o livro estava, à direita, embaixo, junto com todos os outros livros de arte. Poderia fechar os olhos agora e entrar naquele cômodo com uma janela saliente que dava para o jardim. À direita, na altura do rosto, havia um interruptor de ebonite com uma pequena alavanca, que era preciso segurar com o polegar e o dedo indicador, e girar para acender a luz. Ele resistia levemente até fazer um clique. A luz do candelabro se acendia dentro de cinco abajures alongados em forma de cálices que formavam uma espécie de roda giratória. Mas essa luz que vinha do teto era fraca e ficava alta demais, não gostava dela. Preferia acender o abajur com a cúpula amarela que tinha folhas de grama embutidas (não tem a menor ideia de como), e se sentar numa poltrona velha e gasta. Quando era criança, achava que dentro dela viviam *boboks*, criaturas terríveis e indefinidas. O livro que agora abriria no colo — está se lembrando agora — seria o álbum de Malczewski. Ele se abre na página em que uma bela e jovem mulher com uma foice na mão fecha, tranquila e amorosamente, os olhos de um ancião ajoelhado diante dela.

O seu terraço dá para um campo aberto atrás do qual é possível avistar as águas azuladas da baía. A maré alta brinca com as cores, mistura-as, enverniza as ondas com um brilho prateado. Sempre depois do jantar, sai para o terraço, é uma reminiscência ainda dos tempos em que fumava. Agora está lá e olha para as pessoas que se entregam a alegrias e diversões. Se fosse pintar essa imagem — sairia um Bruegel jubiloso, ensolarado, talvez um pouco infantil. Um Bruegel meridional. As pessoas soltam pipas — uma delas tem o formato de um enorme e colorido peixe cujas nadadeiras compridas e finas flutuam no ar com a graça de um kinguio. Outra é um grande ursinho panda oval que se ergue acima de figuras humanas minúsculas. O terceiro é uma grande vela branca que arrasta o carrinho do seu dono pelo chão. Que utilidade que uma pipa pode ter! Como o vento pode ser bom e útil.

As pessoas brincam com os cachorros jogando para eles bolas multicoloridas. Os cachorros as levam de volta com um infindável entusiasmo. As pequenas figuras correm, andam de bicicleta, de patins, jogam "rondo", voleibol, badminton, praticam ioga. Na estrada ao lado, passam carros com reboques e sobre eles barcos, catamarãs, bicicletas e motor homes. Sopra um vento suave, brilha o sol, pequenos pássaros brigam debaixo da árvore por migalhas esquecidas.

Ela o entende da seguinte forma: a vida no planeta é posta em movimento por uma enorme força contida em cada átomo da matéria orgânica. É uma força para a qual por enquanto não existe nenhuma evidência física, é impossível captá-la nas imagens microscópicas mais precisas ou nas fotografias do espectro atômico. É algo que consiste em demarcar espaço, avançar, num incessante ato de se exceder. É um motor que impele as mudanças, uma energia cega e potente. E seria um mal-entendido lhe atribuir objetivos ou intenções. Darwin a interpretou da melhor maneira que sabia, mas não tinha razão. Não se trata de nenhuma seleção natural, luta, vitória ou adaptação do mais forte. De nenhuma concorrência de merda. Quanto mais experiente ela se torna como bióloga, quanto mais e melhor observa os complicados sistemas e elos no biossistema, tanto mais se firma em sua intuição: todos os seres vivos cooperam na tarefa de crescer e de abrir caminho, amparam-se mutuamente. Os organismos vivos entregam-se uns aos outros, permitem que os outros façam uso deles. Se existe a rivalidade, é um fenômeno local, um desequilíbrio. É verdade, os galhos das árvores lutam pelo espaço e acesso à luz, as suas raízes concorrem para chegar às fontes de água, os animais se devoram mutuamente, mas existe nisso um tipo de acordo aterrador. Pode-se ter a impressão de estar participando do teatro do grande corpo, como se essas guerras que travamos fossem apenas guerras civis. Isso — pois que outra palavra poderia ser usada? — vive, possui milhões de características e qualidades, de forma que tudo está contido nele e não há nada que possa ser considerado de fora, cada morte faz parte da vida, e de certa maneira — a morte não existe. Não há engano. Não há culpados ou inocentes, não há méritos e pecados, não existe o bom e o mau; aquele que criou esses conceitos induziu as pessoas ao erro.

Ela volta ao quarto e lê um e-mail dele, que acabou de chegar, anunciado por um bip, e de repente se lembra do desespero causado por esse homem-remetente há muito, muito tempo. O desespero de ele ficar e ela ir. Naquele dia ele foi à estação ferroviária, mas ela não consegue se lembrar dele parado na plataforma, embora saiba que cultivara essa imagem no passado. Evoca apenas o movimento do trem, as imagens de uma Varsóvia invernal passando cada vez mais rápido diante dos seus olhos, e um pensamento que começava com as seguintes palavras: jamais. Agora isso soa de uma maneira muito sentimental e, para dizer a verdade, ela não entende essa dor. Foi uma dor boa, como a dor menstrual. Algo está se completando — eis que se finaliza um processo interno e aquilo que é desnecessário é eliminado para sempre. Por isso dói, mas é uma dor purificadora.

Por algum tempo trocavam cartas. As dele vinham em envelopes azuis com selos da cor de pão integral. Obviamente, planejavam que um dia ele iria até onde ela estivesse. Mas, claro, não conseguiu. Aliás, quem acreditaria nesse tipo de afirmação? Havia uma série de motivos que agora parecem pouco claros e incompreensíveis — falta de passaporte, política, o abismo dos invernos em que é possível você acabar preso como se tivesse caído numa fenda, sem poder se mover.

Logo depois de chegar aqui, ela começou a ter crises de uma estranha saudade. Estranha, porque tinha a ver com coisas demasiado banais para provocar saudades: água que se junta formando poças nos buracos das calçadas, cores irisadas deixadas nessa água pela gasolina derramada; antigas portas pesadas e rangentes que davam para a escadaria do prédio. Também sentia falta dos pratos de faiança com uma banda marrom e a inscrição "Społem" do bandejão universitário, onde serviam nhoque doce com recheio de queijo fresco, cobertos de manteiga derretida e polvilhados com açúcar. Depois, com o tempo, essa saudade foi absorvida pela nova terra como leite derramado e não sobrou nenhum vestígio dela. Concluiu os estudos, fez pós-graduação. Viajou pelo mundo, se casou com o homem com quem está até hoje e deu à luz gêmeos que em breve terão os seus próprios filhos. Parece, então, que a memória é uma gaveta abarrotada de papéis — uns não têm nenhuma importância, aqueles documentos de uso único como recibos de lavanderia, notas fiscais da compra de botas de inverno e da torradeira que há muito tempo já não está lá. No entanto, há outros comprovantes de múltiplo uso, que certificam não acontecimentos, mas processos inteiros: a caderneta de vacinação da criança, a carteirinha estudantil com as páginas preenchidas até a metade com carimbos de todos os semestres, o diploma de conclusão da escola secundária, o certificado de conclusão do curso de corte e costura.

No e-mail seguinte que lhe enviou, ele escreveu que embora ainda estivesse no hospital, já sabia que passaria as festas em casa e não voltaria mais lá. Todo o possível já tinha sido feito, examinado e previsto, portanto agora ele estaria na casa onde morava, nos arredores de Varsóvia, no campo, e havia muita neve e um frio tremendo em toda a Europa, inclusive com pessoas morrendo congeladas. Informou também o nome de sua doença, só que em polonês, então ela não tinha a mínima ideia do que se tratava, simplesmente desconhecia a nomenclatura polonesa. "Você se lembra daquilo que nós nos prometemos?", escreveu. "Você se lembra da última noite antes de você partir? Ficamos sentados no gramado do parque, fazia muito calor, era junho, passamos nos exames e conseguimos as melhores notas, a cidade aquecida durante o dia devolvia então o calor misturado com o cheiro de concreto, como se estivesse suando. Você se lembra disso? Você trouxe uma garrafa de vodca, mas não conseguimos tomá-la. Prometemos que nos encontraríamos. E mais uma coisa — lembra-se disso também?"

É claro que se lembrava.

Tinha um pequeno canivete com cabo de osso e uma das lâminas era o saca-rolhas com o qual acabara de abrir a garrafa (na época elas eram fechadas com rolhas e lacradas). Agora, com a parte afiada do saca-rolhas, ele faz uma incisão vertical na sua mão, parece que entre o polegar e o dedo indicador, e ela pega a lâmina de metal contorcida e faz a mesma coisa. Depois tocam-se com essas manchas de sangue, encostam as feridas uma na outra. Esse gesto romântico juvenil chama-se irmandade de sangue e deve ter sido inspirado em algum filme que estava na moda. Ou talvez em um livro, quiçá *Winnetou*.

Agora ela examina detalhadamente ambas as mãos, pois não se lembra qual delas poderia ter sido, esquerda ou direita, mas não consegue achar nada. O tempo cura cicatrizes muito piores.

Claro que se lembra daquela noite de junho. Com a idade, a memória começa a abrir devagar os seus abismos holográficos, um dia puxa outros como se por um fio, e esses puxam as horas e os minutos seguintes. As imagens inertes começam a se mover, primeiro devagar, repetindo, um por um, os mesmos momentos e isso se assemelha à exumação de esqueletos pré-históricos enterrados na areia: primeiro se avista um osso solitário, mas a vassourinha já revela outros. Enfim, toda a estrutura complicada é descoberta, as articulações, as junções, a construção sobre a qual se apoia o corpo do tempo.

Da Polônia partiram para a Suécia. Foi no ano 1970, ela tinha dezenove anos. Dois anos depois chegaram à conclusão de que a Suécia ficava perto demais, que o Báltico atraía certos fluidos, saudades, miasmas, ares desagradáveis. Seu pai era um bom dentista, e a mãe uma protética — pessoas como eles seriam acolhidas por qualquer país no mundo. Basta multiplicar o número de habitantes pelo número de dentes, assim você avalia as suas chances. E quanto mais longe, melhor.

Ela respondeu também àquele e-mail, e para seu espanto, confirmando a sua estranha promessa. E já na manhã seguinte ela recebeu a resposta, como se estivesse esperando impacientemente com um texto escondido em algum lugar da área de trabalho, pronto para ser anexado.

"Tenta imaginar uma dor incessante e uma paralisia que avança a cada dia. Mas mesmo isso seria suportável se não fosse pela ideia de que além dessa dor não há nada, nem sequer se tem direito a qualquer tipo de compensação e cada hora subsequente será pior do que a anterior. Isso significa se aproximar de uma escuridão inimaginável, de um inferno construído à base de alucinações com dez círculos de sofrimento. E que não há nenhum guia para acompanhar, ninguém para segurar a sua mão e explicar as razões, porque não existem razões, não existe qualquer castigo ou recompensa."

E mais uma mensagem em que se queixava de escrever com dificuldade e só sobre generalidades: "Você sabe que aqui isso está fora de questão. A nossa tradição não favorece esse tipo de ideias, e isso é exacerbado ainda mais pela aversão inata a qualquer tipo de reflexões dos meus (continuariam sendo seus também?) conterrâneos. Costuma-se explicar isso com uma história que sempre nos foi ingrata e nos espoliou — porventura o nome Polônia deriva desse verbo? Depois de um grande entusiasmo sempre veio uma grande depressão —, foi por isso que se estabeleceu como norma certo nível de medo e de falta de confiança no mundo, a fé na força redentora de regras firmes e simultaneamente a propensão a não se submeter àquilo que nós mesmos criamos.

"A minha situação é esta: sou divorciado e não mantenho contato com minha ex-esposa. Quem toma conta de mim é minha irmã, mas ela nunca atenderia ao meu pedido. Não tenho filhos e me arrependo muito disso — é preciso tê-los nem que seja por esse tipo de motivos. Sou uma pessoa pública, mas infelizmente, impopular. Nenhum médico se atreveria a me ajudar. Em uma das muitas brigas políticas nas quais estive envolvido, fui desacreditado e perdi a tal chamada boa reputação, tenho plena consciência disso e cago para essas coisas. No hospital de vez em quando alguém me visitava, mas suspeito que não era por uma verdadeira vontade de me ver ou por compaixão (é o que acho), mas por uma satisfação talvez não plenamente consciente de menear a cabeça junto da minha cama e dizer: 'Eis que aconteceu com ele!'. Entendo esse sentimento, é humano. Tampouco eu, da minha parte, sou cristalino, aprontei muito na minha vida. Tenho uma única qualidade — sempre fui bem organizado. E queria aproveitar isso até o fim."

Ela tinha problemas para entender seu polonês, já havia esquecido por completo várias palavras. Não sabia, por exemplo, o que significava ser uma "*osoba publiczna*", e teve que pensar muito sobre isso, mas parece que agora já sabe. O que significa "aprontar na vida". Fazer bagunça? Prejudicar-se?

Tentava imaginá-lo escrevendo essa mensagem, se estava sentado ou deitado, como era sua aparência e se estava de pijamas, mas, na sua cabeça, a imagem dele permanecia um contorno não preenchido, um esboço, através do qual olhava para o campo aberto e para a baía. Depois de ler esse longo e-mail, foi atrás das caixas de papelão onde guardava as antigas fotos da Polônia e finalmente o achou — um rapaz bem penteado, com uma sombra de barba juvenil, de óculos engraçados e um largo suéter comprado na região das montanhas, com a mão perto do rosto, devia estar dizendo alguma coisa quando aquela foto em preto e branco foi tirada.

Um acontecimento marcado pela sincronicidade — algumas horas depois, chegou uma mensagem com uma foto em anexo. "Infelizmente estou escrevendo cada vez pior. Apresse-se, por favor. Veja como estou. Você deve saber, embora esta foto tenha sido tirada há um ano" — um homem corpulento com cabelos brancos muito curtos e a barba feita, com feições suaves um pouco embaçadas, sentado em um cômodo onde as prateleiras estão carregadas de papéis. Seria a redação de um jornal? Não há nenhuma semelhança entre as duas fotos, poderia se pensar que eram duas pessoas totalmente diferentes.

Não sabe que doença poderia ser. Digita no Google o nome dela em polonês e logo o assunto se torna claro. Ahã! À noite indaga o marido e ele lhe explica o mecanismo detalhado da doença incurável e a paralisia progressiva.

"E por que você está perguntando isso?", ele diz enfim.

"Só por curiosidade. Um conhecido de outro conhecido sofre disso", ela responde evasiva e depois, como se fosse de passagem, surpresa com ela mesma, menciona o congresso na Europa, completamente inesperado — foi convidada no último momento.

Esse último voo de Londres para Varsóvia nem conta, durou apenas uma hora. Quase passou despercebido. O avião estava cheio de jovens que voltavam do trabalho para casa. Que sensação estranha — todos falando em polonês com naturalidade. No início ela fica tão surpresa como se tivesse encontrado um bando de gregos da Antiguidade. Todos vestidos com roupas quentes: toucas, luvas, cachecóis, casacos de penas do tipo que se leva para esquiar. Só agora é que ela entendeu o que significava pousar em pleno inverno.

Um corpo exausto, parecendo um único tendão, estendido sobre a cama. Quando ela entrou ele obviamente não a reconheceu. Olhava para ela com atenção, sabia que era ela, mas não a reconhecia, ao menos era o que ela achava.

"Salve", ela disse.

Foi então que ele sorriu e fechou os olhos por um longo momento.

"Você é maravilhosa."

A mulher ao lado da cama, decerto a irmã que ele havia mencionado, afastou-se e cedeu o lugar. Assim, ela podia colocar a sua mão sobre a dele, uma mão ossuda e completamente acinzentada. O seu sangue já carregava cinzas no lugar do sangue.

"Está vendo", disse à sua irmã como se estivesse falando com uma criança, "alguém tem visita! Está vendo quem veio te visitar?", e então, para ela: "Sente-se, por favor".

Ele estava deitado num quarto cujas janelas davam para o pátio nevado e quatro enormes pinheiros. Ao longe havia uma cerca e uma estrada, e mais longe ainda, verdadeiras mansões cuja suntuosidade arquitetônica a surpreendeu. Não foi assim que ela havia gravado na memória. Colunas, varandas, acessos iluminados. Ouvia o estertor de um motor, algum vizinho tentava ligar o motor do carro, sem êxito. Sentia um leve cheiro de fogo no ar e fumaça de lenha resinosa.

Ele a olhou e sorriu, mas só com os lábios — os seus cantos se ergueram levemente, mas os olhos permaneceram sérios. O suporte com a bolsa da terapia intravenosa estava do lado esquerdo da cama e o cateter enfiado na veia azulada e inchada, prestes a se esgotar.

Quando a sua irmã saiu, perguntou:

"É você?"

Ela sorriu.

"Está vendo, eu vim", ela preparara essa frase simples havia muito tempo. E até que não soou nada mal.

"Obrigado. Não imaginava", disse e engoliu a saliva como se fosse chorar.

Ela se assustou pensando que testemunharia alguma cena constrangedora.

"Pare com isso", falou. "Não hesitei nem por um minuto."

"Você está linda, jovem. Só mudou a cor dos cabelos", ele tentou brincar.

Estava com os lábios ressecados, viu um copo sobre a mesinha de cabeceira e dentro dele uma espátula de madeira envolta em gaze.

"Quer beber?"

Ele acenou com a cabeça.

Ela mergulhou a espátula na água, debruçou-se sobre o homem deitado e sentiu o seu cheiro adocicado, desagradável. Ele estreitou os olhos quando ela molhou delicadamente os seus lábios.

Tentavam conversar, mas não conseguiam. Ele fechava os olhos por alguns instantes e nessas horas ela não sabia se ele continuava desperto ou se estava completamente desatento. Ela tentou algo do tipo: "Você se lembra...", mas não funcionou. Quando silenciou, ele tocou na mão dela e pediu:

"Conte-me algo. Fale comigo."

"Quanto isto...", ela procurava a palavra certa, "ainda vai durar?"

Ele respondeu que podia durar algumas semanas.

"O que é isso?", ela perguntou, olhando para a bolsa da terapia intravenosa. Ele voltou a sorrir.

"Três em um. Almoço, café da manhã e jantar. Chuleta à milanesa com repolho refogado, torta de maçã e cerveja de sobremesa."

Repetiu baixinho "chuleta à milanesa" e essas palavras, quase esquecidas por ela, fizeram com que sentisse fome. Pegou a sua mão e com cuidado esfregou os seus dedos gelados. Mãos estranhas, um homem estranho, não reconhecia nada nele, um corpo estranho, uma voz estranha. Isso tudo poderia bem ser um engano, ela poderia ter se enganado quanto à casa.

"Você realmente está me reconhecendo?", ela lhe perguntou.

"Claro. Você não mudou tanto assim."

No entanto, ela sabia que isso não era verdade, que ele não a reconhecia de forma alguma. Talvez, se eles pudessem ficar mais tempo juntos para recuperar todas aquelas expressões, aqueles gestos, movimentos habituais... Mas para quê? Ela teve a impressão de que outra vez ele ficou desatento por um longo momento, semicerrou os olhos e pareceu ter adormecido. Não o perturbou. Olhava para o seu rosto acinzentado e seus olhos fundos, unhas tão brancas que pareciam feitas de cera, mas descuidadamente, pois o limite entre elas e a pele dos dedos tinham se apagado.

Depois de um momento ele voltou a si e olhou para ela como se tivesse passado apenas um segundo.

"Eu te achei na internet, já há muito tempo. Li os seus artigos, mas entendia pouca coisa", sorriu levemente. "A terminologia era complicada demais."

"Você leu, de verdade?", perguntou, espantada.

"Você deve ser feliz. Pelo menos é o que transparece."

"Sou."

"E como foi a viagem? Quantas horas de voo?"

Ela lhe contou sobre as conexões e os aeroportos. Tentou contar as horas, mas as contas não fechavam, porque tinha viajado para o oeste e o tempo parecia ter se expandido. Ela lhe descreveu a sua casa e a vista para a baía. Falou sobre os gambás e o seu filho que foi passar um ano na Guatemala para ensinar inglês numa escola no campo. E sobre os seus pais, que faleceram havia pouco tempo, um depois do outro, realizados, de cabelos brancos, sussurrando entre si em polonês. E sobre o seu marido, que conduzia complicadas cirurgias neurológicas.

"Você mata animais, não é?", ele perguntou de repente.

Ela olhou para ele espantada e após um instante entendeu.

"É doloroso, mas é preciso fazê-lo", respondeu. "Está com sede?"

Ele meneou a cabeça num gesto de negação.

"Por quê?", quis saber.

Ela fez um gesto vago com a mão. Um gesto de impaciência. O motivo era óbvio. Simplesmente porque as pessoas levaram para a ilha animais de criação desconhecidos pelo ecossistema local. Uns foram levados para lá por descuido há muito tempo, há mais de duzentos anos. Outros, que pareciam inofensivos, fugiram para lá. Coelhos. Gambás e doninhas das fazendas de pele. Plantas escaparam dos jardins caseiros — ultimamente ela tem visto o acostamento da estrada coberto por pelargônios cor de sangue. O alho escapou e se tornou selvagem no mato. As suas flores desbotaram levemente — quem sabe, talvez depois de milhares de anos surja ali uma mutação local. Pessoas como ela trabalhavam duro para não permitir que a ilha fosse contaminada pelo resto do mundo, para que sementes fortuitas não chegassem à ilha dentro de bolsos fortuitos, ou fungos estranhos sobre cascas de bananas que pudessem subverter o funcionamento de todo o ecossistema. E para que imigrantes indesejados — bactérias, insetos e algas — não penetrassem a ilha contrabandeados nas solas tratoradas das botas. É preciso se manter vigilante, mesmo que seja uma luta fadada ao fracasso. É preciso se conformar com o fato de que os ecossistemas independentes deixarão de existir. O mundo se fundiu num único brejo.

É necessário observar as leis alfandegárias. É proibido entrar na ilha com quaisquer substâncias biológicas e as sementes requerem uma permissão especial.

Ela percebeu que ele a ouvia com muita atenção. Mas será que é um assunto para esse tipo de encontro?, pensou e ficou calada.

"Fale, continue contando", ele pediu.

Ela ajeitou o pijama que se abriu no peito dele e revelou um pedaço de pele quase alva com alguns pelos brancos.

"Veja aqui, este é o meu marido, e estes são meus filhos", disse e tirou a carteira da bolsa onde guardava as fotos numa divisória transparente. Mostrou-lhe os filhos. Não conseguia mexer a cabeça, então ela a ergueu levemente. Ele sorriu.

"Você já veio aqui antes?"

Ela balançou a cabeça, negando.

"Mas vim para a Europa, participar de congressos científicos. Ao todo, três vezes."

"Não teve vontade?"

Ela ficou pensando por um momento.

"Sabe, tantas coisas aconteceram na minha vida, fiz faculdade, tive filhos, fui trabalhar. Construímos uma casa à beira do oceano", começou a falar, mas nos pensamentos ela ouvia a voz do seu pai dizendo que "... presta apenas para pequenos mamíferos, mariposas e insetos...". "Simplesmente esqueci."

"Você sabe como fazer?", perguntou após um longo silêncio.

"Sei", ela respondeu.

"Quando?"

"Quando você quiser."

Virou o rosto para a janela com dificuldade.

"O mais rápido possível. Amanhã?"

"Tudo bem. Amanhã."

"Obrigado", disse e olhou para ela como se acabasse de lhe declarar seu amor.

Quando ela estava saindo, um cachorro velho e obeso foi farejá-la. A irmã estava na varanda gélida, fumando um cigarro.

"A senhora aceita um cigarro?"

Ela entendeu que era um convite para bater papo e, para seu próprio espanto, aceitou. O cigarro era fino, de mentol. A primeira tragada a deixou tonta.

"Ele faz tratamento com morfina em adesivos, por isso não está completamente consciente", disse a mulher. "E a senhora vem de longe?"

Foi então que ela percebeu que ele não tinha falado nada para a irmã. Não sabia o que lhe dizer.

"Ah, não. Trabalhamos juntos por algum tempo", disse sem hesitar; e nem imaginara que saberia mentir. "Sou correspondente estrangeira", inventou na hora para justificar o seu estranho sotaque.

"Deus é injusto, injusto e cruel. Para fazê-lo sofrer assim", disse a sua irmã com uma expressão de tenacidade no rosto. "Foi bom a senhora visitá-lo, ele é tão solitário. De manhã, vem a enfermeira do posto de saúde e fica até meio-dia. Ela diz que seria melhor interná-lo num *hospice*, mas ele não quer."

Apagaram os cigarros na neve simultaneamente. Eles se extinguiram tão rápido que não chiaram no contato com ela.

"Vou passar aqui amanhã", disse, "para me despedir, porque já estou indo embora."

"Amanhã? Tão rápido? Ele estava tão feliz de vê-la... E a senhora só veio para passar dois dias", a mulher fez um gesto como se quisesse agarrar a sua mão e acrescentar: Não nos deixe.

Precisou remarcar as passagens, não achou que as coisas iam correr tão rápido. Não conseguiu alterar o trecho mais importante, da Europa para casa, então ficou com uma semana livre. Decidiu, no entanto, que não ia ficar por lá, era melhor partir logo, além disso, ela não se sentia bem no meio daquela neve e escuridão. Conseguiu achar lugares disponíveis no voo para Amsterdam ou Londres para o dia seguinte à tarde. Optou por Amsterdam. Vai aproveitar a semana livre para visitar a cidade.

Jantou sozinha e depois foi caminhar pela rua principal até a Cidade Velha. Olhava para as vitrines de lojas minúsculas onde havia principalmente souvenirs e joias de âmbar que não despertaram o seu interesse. E a própria cidade lhe pareceu intocável, grande e fria demais. As pessoas se deslocavam todas embrulhadas em roupa, com os rostos quase escondidos por entre as golas e os xales, e suas bocas emitiam nuvens de vapor. Nas calçadas havia pilhas de neve congelada. Ela desistiu de visitar as casas dos estudantes, onde morou um dia. Para dizer a verdade, tudo lá lhe causava repulsa. De repente, estranhou o fenômeno de as pessoas visitarem com tanta vontade os lugares relacionados com a sua juventude. Mas o que elas pensam que poderiam encontrar lá? Do que precisam se certificar? De simplesmente terem estado ali? Ou de terem tomado a decisão certa ao partir? Ou talvez fossem movidas pela esperança de que a lembrança exata desses antigos lugares funcionaria como um zíper e juntaria o passado com o futuro, formando uma única superfície estável, dente com dente numa sutura metálica.

E claramente, ali, ela também repelia os locais, que não olhavam para ela ou desviavam o seu olhar. Parecia que estava realizando o seu sonho de infância — ser invisível, possuir um atributo tirado dos contos de fadas: um gorro mágico que você coloca na cabeça e desaparece da vista dos outros.

Nos últimos anos percebeu que bastava ser uma mulher de meia-idade sem atributos particulares para imediatamente se tornar invisível. Não só para os homens, mas também para as mulheres, que já não a tratavam como rival em nenhum tipo de competição. Era uma sensação nova e surpreendente — sentia o olhar das outras pessoas deslizando pelo seu rosto, pelas bochechas e pelo nariz, sem sequer roçar neles. Esse olhar atravessava o seu corpo de tal modo que elas deviam avistar os anúncios, as paisagens e grades de horários através dele. Ah, sim, tudo indicava que ela se tornara invisível e então chegou à conclusão de que isso, essencialmente, lhe proporcionava grandes possibilidades e que estava apenas aprendendo a tirar proveito delas. Numa situação dramática ninguém se lembraria dela e, ao prestar depoimento, as testemunhas diriam: "uma mulher..." e "havia mais alguém ali...". Nessa questão os homens eram mais implacáveis do que as mulheres, que de vez em quando ainda conseguem notar um brinco; os homens não escondem nada, olham para ela não mais que por um segundo. Apenas às vezes, por motivos que ela desconhece, uma ou outra criança fixava os seus olhos nela, examinava detalhada e desapaixonadamente o seu rosto, e logo virava a cara em outra direção — a do futuro.

Passou a noite na sauna do hotel e depois adormeceu rápido demais, cansada por causa do fuso, sentindo-se estranha, como uma carta solitária tirada do seu próprio baralho e misturada com um outro, exótico. De manhã, acordou cedo demais, assustada. Estava deitada de costas, com tudo ainda imerso na escuridão. Lembrou-se do seu marido sonolento se despedindo dela. Em pânico, pensou que nunca mais o veria. E se imaginou deixando a mala na escada, tirando a roupa e deitando ao seu lado, do jeito que gostava, grudada em suas costas nuas, com o nariz enfiado em sua nuca. Ligou para ele — lá era noite e ele acabara de chegar do hospital. Apenas mencionou o congresso. Falou do tempo, que fazia muito frio e que ele provavelmente não aguentaria. Lembrou-lhe de regar as plantas no jardim, particularmente o estragão sobre as pedras. Perguntou se alguém do trabalho havia telefonado para ela. Depois tomou uma ducha, maquiou-se com cuidado e foi a primeira a descer para tomar o café da manhã.

Abriu o nécessaire e tirou dele uma ampola que parecia uma amostra de perfume. No caminho, comprou uma seringa na farmácia. Foi muito engraçado, pois ela esquecera essa estranha palavra para seringa, "*strzykawka*", e disse "*zastrzyk*" que significa injeção.

Enquanto atravessava a cidade de táxi, começava a entender o motivo desse sentimento de alienação — era uma cidade completamente diferente, que não lembrava em nada aquela que ela ainda carregava na mente. Não havia ali nada que evocasse qualquer lembrança da antiga. Nada lhe parecia familiar. As casas eram pesadas demais, atarracadas, as ruas largas demais, as portas robustas demais, carros diferentes andavam por ruas diferentes e, para piorar, do lado oposto daquele ao qual ela estava acostumada. Por isso ela não conseguia se livrar da sensação de estar do outro lado do espelho num país irreal, onde tudo é ilusório, e onde, portanto, tudo era permitido.

Não há ninguém que possa agarrar o seu braço, ninguém que possa detê-la. Ela se locomove por essas ruas congeladas como se fosse uma visitante vinda de outra dimensão, como um ser superior. Ela precisava se encolher dentro dela própria para caber ali. E a única missão que precisava cumprir, óbvia e asséptica, era a missão do amor.

O taxista se perdeu um pouco quando chegaram àquela vila cheia de mansões, que inclusive tinha um nome de conto de fadas: *Zalesie Górne* — além das montanhas e das florestas. Pediu para ele parar atrás da esquina, ao lado de um boteco, e pagou.

Percorreu uma dezena de metros com passos rápidos e depois atravessou com dificuldade a trilha nevada e familiar que ligava o portão à casa. Quando abriu o portão, uma camada de neve se desprendeu dele e caiu, revelando o número da casa: 1.

Quem abriu a porta outra vez foi a irmã com os olhos vermelhos de choro.

"Está esperando pela senhora", disse e desapareceu. "Ele até pediu para lhe fazer a barba."

Ele estava deitado sobre lençóis limpos, consciente, com a cabeça virada na direção da porta. Realmente estava esperando por ela. Quando se sentou sobre a cama junto dele e pegou as suas mãos, percebeu algo estranho: estavam molhadas de suor, também nos dorsos. Sorriu para ele.

"E aí?", ela perguntou.

"Tudo bem."

Ele mentia. Não estava bem.

"Cole esse adesivo em mim, por favor", disse e apontou com o olhar para uma caixa achatada sobre a mesinha. "Estou com dor. Precisamos esperar até que comece a fazer efeito. Não sabia quando você viria, mas queria te ver enquanto estivesse consciente. Não te reconheceria. Poderia pensar que não era você. Você é tão jovem e tão bela."

Ela acariciou as suas têmporas encovadas. O adesivo grudou como se fosse uma misericordiosa segunda pele na altura dos rins. A visão de um fragmento de seu corpo maltratado e exausto a deixou abalada. Cerrou os lábios.

"Vou sentir alguma coisa?", ele perguntou, mas ela pediu para ele não se preocupar.

"Me diga o que você quer agora. Quer ficar sozinho por um momento?"

Meneou a cabeça. A sua testa estava seca como uma folha de papel.

"Não vou me confessar. Apenas coloque as suas mãos sobre o meu rosto", pediu e sorriu delicadamente, mas de um modo travesso.

Ela atendeu ao pedido sem hesitação. Sentiu a pele fina, os ossos miúdos e as órbitas oculares. Sentia a pulsação debaixo dos dedos, um tremor, como de tensão. A caveira — uma delicada estrutura óssea rendada, perfeitamente sólida, embora simultaneamente forte e frágil. A sua garganta se apertou e foi a primeira e a última vez que esteve prestes a chorar. Sabia que esse toque lhe trazia alívio, sentia que suavizava esse tremor subcutâneo. Enfim, tirou as mãos e ele permanecia deitado com os olhos fechados. Debruçou-se lentamente sobre ele e beijou a sua testa.

"Fui um homem decente", sussurrou, cravando os olhos nela.

Ela acenou, confirmando.

"Conte algo", ele pediu.

Ela pigarreou, não estava preparada. Ele a apressou:

"Me conte como é lá onde você mora."

Então ela começou:

"É pleno verão, a época em que amadurecem os limões..."

Ele a interrompeu.

"Você consegue ver o oceano pela sua janela?"

"Consigo", disse ela. "Quando a maré está baixa, a água deixa conchas em seu rastro."

Mas aquilo fora apenas um subterfúgio, pois ele não tinha a intenção de ouvir. Por um instante, o seu olhar ficou embaçado e depois voltou à nitidez anterior e foi então que ele olhou para ela de muito longe, até ela perceber que já não pertenciam ao mesmo mundo. Não conseguiria determinar o que havia ali — medo e pânico, ou talvez o contrário, alívio. Ele sussurrou um agradecimento, ou algo parecido, indistinto e desajeitado, e depois adormeceu. Foi então que ela tirou a ampola da bolsa e encheu a seringa com o seu conteúdo. Desconectou a bolsa da terapia intravenosa do cateter e lentamente injetou o líquido nele. Não aconteceu nada além de sua respiração parar, súbita e naturalmente, como se o movimento anterior da sua caixa torácica fosse uma estranha anomalia. Passou a mão em seu rosto, ligou a bolsa de volta e alisou o lençol no lugar onde se sentara. E depois saiu.

A sua irmã estava outra vez na varanda, fumando.

"Aceita um cigarro?"

Dessa vez recusou.

"A senhora vai visitá-lo ainda?", a mulher perguntou. "Ele esperou tanto pela senhora."

"Vou partir hoje", disse e, ao descer as escadas, acrescentou: "Se cuide".

O avião decolou e a sua memória se fechou. Não pensou mais naquilo. Cessaram de surgir quaisquer tipos de recordações. Passou alguns dias em Amsterdam, onde ventava muito e fazia frio nessa época do ano, e a cidade se limitava a uma combinação de três cores: branca, cinza e negra. Passeava nos museus e pernoitava no hotel. Quando caminhava pela rua principal, topou com uma exposição de anatomia humana. Intrigada, entrou e passou lá duas horas examinando o corpo humano preservado com técnicas modernas, em todas as configurações possíveis. E porque estava num estranho estado de ânimo, além de muito cansada, via tudo distraidamente, como se através de uma névoa, embaçado, meros contornos. Viu raízes de nervos e de canais deferentes que lembravam plantas esquisitas fora do controle do jardineiro, rizomas, orquídeas, bordados e rendas de tecidos, redes de inervações, lascas e estames, antenas e bigodes, cachos, riachos, dobras, ondas, dunas, crateras, elevações, montanhas, vales, planaltos, meandros dos vasos sanguíneos…

Já no ar, enquanto o avião sobrevoava o oceano, achou na bolsa um anúncio colorido da exposição com um corpo humano esfolado numa posição que lembrava a escultura de Rodin: a mão apoiada no joelho sustentava a cabeça, o corpo conturbado, quase pensativo, e, apesar de desprovido da pele e do rosto (o rosto parece ser uma das características mais superficiais do corpo), ainda era possível perceber que os olhos eram oblíquos, exóticos. Depois, semiadormecida, imersa no discreto e soturno murmúrio das turbinas do avião, imaginava que logo, quando essa tecnologia ficasse mais acessível, a plastinação estaria disponível para todos. No lugar dos túmulos dos entes próximos será possível colocar os seus corpos acompanhados de uma inscrição: "XY viajou com este corpo por alguns anos e o deixou com tal e tal idade…". Quando o avião se preparava para pousar, ela foi repentinamente tomada por temor e pânico. Agarrou com toda a força os braços da poltrona.

Quando finalmente, exausta, chegou ao seu país e à sua linda ilha, e passava pelo controle da alfândega, o funcionário lhe fez algumas perguntas rotineiras: se no lugar do qual ela vinha tinha tido contato com animais, se tinha estado no campo e se poderia ter sido exposta a algum tipo de contaminação biológica.

Ela se viu parada na varanda batendo as botas para tirar a neve, e o cachorro obeso que corria pelas escadas roçando-se nela. E as suas mãos abrindo uma ampola parecida com uma amostra de perfume. Por isso calmamente acenou com a cabeça num gesto afirmativo.

Então, o funcionário pediu que ela se afastasse para o lado e lá as suas pesadas botas de inverno foram lavadas solenemente com um desinfetante.

NÃO TENHA MEDO

Eu dei uma carona para um jovem sérvio na República Tcheca que se chamava Nebojša. Durante todo o caminho falou, ele contou sem parar histórias sobre a guerra, e num certo momento eu comecei a me arrepender de ter parado na estrada para pegá-lo.

Dizia que a morte marca os lugares como um cachorro que urina para demarcar o seu território. Algumas pessoas a percebem na hora, outras depois de um tempo simplesmente começam a se sentir incomodadas. Em qualquer permanência se descobre a sutil onipresença dos mortos. Disse:

"A princípio, você sempre enxerga aquilo que está vivo e belo, se impressiona com a natureza, a igreja local com as suas diferentes cores, os cheiros, e assim por diante. Mas quanto mais isso durar, mais o encanto dessas coisas se esvai. Você começa a pensar em quem morou na casa e no quarto onde está hospedado antes de você chegar, a quem pertencem aquelas coisas, quem arranhou a parede em cima da cama, e com que tipo de árvore os parapeitos foram feitos. A quem pertenciam as mãos que construíram a lareira decorada meticulosamente e que calçaram o pátio com paralelepípedos? E onde essa pessoa está agora? Sob qual forma se encontra?

Quem foi o autor da ideia de traçar aleias em volta da lagoa e quem plantou o salgueiro próximo da janela? Todas as casas, avenidas, parques, pomares, ruas estão permeados pela morte de outras pessoas. Quando você sentir isso, algo começa a atraí-lo para um outro lugar, tem a impressão de que chegou a hora de seguir adiante."

Disse também que, quando nos locomovemos, não temos tempo para esse tipo de meditações vagas. Por isso, aos viajantes tudo parece novo e limpo, virgem e, de certa forma, eterno.

E quando desceu em Mikuleč, fiquei repetindo a mim mesma o seu estranho nome: Ne-boi-sha. Ele soa exatamente como, em polonês, *Nie bój się*: Não tenha medo.

DIA DE FINADOS

O guia turístico afirma que dura três dias. Quando cai no meio da semana, o governo arredonda a extensão do feriado. Assim, para escolas e repartições públicas, ele aumenta e chega a durar uma semana inteira. As emissoras de rádio tocam ininterruptamente a música de Chopin, pois se considera que ela favorece a concentração e uma reflexão séria. Espera-se que todos os habitantes do país visitem nesse tempo os túmulos de seus mortos. Uma vez que o país passou por um extraordinário desenvolvimento e processo de industrialização nos últimos vinte anos, isso implica que quase todos os moradores de algumas das grandes e modernas cidades vão abandoná-las durante esses dias e se dirigirão para a extensa província. Todos os aviões, trens e ônibus foram reservados há meses. As pessoas que não se anteciparam agora serão forçadas a viajar aos túmulos dos antepassados em seus próprios carros. Na véspera do feriado, as estradas que saem das cidades já estão congestionadas. Porque a festa cai em agosto, ficar num engarrafamento numa temperatura alta não é nada prazeroso. Por isso as pessoas previram todo tipo de incômodo e levaram consigo pequenos televisores de plasma e coolers. Se fechar os vidros fumê das janelas dos carros e ligar o ar-condicionado, é possível aguentar aquelas horas, especialmente na agradável companhia da família ou dos amigos equipados com um bufê ambulante. É o tempo de ligar para os conhecidos. Graças à acessibilidade dos celulares com a função de videochamadas, é possível recuperar o atraso nos contatos sociais. É possível também, permanecendo num engarrafamento desses, fazer uma videoconferência com os amigos, fofocar ou marcar encontros para depois de retornar para casa.

Os espíritos dos antepassados recebem oferendas: biscoitos preparados especialmente com esse propósito, frutas, orações escritas em pedaços de pano.

Aqueles que ficaram nas cidades, passam por experiências muito estranhas: os grandes centros comerciais estão fechados e até os enormes outdoors com anúncios são apagados durante esse período. A quantidade de trens do metrô é reduzida, e algumas das estações permanecem fechadas (por exemplo, Universidade e Bolsa de Valores). As lanchonetes e boates permanecem fechadas. A cidade fica tão vazia que, neste ano, as autoridades decidiram desativar o sistema do controle eletrônico dos chafarizes municipais, o que deve trazer grandes economias.

RUTH

Depois da morte da sua esposa, um homem fez uma lista de lugares que têm o mesmo nome que ela: Ruth.

Encontrou muitos deles, não só localidades, como também riachos, povoações, colinas e mesmo uma ilha. Disse que fez isso por causa dela. Além disso, lhe dá conforto pensar que, de alguma forma indefinível, ela continua existindo no mundo, mesmo através de seu nome. E que, quando fica ao pé da colina chamada Ruth, tem a impressão de que ela não morreu, que existe, só que de uma forma diferente.

Ele financiou essa viagem com a indenização do seguro dela.

A RECEPÇÃO DOS GRANDES E ELEGANTES HOTÉIS

Entro lá com passos rápidos, cumprimentada pelo sorriso gentil do porteiro. Olho em volta aflita como se tivesse vindo para um encontro marcado. Começo a encenar. Olho impacientemente para o relógio, depois tombo numa das poltronas e acendo um cigarro.

As recepções são melhores que cafés. Não é preciso pedir nada, não é preciso entrar em disputas com os garçons ou comer qualquer coisa. O hotel estende diante de mim os seus ritmos, é um redemoinho cujo centro é a porta giratória. A correnteza do rio de gente para, gira sem sair do seu lugar por uma noite ou duas e depois continua a fluir.

Quem deveria vir não virá, mas isso abalaria de alguma forma o etos da minha espera? É uma atividade semelhante à meditação — o tempo flui e não traz nada de novo, as situações se repetem (chega um táxi trazendo um novo hóspede, o porteiro pega a mala do porta-malas, vão até a recepção e de lá seguem com a chave até o elevador). Às vezes as situações dobram (dois táxis chegam simetricamente dos dois lados opostos, dois hóspedes descem, dois porteiros tiram as malas de dois porta-malas) ou multiplicam, cria-se uma multidão, a situação se torna tensa, o caos se aproxima, mas é simplesmente uma figura complicada, difícil ver de imediato a sua harmonia complexa. Outras vezes, o hall fica inesperadamente vazio, e então o porteiro flerta com a recepcionista, mas só pela metade, parcialmente, permanecendo atento ao serviço hoteleiro.

Permaneço sentada assim por uma hora, não mais. Vejo aqueles que saem correndo do elevador para um encontro, atrasados por natureza, por vezes tão atrasados que ficam rodando na porta giratória, como dentro de um moinho que em breve os reduzirá a pó. Vejo aqueles que arrastam os pés, como se estivessem se forçando a dar mais um passo, demorando mais a cada movimento. Mulheres que aguardam homens, homens aguardando mulheres. Elas têm uma maquiagem fresca que a noite por vir apagará por completo, estão envoltas numa nuvem de perfumes, uma auréola santa. Eles fingem que estão à vontade, enquanto na verdade estão tensos, moram hoje nos andares mais baixos dos seus corpos, na altura do baixo-ventre.

Essa espera por vezes traz lindos presentes — eis um homem que acompanha a mulher até o táxi. Saem do elevador. Ela é pequena, tem cabelos escuros, veste uma saia justa e curta, mas não parece vulgar. É uma prostituta elegante. Ele vai atrás dela — alto, grisalho, de terno cinza, com as mãos enfiadas nos bolsos da calça. Não conversam e mantêm distância; é difícil de acreditar que ainda há pouco as suas mucosas esfregavam-se mutuamente e que ele examinara detalhadamente com a sua língua o interior da boca dela. Andam lado a lado, ele a deixa ir primeiro para dentro do moinho da porta giratória. O táxi espera, notificado. A mulher entra no carro sem dizer uma palavra, no máximo sorri levemente. Não há nenhum "até a vista" ou "foi um prazer", nada do tipo. Ele ainda se debruça levemente na direção da janela, mas não parece falar nada. Talvez um "tchau" desnecessário, aparentemente ainda não deve ter se livrado do hábito. E ela parte. Ele, por sua vez, volta com as mãos enfiadas nos bolsos, leve e contente, com uma débil sombra de sorriso no rosto. Já começa a traçar planos para a noite, já se lembrou do e-mail e do telefone, mas ainda não vai se ocupar deles, ainda vai desfrutar dessa leveza, talvez simplesmente tome um drinque.

UM PONTO

Quando passo por essas cidades, já sei que, afinal, vou ter que parar em uma delas por um período mais longo, ou talvez até me estabelecer de vez. Eu as peso na cabeça, comparo e avalio e sempre tenho a impressão de que elas todas ficam longe ou perto demais.

Então, tudo parece indicar que existe um ponto fixo em torno do qual eu pratico essas minhas circum-ambulações. Longe demais de onde? Perto demais de onde?

CORTE TRANSVERSAL COMO MÉTODO COGNITIVO

Conhecer por camadas; cada uma delas lembra apenas superficialmente a seguinte ou a anterior. Em geral constituem variações, versões modificadas, e cada uma delas contribui para a ordem de um todo, embora seja impossível perceber isso observando-as em separado, sem se referir à totalidade.

Cada fatia faz parte de um todo, mas é regida pelas suas próprias leis. A ordem tridimensional, presa e reduzida a uma camada bidimensional parece ser abstrata. Seria até possível pensar que não existe e nunca existiu nenhuma totalidade.

O CORAÇÃO DE CHOPIN

É de conhecimento de todos que Chopin morreu às duas da manhã ("*in the small hours*", como constata a versão inglesa da Wikipédia), no dia 17 de outubro. Junto do seu leito de morte havia algumas pessoas do seu círculo de amigos mais próximos, entre eles a irmã Ludwika, que cuidou dele magnanimamente até o fim. Esteve lá também o padre Jełowicki, que, abalado com a agonia animalesca e silenciosa de um corpo de todo arruinado, a luta prolongada por cada trago de ar, primeiro desmaiou nas escadas, e depois, no âmbito de uma revolta da qual não estava completamente consciente, inventou uma versão melhor da morte do virtuoso nos seus diários. Escreveu, entre outras coisas, que as últimas palavras de Frédéric foram: "Já estou na fonte de toda a felicidade", o que foi uma evidente mentira, embora bela e comovente. Na realidade, de acordo com as lembranças de Ludwika, o seu irmão não disse nada, pois já estava inconsciente havia horas. O que de fato emergiu da sua boca foi um filete de sangue escuro e espesso.

Agora Ludwika, cansada e resfriada, está viajando numa diligência postal. Estão chegando a Leipzig. É um inverno úmido, nuvens carregadas com bojos escuros estão vindo do oeste, provavelmente vai nevar. Muitos meses se passaram desde o enterro, no entanto mais um funeral a aguarda na Polônia. Frédéric sempre afirmou que queria ser sepultado no seu país natal, e tendo a consciência de que ia morrer, planejou cuidadosamente a sua morte. E os seus enterros.

Logo após o falecimento, veio o marido de Solange. Chegou tão prontamente que era como se estivesse de capa e sapatos calçados esperando alguém bater à porta. Apareceu com toda a sua oficina de trabalho dentro de uma bolsa de couro. Primeiro, untou com gordura a mão inerte do falecido, colocou-a cuidadosamente e com respeito dentro de uma calha de madeira e a cobriu com gesso. Depois, com a ajuda de Ludwika, fez a máscara mortuária. Era importante que o fizessem antes que as feições estivessem demasiadamente endurecidas, visto que a morte torna todos os rostos muito parecidos.

Em silêncio e sem comoção, foi cumprido mais um desejo de Frédéric. No segundo dia depois da morte, um médico recomendado pela condessa Potocka mandou despir o corpo até a cintura. Depois, tendo colocado uma braçada de lençóis em volta da caixa torácica, abriu-a com um bisturi afiado através de uma incisão feita com um único movimento executado com precisão. Ludwika, que presenciou o ato, teve a impressão de ver o corpo estremecer, ou mesmo suspirar. Depois, quando os lençóis ficaram tingidos com coágulos quase negros de sangue, virou o rosto para a parede.

O médico lavou o coração numa bacia e Ludwika ficou impressionada com o fato de ele ser tão grande, desforme e desprovido de cor. Dificilmente cabia dentro de um vidro cheio de álcool, portanto o médico aconselhou transferi-lo para um pote maior. O tecido não deveria ficar apertado ou tocar nas paredes do vidro.

Ludwika está cochilando, embalada com o chocalhar rítmico da diligência, e no assento em frente, ao lado de Aniela, a sua companheira de viagem, aparece uma dama estranha, mas que podia ser alguém que tinha conhecido havia anos, ainda na Polônia. A senhora usa um vestido de luto empoeirado como as viúvas dos combatentes do levante de 1830 e uma cruz ostensiva no peito. Tem um rosto inchado, enegrecido pelo frio siberiano, e as suas mãos com velhas luvas gastas seguram um vidro. Ludwika desperta com um gemido e verifica o conteúdo da cesta. Tudo está em ordem. Ajeita a touca que havia deslizado sobre sua testa.

E pragueja em francês pois a sua nuca ficou totalmente rígida. Aniela também acorda e abre as cortinas. A paisagem plana do inverno é impressionantemente triste. À distância, é possível ver pequenas povoações, colônias humanas banhadas em um cinza úmido. Ludwika imagina que se desloca sobre uma enorme mesa, como um inseto sob o olhar vigilante de um monstruoso entomologista. Ela estremece e pede uma maçã a Aniela.

"Onde estamos?", pergunta e olha pela janela.

"Faltam ainda algumas horas", Aniela fala calmamente e entrega à companheira uma maçã enrugada do ano anterior.

O enterro deveria acontecer na igreja de La Madeleine. A missa havia sido encomendada, mas na praça Vendôme, onde o corpo fora exposto, multidões de amigos e conhecidos continuavam chegando para prestar suas homenagens. Apesar das cortinas cerradas, o sol tentava entrar e brincar com as cores quentes das flores do outono: ásteres roxos e crisântemos cor de mel. O interior era iluminado apenas por velas, dando a impressão de que a cor das flores era profunda e viva, e o rosto do defunto, menos pálido como na luz do dia.

Acabou sendo difícil cumprir o desejo de Frédéric para que o *Réquiem* de Mozart fosse tocado no seu funeral. Os amigos do falecido conseguiram acionar todos os contatos e reunir os melhores músicos e cantores, inclusive o mais exímio baixo da Europa, Luigi Lablache, um italiano engraçado que sabia imitar perfeitamente a quem quisesse. E realmente, numa daquelas noites enquanto aguardavam o funeral, por ocasião de um encontro informal, ele imitou Frédéric com tanta maestria que todos os reunidos caíram na gargalhada, sem saber se convinha fazer aquilo, visto que a terra ainda não havia recebido o corpo do defunto. Mas alguém disse, enfim, que era uma mostra de lembrança e amor e que, dessa forma, ele permaneceria com os vivos por mais tempo. Todos se lembravam de Frédéric, da sua habilidade e do seu jeito malicioso na hora de parodiar os outros. Ah, sim, ele tinha muitos talentos.

Em resumo, tudo começou a se complicar. Na igreja La Madeleine, as mulheres eram proibidas de cantar — tanto em coro quanto solo. Essa era a antiga tradição: nenhuma mulher. Apenas vozes masculinas, eventualmente vozes de castrati (para a Igreja até um homem sem testículos é melhor que uma mulher — comentou a cantora italiana, srta. Graziella Panini, responsável pelos sopranos), mas hoje, em 1849, onde se podia achar dois castrati? Como, então, cantar "Tuba mirum" sem um soprano ou um alto? O pároco de La Madeleine disse que era impossível mudar esse costume mesmo para o próprio Chopin.

"Quanto tempo devemos manter o corpo guardado? É preciso, pelo amor de Deus, apelar a Roma para resolver esse assunto?", gritava a desesperada Ludwika.

Porque o mês de outubro foi relativamente ameno, o corpo foi transferido para um necrotério frio. Coberto de flores frescas, estava quase invisível. Jazia na penumbra, franzino, macilento, sem coração. Debaixo da camisa alva como neve estavam escondidas as suturações pouco cuidadosas com as quais a caixa torácica foi novamente fechada.

Entretanto, continuavam os ensaios do *Réquiem*, e os amigos influentes do falecido conduziam negociações delicadas com o pároco. Foi determinado, enfim, que as mulheres, tanto as solistas quanto as do coro, permaneceriam escondidas atrás de uma cortina negra, invisíveis aos fiéis. A única que se revoltou foi Graziella, ninguém mais. No entanto, chegou-se à conclusão de que, nessa situação particular, tal solução era melhor que nenhuma.

Enquanto aguardavam o funeral, os amigos de Frédéric encontravam-se todas as noites na casa de sua irmã ou de George Sand e evocavam a memória do falecido. Jantavam juntos, compartilhavam as fofocas que circulavam pela cidade. Eram dias estranhamente tranquilos, como se não pertencessem a um calendário comum.

Essa Graziella, franzina e morena com uma juba de cabelos ondulados, era uma conhecida de Delfina Potocka. Ambas visitaram Ludwika uma série de vezes. Graziella zombava do barítono e do maestro ao bebericar um licor, mas sendo artista, gostava de falar sobre si própria. Mancava de uma perna, pois havia sofrido um acidente em Viena durante uma rebelião nas ruas da cidade no ano anterior. A multidão virou a sua carruagem, convencida que viajava nela uma aristocrata rica, e não uma atriz. Graziella tinha uma fraqueza por carruagens caras e roupas elegantes, provavelmente porque provinha de uma família de sapateiros da Lombardia.

"Um artista não pode andar numa carruagem cara? Por que quando alguém tem sucesso na vida não pode se permitir um pouco de prazer?", dizia com um sotaque italiano e aquilo soava como se ela gaguejasse levemente.

Para o seu azar, estava no lugar errado, na hora errada. A multidão, tomada pelo clima revolucionário, não teve coragem de atacar o palácio imperial cercado pelos guardas. Portanto, começou a saquear as coleções do imperador. Graziella viu a turba arrastar das salas tudo aquilo que despertava no povo associações com a decadência aristocrática, com o luxo e a crueldade. O povo enfurecido jogava pela janela poltronas, rasgava sofás, arrancava das paredes os painéis requintados. Arrebentava com estrondo lindos espelhos de cristal. Vitrines com coleções arqueológicas eram destruídas. Ao jogar os fósseis para a rua, os vidros das janelas eram quebrados. A coleção de pedras semipreciosas foi roubada num instante, e, depois, a turba foi atrás dos esqueletos e dos animais empalhados. Um certo tribuno do povo clamava para que os espécimes humanos empalhados e outras múmias fossem sepultados de acordo com a tradição cristã, ou que ao menos essas provas da usurpação do corpo humano pelo poder fossem destruídas. Fizeram, então, uma enorme fogueira onde queimaram tudo o que caía em suas mãos.

A carruagem tombou de uma maneira tão infeliz que a armação da crinolina feriu a sua perna e visivelmente cortou os nervos, pois o membro ficou meio inerte. Enquanto contava esses acontecimentos dramáticos, ergueu a saia e mostrou às damas presentes a sua perna imobilizada por uma caneleira de couro com barbatanas, sustentada por uma armação sobre a qual se acomodava o seu vestido.

"Eis a utilidade da crinolina."

Foi exatamente essa cantora, cuja voz e interpretação foram tão apreciadas na missa fúnebre, que sugeriu a Ludwika a ideia. Aquele gesto: levantar a campânula do vestido e revelar o mistério da cúpula complexa estendida sobre as barbatanas de baleias e os arames de um guarda-chuva.

Milhares de pessoas participaram do enterro. Era preciso parar o trânsito das carruagens no trajeto do cortejo fúnebre e guiá-las para outras ruas. Toda a cidade de Paris parou por causa do enterro. Quando ressoou "Introitus", preparado com tanto sacrifício, e as vozes do coro foram rebatidas pela abóbada da igreja, as pessoas começaram a chorar. O *Requiem aeternam* foi poderoso e comoveu profundamente a todos, mas Ludwika não sentiu tristeza, pois ela já a havia esgotado e derramado toda em lágrimas. O que sentiu foi raiva. Que tipo de mundo miserável e patético era esse onde as pessoas morrem tão cedo — onde se morre afinal? E por que logo ele? Por que daquele jeito? Levou o lenço aos olhos, não para enxugar as lágrimas, mas para apertar algo com toda a sua força e esconder os olhos, nos quais certamente não havia água, mas fogo.

Tuba mirum spargens sonum
Per sepulchra regionum,
Coget omnes ante thronum

O baixo Luigi Lablache começou com tanto lamento e calor que a sua raiva se atenuou. Depois, o tenor e o alto ressoaram de trás da cortina:

Mors stupebit et natura,
Cum resurget creatura,
Judicanti responsura.
Liber scriptus proferetur,
In quo totum continetur,
Unde mundus judicetur.
Judex ergo cum sedebit
Quidquid latet apparebit:
Nil inultum remanebit.

Até que ela enfim ouviu a límpida voz de Graziella despontar para o céu feito fogos de artifícios, como aquela revelação da perna aleijada, da verdade nua. Era claro que Graziella cantava melhor que os outros, e a cortina apenas abafava ligeiramente a sua voz, e Ludwika imaginava a italiana pequena e comovida empenhando todas as suas forças, com a cabeça erguida e as veias saltadas no pescoço — foi assim que a viu nos ensaios — emitindo essa voz extraordinária, um canto límpido, diamantino, apesar da cortina, da perna, para a desgraça desse maldito mundo:

Quid sum miser tunc dicturus
Quem patronos rogaturus.

Uma meia hora antes da fronteira do Grão-Ducado da Posnânia, a diligência parou numa taberna. Lá as viajantes primeiro se refrescaram e comeram uma pequena refeição: um pouco de carne assada servida fria acompanhada de pão e frutas. Depois, afastaram-se para o lado e, seguindo o exemplo dos outros passageiros, desapareceram no matagal na beira da estrada. Por um momento ficaram admirando as anêmonas em flor; em seguida, Ludwika retirou do cesto um vidro grande com um pedaço de músculo marrom e o colocou dentro de uma rede feita engenhosamente com tiras de couro, cujas pontas Aniela amarrou com cuidado à armação da crinolina na altura do monte pubiano. Quando o vestido se acomodou, era impossível perceber que um tal tesouro estava escondido debaixo da sua superfície. Ludwika virou-se uma série de vezes, ajeitou o vestido e seguiu até a diligência.

"Não conseguiria chegar longe com isso", disse à companheira. "Esbarra nas minhas pernas."

Mas ela não precisa ir longe. Sentou-se em seu lugar, ereta, talvez um pouco rígida demais, mas apesar de tudo era uma dama, irmã de Frédéric Chopin, e polonesa.

Na fronteira, os gendarmes prussianos ordenaram que saíssem da diligência e a inspecionaram detalhadamente para garantir que as mulheres não estavam contrabandeando para a Polônia do Congresso algo que pudesse encorajar as ridículas inclinações dos poloneses à independência, e obviamente não acharam nada.

No entanto, do outro lado da fronteira, em Kalisz, uma carruagem enviada de Varsóvia já as aguardava, assim como um grupo de amigos, testemunhas dessa triste cerimônia. Trajando fraques e cartolas, formaram uma espécie de espaldeira, os seus rostos pálidos e pesarosos viravam-se com devoção para cada embrulho retirado da carruagem. Contudo, com a ajuda de Aniela, que estava envolvida no segredo, Ludwika conseguiu se afastar por um momento e desamarrar o vidro do interior quente do vestido. Aniela, mergulhando por entre as rendas, retirou o pote em segurança e o entregou a Ludwika da mesma maneira que se entrega um recém-nascido à mãe. Depois disso, Ludwika caiu em lágrimas.

Escoltado por algumas carruagens, o coração de Chopin chegou à capital.

ESPÉCIMES DISSECADOS

O propósito de uma peregrinação é um outro peregrino. Dessa vez em detalhes expostos em prateleiras de carvalho sobre as quais há uma inscrição lindamente caligrafada:

Eminet In Minimus
Maximus Ille Deus

Estão reunidos aqui os chamados espécimes dissecados de órgãos internos. Eles são feitos da seguinte forma: uma determinada parte do corpo, um órgão, é limpa e, em seguida, forrada com algodão e dissecada. Depois do processo de dissecagem, enverniza-se seguidas vezes a superfície do espécime com um verniz igual ao usado para conservar a superfície de pinturas. Após retirar o algodão, enverniza-se também a parte interna do espécime.

Infelizmente, o verniz não é capaz de proteger o tecido da ação do tempo, por isso, pouco a pouco, todos os espécimes dissecados adquirem uma cor parecida — marrom ou castanho-escuro.

Eis então um exemplo de um estômago humano muito bem conservado, inchado como um balão, finíssimo, como se fosse feito de pergaminho; mais adiante, intestinos delgados e grossos. Seria interessante saber que guloseimas deste mundo esse sistema digestivo processou, quantos animais passaram por ele, quantas sementes o atravessaram e quantas frutas rolaram ali dentro.

Ao lado, como um bônus, é possível encontrar ainda o pênis de uma tartaruga e o rim de um golfinho.

O ESTADO DAS REDES

Sou cidadã do Estado das Redes. Ocupada em me locomover em diversos sentidos, ultimamente ando desorientada nos assuntos da política do meu país. Havia conversas, negociações, conferências, sessões, reuniões de cúpula. Enormes mapas eram expostos sobre as mesas, marcavam-se posições conquistadas com pequenas bandeiras e desenhavam-se vetores para indicar a direção das próximas conquistas.

Apenas alguns anos atrás, ao atravessar inadvertidamente uma fronteira de todo invisível ou convencional, registravam-se na tela do meu celular os nomes exóticos das redes alheias, das quais hoje em dia ninguém mais se lembra. Os golpes feitos na calada da noite passaram despercebidos, o teor dos tratados de capitulação nunca nos foi informado. Os súditos jamais foram avisados dos movimentos dos exércitos imperiais compostos de funcionários comportados e prestativos.

Ao desembarcar de um avião, meu telefone celular igualmente comportado logo me informa em que província do Estado das Redes estou. Passa as informações necessárias, declara prestar auxílio caso algo aconteça comigo. Dispõe de números úteis e, de tempos em tempos, na ocasião do Dia dos Namorados ou de outras festas, me incentiva a participar das promoções e loterias. Isso me desarma, e minhas inclinações anárquicas se esvaecem na mesma hora.

Lembro-me com um misto de emoções de uma viagem distante durante a qual fiquei fora do alcance de qualquer rede. Primeiro, o meu telefone ficou em pânico, procurando algum tipo de conexão, mas não a achou. Os seus comunicados pareciam cada vez mais histéricos. "Nenhuma rede foi encontrada", repetia. Depois desistiu e ficou olhando para mim vagamente com a pupila quadrada, ora, uma engenhoca inútil, apenas um pedaço de plástico.

Isso me lembrou vivamente de uma antiga gravura com a imagem de um andarilho que chegou aos confins do mundo. Excitado, tirou das costas a sua trouxa e ficou olhando para fora, para além da rede. Esse viajante da gravura pode se considerar um felizardo: ele vê as estrelas e os planetas, expostos cuidadosamente no firmamento. Ouve também a música das esferas celestes.

Nós fomos privados desse presente no fim da nossa viagem. Além da Rede, há silêncio.

SUÁSTICAS

Numa certa cidade do Extremo Oriente, os restaurantes vegetarianos costumam ser marcados com suásticas vermelhas, antigos símbolos do Sol e da força vital. Isso facilita muito a vida de um vegetariano numa cidade desconhecida — basta levantar a cabeça e se dirigir para esse símbolo. Lá, servem curry com legumes (de diversos tipos), *pakora*, chamuça e *korma*, pilafe, pequenas costeletas vegetarianas, assim como o meu prato preferido: enroladinhos de arroz envoltos em folhas de algas secas.

Depois de alguns dias, fico condicionada como o cão de Pavlov — salivo ao ver uma suástica.

Vi pequenas lojas na rua onde se vendem nomes para crianças que nascerão em breve. É preciso se matricular com a devida antecedência e fazer um pedido. É necessário informar a data exata da concepção e apresentar o resultado da ultrassonografia, porque o sexo da criança é extremamente importante na hora da escolha do nome. O vendedor anota esses dados e pede para comparecer dentro de alguns dias. Durante esse tempo, ele faz um mapa astral da futura criança e se dedica à meditação. Às vezes o nome vem com facilidade, se materializa na ponta da língua em dois ou três sons que a saliva junta em sílabas, as quais, em seguida, a mão experiente do mestre transforma em símbolos vermelhos no papel. Outras vezes, o nome é resistente, confuso, apenas esboçado, feito para implorar. É difícil expressá-lo por meio das palavras. Nessas horas são acionadas técnicas auxiliares que permanecem como um segredo de todos os vendedores de nomes.

Podem ser vistos pelas portas abertas das lojas abarrotadas de papel de arroz, figuras de Buda e textos de orações pintados à mão, trabalhando com um pincel na mão apontado para o papel. Por vezes o nome cai do céu feito um borrão de tinta — surpreendente, nítido, perfeito. Diante de tal revelação, nada pode ser feito. Por vezes os pais não se dão por satisfeitos, preferindo um nome delicado e cheio de otimismo como Luar ou Bom Rio para as meninas e, por exemplo, Sempre em Avanço, Destemido ou Aquele que Alcançou o Objetivo para os meninos. De nada adiantam as explicações do vendedor de que o próprio Buda chamou o seu filho de Nó. Os clientes se afastam insatisfeitos e resmungando, e se dirigem à concorrência.

DRAMA E *ACTION*

Longe de casa, escarafunchando as prateleiras de uma videolocadora, xingo em polonês. E de repente uma cinquentona de baixa estatura para ao meu lado e fala atropeladamente na minha língua:

"É polonês? Está falando em polonês? Bom dia."

Infelizmente, o seu repertório de frases em polonês acaba por aí.

E a partir daquele momento responde em inglês. Conta que chegou ali com os pais quando tinha dezessete anos e exalta o conhecimento da palavra "*mamusia*". Em seguida, para meu constrangimento, começa a chorar, aponta para a sua mão e o seu antebraço e fala sobre sangue, que é onde se encontra toda a alma, e que o seu sangue é polonês.

Aquele gesto desajeitado lembra o gesto de um drogado — o seu dedo indicador aponta para as veias, o lugar onde se enfia a agulha. Diz que se casou com um húngaro e se esqueceu do seu polonês. Ela me abraça e se afasta, desaparece entre as prateleiras com as inscrições "*Drama*" e "*Action*".

Tenho dificuldade em acreditar que é possível esquecer a língua graças à qual os mapas do mundo foram desenhados. Deve tê-la simplesmente extraviado. Talvez esteja enrolada e empoeirada na gaveta junto com os sutiãs e as calcinhas, enfiada num canto como um fio dental sensual comprado um belo dia num surto de entusiasmo, que nunca teve a oportunidade de ser usado.

PROVAS

Conheci alguns ictiólogos para quem a condição de criacionistas não pressupõe um obstáculo ao seu trabalho. Comemos um curry com legumes sentados à mesma mesa e tínhamos muito tempo até embarcar no próximo avião. Por isso nos transferimos para o bar onde um menino de feições orientais e os cabelos presos num rabo de cavalo tocava no violão os sucessos de Eric Clapton.

Contaram como Deus criou os seus lindos peixes — todas as trutas, todos os lúcios, pregados e linguados junto com toda a evidência do seu desenvolvimento filogenético. Para completar o conjunto de peixes, que ele fez existir no terceiro dia, aparentemente preparou os seus esqueletos petrificados, as suas audaciosas impressões em arenito, os seus fósseis.

"E para que fez isso?", perguntei. "Por que criar essas provas falsas?"

Estavam preparados para as minhas dúvidas, de modo que um deles respondeu:

"Descrever Deus e suas intenções é igual a um peixe tentar descrever a água em que nada."

E o outro acrescentou após um instante:

"E o seu ictiólogo."

NOVE

Num hotelzinho barato em cima de um restaurante na cidade X, fui hospedada no quarto número 9. Ao me entregar a chave (do tipo comum, prateada, com o número preso numa argola), o porteiro disse:

"Tenha cuidado com essa chave. O número 9 se perde com mais frequência."

Fiquei imóvel com a caneta suspensa sobre o formulário que estava preenchendo.

"O que isso quer dizer?", perguntei num estado de alerta interno. O homem sentado atrás do balcão não podia ter topado com um alvo melhor do que eu, uma detetive autodidata, uma investigadora particular de casos e sinais.

Deve ter percebido a minha inquietação, pois começou a explicar com calma, num tom quase conciliador, que aquilo não queria dizer nada. Simplesmente, pelas eternas leis do acaso, a chave do quarto número 9 era extraviada por viajantes distraídos com frequência. Ele sabia bem disso porque renovava o estoque das chaves a cada ano e lembrava que sempre precisava encomendar uma quantidade maior do quarto número 9. Até o próprio chaveiro se espantava com isso.

Durante os quatro dias da minha estada na cidade X, eu me lembrava da chave. Quando voltava para o hotel, colocava-a num lugar visível, e quando saía, a entregava nas mãos seguras dos recepcionistas. Certa vez, quando sem querer a levei comigo, a enfiei no bolso mais seguro e verifiquei a sua presença durante o dia.

Eu me perguntava qual lei, quais causas e efeitos regiam a chave número 9. Ou talvez a espontânea intuição do recepcionista estivesse certa — era uma simples casualidade. Ou muito pelo contrário — a culpa podia ser dele; ele escolhia inconscientemente pessoas distraídas, indignas de confiança e facilmente influenciáveis.

Após uma partida apressada da cidade X por causa de uma mudança de itinerário repentina, alguns dias depois, fiquei chocada ao achar a chave no bolso das minhas calças. Desatenta, eu a havia levado comigo. Pensei em enviá-la de volta, mas, para dizer a verdade, já não me lembrava mais do endereço daquele hotel. Fiquei feliz apenas com uma coisa: que havia outros como eu constituindo um pequeno grupo de pessoas que partiram da cidade X com a chave número 9 no bolso. Pode ser que de forma inconsciente formemos uma comunidade, incapazes de adivinhar a sua razão de ser. Talvez isso se esclareça no futuro. No entanto, a premonição do porteiro permanecia um fato — para o incessante espanto do chaveiro, mais uma vez seria preciso encomendar a chave do quarto número 9.

TENTATIVAS DE ESTEREOMETRIA DE VIAGEM

Um homem desperta de um sono inquieto num enorme avião intercontinental e aproxima o rosto da janela. Avista, lá embaixo, uma enorme e escura terra firme pontuada aqui e acolá por fracos conjuntos de luzes. São grandes cidades. Graças ao mapa projetado sobre as telas, adivinha que é a Rússia, provavelmente algum lugar no meio da Sibéria. Ele se enrola no cobertor e volta a dormir.

Embaixo, numa dessas manchas escuras, outro homem acaba de sair de uma casa de madeira e ergue os olhos para o céu numa tentativa de adivinhar o tempo que fará no dia seguinte.

Se traçássemos uma reta hipotética saindo do centro da Terra, descobriríamos que por uma fração de segundo essas duas pessoas se encontrariam naquele raio. Talvez por um átimo, seus olhares pousariam nele e se cruzariam. O raio uniria as suas pupilas como uma linha que atravessa duas miçangas.

Por um instante, são vizinhos na vertical; afinal, onze mil metros não são nada, apenas um pouco mais que dez quilômetros. Para aquele homem que está na terra é muito menos que a distância até o povoado mais próximo. É menos que a distância que separa dois bairros de uma grande cidade.

EVEN

Enquanto viajo, passo pelos outdoors à beira da estrada que anunciam em preto e branco: "*Jesus loves even you*". Sinto-me animada por aquele apoio inesperado; apenas o "*even*" me deixa apreensiva.

ŚWIEBODZIN

Depois de algumas horas de caminhada pela orla escarpada do oceano, por entre folhas pontiagudas de iúca, descemos seguindo manchas de sombra para uma praia pedregosa. Há lá um pequeno abrigo com uma fonte de água doce. Nesse grande ermo há um telhado apoiado sobre três paredes. Dentro, há bancos para se sentar e dormir. Sobre um deles, estranhamente, há um caderno com uma capa preta de plástico e uma caneta Bic amarela. É o livro dos visitantes. Tiro a mochila, os mapas e leio vorazmente desde o início. Linhas, letras diferentes, palavras estranhas, dados lacônicos de todas aquelas pessoas que por obra de um destino inescrutável estiveram aqui antes de mim. Número, data, nome e sobrenome, Três Perguntas a um Peregrino: país de origem, local de partida, local de destino. Descubro que sou a centésima quinquagésima sexta visitante. Antes de mim estiveram aqui noruegueses, irlandeses, americanos, dois coreanos, australianos, alemães — os mais numerosos, mas houve também suíços e inclusive — vejam só — eslovacos. Então meu olhar para em um nome: Szymon Polakowski, Świebodzin, Polônia. Hipnotizada, fito essa inscrição apressada e articulo o nome em voz alta: Świebodzin, e, a partir daquele momento, tenho a impressão de que alguém tivesse estendido uma película leitosa sobre o oceano, as iúcas e a trilha íngreme. Esse nome engraçado e difícil, contra o qual a língua solta se rebela, um suave e perverso "ś" que automaticamente provoca uma vaga sensação, algo como o frio de um oleado estendido sobre a mesa da cozinha, o cesto de tomates recém-colhidos na horta, o cheiro de fumo produzido por uma caldeira a gás Junkers. Tudo isso faz com que apenas Świebodzin se torne real, mais nada. Durante o resto do dia uma enorme Fada Morgana paira sobre o oceano. E mesmo que nunca tivesse estado naquela cidadezinha, vejo vagamente as suas ruelas, o ponto de ônibus, o açougue, a torre da igreja. À noite bate uma onda de saudade desagradável, como uma cólica intestinal e, meio adormecida, enxergo lábios alheios que se posicionam impecavelmente para articular aquele incrível "św".

KUNICKI: TERRA

O verão se fechou, trancou-se como uma porta atrás de Kunicki. E ele está se acomodando, trocando as sandálias por sapatos, bermudas por calças compridas, apontando os lápis sobre a escrivaninha, ordenando as faturas. O passado deixa de existir, se transforma em sobras da vida — não há nada para lamentar. Então aquilo que sente deve ser uma dor fantasma, irreal, a dor de cada forma incompleta, lascada, que por natureza anseia o todo. Não há como explicá-lo de outra forma.

Ultimamente ele não tem conseguido dormir. Na verdade, adormece à noite, exausto, mas acorda por volta das três, quatro horas da madrugada, como há anos depois da enchente. Mas naquela época ele sabia o motivo da insônia — ficou assustado com a calamidade. Agora é diferente, não houve nenhuma catástrofe. No entanto, formou-se um buraco, uma ruptura. Kunicki sabe que esse vão poderia ser remendado com palavras; se conseguisse achar a quantidade exata de palavras sensatas, certeiras para explicar aquilo que aconteceu, o buraco poderia ser remendado, não sobraria nenhum vestígio, e ele conseguiria dormir até as oito. De vez em quando, raramente, ele tem a impressão de ouvir uma voz em sua cabeça, uma ou duas palavras articuladas em voz alta, penetrantes. Palavras arrancadas da noite insone e do dia corrido. Algo faísca nos neurônios, impulsos saltam de um lugar para outro. Não é isso o próprio ato de pensar?

Os fantasmas estão totalmente montados agora, parados às portas da mente, em linha de produção. Eles não o assustam, não são nenhum dilúvio bíblico, não contêm cenas dantescas. Trata-se simplesmente de uma terrível incapacidade de fugir da água, da sua onipresença. As paredes de seu apartamento estão permeadas dela. Kunicki examina o reboco doente, amolecido e a tinta úmida deixa uma marca sobre a sua pele. As manchas formam nas paredes mapas de terras que ele desconhece, tampouco consegue nomeá-las. Gotas de água se infiltram através dos caixilhos das janelas, penetram debaixo do tapete. Meta um prego na parede e um pequeno riacho jorrará. Abra a gaveta e ouvirá o chapinhar de água. Levante uma pedra e eu estarei lá, murmura a água. Riachos escorrem sobre os teclados dos computadores, a tela se apaga debaixo d'água. Kunicki sai correndo para fora do seu prédio e percebe que as caixas de areia e os canteiros de flores desapareceram, as cercas vivas baixinhas deixaram de existir. Vai até o carro com água até os tornozelos. Ainda tentará dirigi-lo para fora do seu bairro, para um terreno mais alto, mas não terá mais tempo. Descobrirá que estão cercados, presos numa armadilha.

Fique feliz que tudo acabou bem, fala consigo mesmo, levantando-se na escuridão para ir ao banheiro. Claro que estou feliz, responde a si mesmo. Mas não está. Deita outra vez sobre os lençóis quentes e fica assim, com os olhos abertos, até a manhã. As suas pernas estão agitadas, parece que querem ir a algum lugar, lançam-se num passeio irreal por sua própria conta pelas dobras do edredom, coçam por dentro. Por vezes, tira sonecas curtas e é acordado pelo próprio ronco. Permanece deitado vendo o dia clarear atrás da janela, ouvindo os garis e os primeiros ônibus fazendo barulho, os bondes saindo dos terminais. De madrugada, o elevador começa a funcionar, é possível ouvir os seus guinchos lamentosos, guinchos de um ser capturado num espaço bidimensional, para cima e para baixo, nunca transversalmente ou para os lados. O mundo arranca seguindo para a frente com esse buraco incontestável, aleijado, manco.

Kunicki manca junto com ele até o banheiro, depois toma um café em pé junto da bancada na cozinha. Acorda a mulher. Sonolenta, ela desaparece no banheiro sem dizer sequer uma palavra.

Ele achou uma vantagem no fato de não conseguir dormir — pode ouvir o que ela lhe diz enquanto sonha. Dessa forma se revelam os maiores segredos. Escapam involuntariamente como se fossem finíssimos jatos de fumaça e logo desaparecem, é preciso captá-los logo na beira dos lábios. Então, pensa e escuta. Ela dorme silenciosamente, de bruços, quase não dá para ouvir a sua respiração, de vez em quando suspira, mas nos suspiros não há palavras. Quando ela rola de um lado para outro, a sua mão procura inconscientemente um outro corpo, tenta abraçá-lo, a perna vagueia na direção do seu quadril. Nessas horas o seu corpo fica teso, pois qual poderia ser o significado daquilo? Por fim, considera que esse movimento é mecânico e permite que ela o faça.

Aparentemente, nada mudou além dos cabelos dela, que clarearam por causa do sol, e de algumas sardas a mais no seu nariz. Mas quando tocou nela, quando passou a mão em suas costas nuas, teve a impressão de ter descoberto algo. Já não tem mais certeza. Essa pele agora oferece mais resistência, é mais dura, mais concentrada em si mesma, feito lona.

Não pode se permitir mais investigações, tem medo, a sua mão recua. Semiadormecido, imagina que a sua mão encontra um terreno alheio, algo que ele deixou escapar durante os sete anos de seu casamento, algo vergonhoso, um sinal, uma faixa de pele coberta de pelos, escama de peixe, penugem de pássaro, uma estrutura atípica, uma anomalia.

Por isso se afasta até a beirada da cama e de lá olha para a silhueta que é a sua esposa. Na luz fraca do condomínio que entra pela janela, o seu rosto constitui apenas um contorno pálido. Adormece com os olhos encravados nessa mancha e, quando acorda, o quarto está começando a se iluminar. A luz da alvorada é metálica, deixa as cores acinzentadas. Por um momento ele tem a impressão aterradora de que ela está morta — vê o seu cadáver, o corpo oco e ressecado do qual a alma tinha saído havia muito tempo. Não tem medo, é apenas uma estranha sensação, toca imediatamente em sua bochecha para espantar aquela imagem. Ela suspira, se vira para ele e coloca a mão em seu peito, sua alma retorna. A partir daquele momento a sua respiração se torna rítmica, mas ele não se atreve a se mexer. Espera até o despertador tirá-lo dessa situação incômoda.

Fica preocupado com a sua própria inércia. Não deveria, por acaso, anotar todas essas mudanças para não deixar nada escapar? Levantar-se silenciosamente, escapulir-se dos lençóis e, sentado à mesa da cozinha, dividir a folha de papel ao meio e escrever: antes e depois. O que ele escreveria? A pele mais áspera — talvez esteja simplesmente envelhecendo, ou é o efeito do sol. Camisola no lugar do pijama? Talvez os aquecedores estejam funcionando com mais eficiência que antes? O cheiro? Mudou de creme.

Lembrou-se do batom que ela usava na ilha. Agora tem um diferente! Aquele era claro, bege, delicado, da cor dos lábios. Esse é vermelho, carmim, não sabe como descrever a cor, nunca tinha sido bom nisso, nunca soube qual era a diferença entre carmim e vermelho, sem mencionar púrpura.

Desliza cuidadosamente debaixo dos lençóis, toca no piso com os pés descalços e vai até o banheiro sem ligar a luz para não a acordar. Só depois de chegar lá é que se permite cegar com a luz intensa. O seu nécessaire bordado com miçangas está na prateleira debaixo do espelho. Abre-o delicadamente para se certificar de suas suposições. O batom é outro.

De manhã, ele consegue encenar tudo com perfeição, é o que ele mesmo pensa: com perfeição. Faz de conta que se esqueceu de algo e precisa ficar em casa mais cinco minutos.

"Pode ir, não espere por mim."

Finge que está com pressa procurando alguns papéis. Ela põe o casaco diante do espelho, enrola um cachecol vermelho em volta do pescoço e pega o filho pela mão. A porta se fecha com um estrondo. Ouve os dois descerem as escadas correndo. Fica imóvel debruçado sobre os papéis e o estrondo da porta se fechando ecoa em sua cabeça repetidas vezes, como se fosse uma bola — bum-bum-bum —, até silenciar. Depois, respira fundo e se endireita. Silêncio. Sente que o envolve e a partir daquele momento se move devagar e com precisão. Aproxima-se do armário, afasta a porta envidraçada e fica frente a frente com as roupas dela. Estende a mão na direção de uma blusa clara que ela nunca usou, é elegante demais. Roça os dedos nela, depois toca com a mão inteira, deixa as dobras de seda envolverem a sua mão. Essa blusa, no entanto, não lhe diz nada, portanto segue adiante; reconhece um tailleur de caxemira, também raramente usado, e vestidos de verão, algumas blusas penduradas umas sobre outras; um suéter de inverno, ainda dentro de um saco de plástico da lavanderia, e uma capa preta e comprida que também a viu usando pouquíssimas vezes. E é nessa hora que lhe vem à mente uma ideia: aquelas roupas estão lá para enganá-lo, é um ardil.

Estão lado a lado na cozinha. Kunicki está cortando a salsinha. Não quer começar de novo, mas não consegue se conter. Sente as palavras crescerem em sua garganta e não é capaz de engoli-las. Portanto, recomeça:

"O que aconteceu, então?"

Ela fala com uma voz cansada, seu tom é de quem está recitando a mesma coisa pela enésima vez, de que ele é chato, que a está importunando:

"Vamos lá, mais uma vez: passei mal, devo ter tido uma intoxicação, já te falei."

Mas ele não vai se entregar tão fácil:

"Você não estava se sentindo mal quando saiu."

"Sim, mas depois fiquei mal, muito mal", repete com satisfação. "E acho que cheguei a desmaiar por um momento, o menino começou a chorar e foi o que me fez recuperar os sentidos. Ele se assustou e eu também me assustei. Começamos a voltar para o carro, mas por causa dessa confusão toda acabamos indo na direção oposta."

"Em qual direção? Para Vis?"

"Sim, para Vis. Não, não sei se para Vis. Como eu ia saber? Se soubesse, teria *voltado*, já te falei mil vezes", levanta a voz. "Quando entendi que eu tinha me perdido, nos sentamos num pequeno bosque e o menino dormiu, e eu continuava passando mal..."

Kunicki sabe que ela está mentindo. Continua cortando a salsinha, não levanta os olhos da tábua e diz com uma voz grave:

"Não tinha nenhum bosque lá."

Ela quase grita.

"Mas é claro que tinha!"

"Não, não tinha. Havia só algumas oliveiras e vinhedos. Que bosque?"

Paira um silêncio, e em seguida, de repente, ela diz com total seriedade:

"Tudo bem, então. Você desvendou tudo. Parabéns. Fomos sequestrados por um disco voador, fizeram experiências com a gente, implantaram chips, aqui ó", levanta os cabelos e mostra a nuca, o seu olhar é gélido.

Kunicki ignora essa ironia.

"Tudo bem, continue."

Ela diz:

"Achei uma casinha de pedras. Dormimos lá, depois anoiteceu..."

"Tão rápido? E o que aconteceu com o resto do dia? O que você fez durante o resto do dia?"

Ela continua a sua versão:

"... De manhã acabamos gostando da situação. Pensei que você ficaria um pouco preocupado com a gente e depois se lembraria da nossa existência. Uma terapia de choque. Comíamos uvas e íamos nadar..."

"Sem comer nada durante três dias?"

"Acabei de te falar que comíamos uvas."

"E o que vocês bebiam?", Kunicki continua a indagar.

Nessa hora ela faz uma careta.

"Água do mar."

"Por que você simplesmente não me conta a verdade?"

"Mas essa é a verdade."

Kunicki retira escrupulosamente os caules carnudos.

"Tudo bem, e o que aconteceu depois?"

"Nada. Enfim, voltamos para a estrada e paramos um carro que nos deu carona até..."

"Depois de três dias!"

"E daí?"

Ele joga a faca na salsinha. A tábua cai no chão.

"Mulher, você sabe o que você aprontou? Um helicóptero procurou por vocês. Toda a ilha ficou em alerta!"

"Desnecessariamente. Às vezes pode acontecer de alguém desaparecer por um momento, não é? Não era preciso criar pânico. Podemos manter a versão que eu passei mal e depois melhorei."

“O que aconteceu com você, diabos? O que está acontecendo com você? Como vai explicar tudo isso?”

“Aqui não há nada para explicar. Eu te disse a verdade, mas você não quer ouvir.”

Ela grita, mas depois abaixa a voz:

“Me diga, o que você pensa, o que imagina que aconteceu?”

Mas ele já não responde. Essa conversa já se repetiu várias vezes. E parece que nenhum dos dois tem força para continuá-la.

Às vezes ela se encosta à parede, semicerra os olhos e zomba dele:

“Chegou um ônibus cheio de cafetões e me levaram a um bordel. Mantiveram o menino preso na varanda só à base de pão e água. Durante esses três dias tive sessenta clientes.”

Nestas horas, ele se agarra à mesa para não a agredir.

Ele jamais parou para pensar ou ficou preocupado com a sua incapacidade de gravar na memória a lembrança de determinados dias. Não sabe o que fez numa determinada segunda-feira, não se trata nem de uma, mas da última ou penúltima segunda-feira. Não sabe o que fez anteontem. Está tentando evocar a quinta-feira antes de partir de Vis — e não consegue ver nada. Mas quando se concentra, recorda que caminhavam por uma trilha, que os arbustos ressecados de ervas estalavam sob os seus pés, e a grama estava tão seca que virava pó quando pisavam nela. E lembra-se de uma mureta de pedra baixinha, mas provavelmente só porque foi onde viram uma serpente que fugiu deles. Ela pediu que pegasse o menino no colo. A partir daquele momento ele o carregou em seus braços enquanto subiam e ela arrancou as folhas de uma planta e as esmagou entre os dedos. “Arruda”, disse. Foi quando ele percebeu que tudo lá cheirava a essa erva, inclusive a *rakija* — enfiavam ramos inteiros dela dentro das garrafas. Mas já não consegue dizer como eles retornaram e o que aconteceu naquela noite. Tampouco se lembra de outras noites. Não se lembra de nada, deixou que tudo passasse de forma despercebida. E quando não se lembra de algo, isso significa que aquilo não existiu.

Detalhes, o peso dos detalhes: antes ele não os levava a sério. Agora está certo de que, quando conseguir arrumá-los numa corrente ajustada de causa e efeito, tudo vai se esclarecer. Deveria sentar tranquilamente no seu escritório, estender uma folha de papel, de preferência de formato grande, o maior que achar. Aliás, ele pode usar uma daquelas para embrulhar livros, e colocar tudo ponto por ponto. Afinal, deve existir a verdade.

Tudo bem, então. Corta as fitas de plástico do pacote com os livros e os empilha sem olhar para eles. É um daqueles best-sellers, que se dane. Retira a folha de papel kraft marrom e o alisa sobre a escrivaninha. O espaço pardo extenso e levemente amassado o intimida. Com uma caneta hidrográfica preta escreve: fronteira. Ali brigaram. Será que deveria recuar até antes da partida? Não, vai começar a partir da fronteira mesmo. Deve ter entregado o passaporte pela janela do carro. Isso foi entre a Eslovênia e a Croácia. Depois se lembra de que viajaram por uma estrada asfaltada que atravessava vilas abandonadas. Havia casas de pedra sem telhados, com vestígios de incêndios ou bombas. Sinais da guerra visíveis. Campos infestados de ervas daninhas, uma terra seca, infértil e descuidada. Os seus proprietários exilados. Trilhas mortas. Mandíbulas cerradas. Não acontece absolutamente nada, estão no purgatório. Viajam de carro observando em silêncio aquelas paisagens emocionantes. No entanto, ele não consegue se lembrar dela, sentada demasiado próxima dele. Não se lembra se eles pararam lá ou não. Sim, abastecem em um pequeno posto de gasolina. Parece que estão comprando sorvete. O tempo está abafado. E o céu leitoso.

Kunicki tem um bom emprego. No seu trabalho é um homem livre. Trabalha na capital como representante comercial de uma grande editora. Ser um representante quer dizer que vende livros. Na cidade há alguns pontos que ele precisa visitar de quando em quando, promovendo a sua oferta, recomendando as novidades e seduzindo os compradores com promoções.

Para o carro junto de uma pequena livraria na periferia da cidade e tira os livros encomendados do porta-malas. A livraria se chama "Livraria. Artigos de papelaria", é pequena demais para poder ter um nome mais expressivo. Além disso, os cadernos e manuais constituem o grosso do negócio. A encomenda cabe dentro de uma caixa de plástico: guias práticos, dois exemplares do sexto volume de uma enciclopédia, as memórias de um ator famoso e o último best-seller com o título enigmático de *Constelações*, curiosamente três exemplares. Kunicki promete a si próprio que também irá lê-lo. Eles lhe oferecem um café e uma fatia de bolo caseiro, o pessoal da livraria gosta dele. Enquanto come e toma café, ele mostra o novo catálogo da editora. Isto aqui vende bem, diz, e é exatamente o que eles encomendam. O seu trabalho consiste naquilo. Antes de sair, compra uma agenda que estava em promoção.

À noite, em seu minúsculo escritório, preenche os formulários da editora com as encomendas recolhidas e os envia por e-mail. Receberá os livros no dia seguinte.

Respira aliviado, traga a fumaça do cigarro, terminou o trabalho. Esperou desde a manhã por esse momento para poder rever as fotos sossegado. Liga a câmera ao computador.

Há sessenta e quatro fotografias. Não descarta nenhuma delas. Aparecem automaticamente, cada uma se fixando por uma dezena de segundos. São monótonas. A sua única vantagem é que gravam momentos que, de outro modo, se perderiam para sempre. Mas será que vale a pena salvá-las? Sim, Kunicki as copia para um disco, desliga o computador e vai para casa.

Executa todas as ações maquinalmente: gira a chave de ignição, desliga o alarme, aperta o cinto de segurança, liga o rádio com um suave toque de dedo, engata a primeira marcha, e depois o carro já começa a se movimentar devagar, do estacionamento para a rua agitada em segunda marcha. Na rádio informam a previsão do tempo, dizendo que vai chover. E sim, na mesma hora começa a chuviscar, como se as gotas da chuva estivessem em alerta à espera do anúncio na rádio. Os limpadores de para-brisa entram em ação.

E de repente algo muda. Não se trata do tempo, da chuva, da vista diante do carro, mas no mesmo instante ele vê tudo de uma maneira diferente. É como se acabasse de tirar os óculos escuros ou como se os limpadores do para-brisa tivessem removido mais do que a poeira da cidade. Sente uma onda de calor e involuntariamente tira o pé do acelerador. Os outros motoristas atrás dele começam a buzinar. Ele se recompõe e acelera para acompanhar os outros carros e ficar logo atrás do Volkswagen preto. As suas mãos começam a suar. Queria mesmo era encostar o carro, mas não tem onde, precisa continuar andando.

Ele vê com uma clareza aterrorizante que todo o caminho que conhece tão bem está cheio de sinais gritantes. São informações destinadas apenas a ele. Círculos sobre uma perna, triângulos amarelos, quadrados azuis, placas verdes e brancas, flechas, instruções. Luzes. Linhas pintadas sobre o asfalto, quadros informativos, avisos, advertências. Um sorriso num outdoor, também significativo. Ele os havia visto pela manhã, mas ainda não tinham nada a lhe dizer àquela hora, de manhã pôde ignorá-los, mas agora já não pode fazer isso. Falam com ele num tom baixinho, mas categórico, e vão se multiplicando, aliás, eles preenchem todos os espaços. Letreiros sobre as lojas, anúncios, símbolos dos correios, farmácias, bancos, uma placa de PARE erguida pela professora do jardim de infância que guia um grupo de crianças pela faixa de pedestres, um sinal passando por outro, cruzando um segundo, apontando para outro sinal, um pouco mais longe — um sinal retomando outro sinal, passado para a frente, um conluio de sinais, uma rede de sinais, um consenso de sinais às suas costas. Nada é inocente e sem significado, um enorme e infindo quebra-cabeça.

Em pânico, ele procura um lugar para estacionar, precisa fechar os olhos ou vai enlouquecer. O que houve com ele? Começa a tremer. Fica aliviado ao achar um ponto de ônibus e lá encosta o carro. Procura se acalmar. Acha que pode ter tido um derrame. Está com medo de olhar em volta. Talvez tenha descoberto alguma forma de ver, um outro Ponto de Vista, com maiúsculas, tudo com maiúsculas.

Depois de um instante, a respiração volta ao normal, mas as suas mãos ainda tremem. Acende um cigarro, sim, vai se envenenar um pouco com nicotina, ficar tonto com a fumaça, fumigar os demônios. Mas ele já sabe que não poderá seguir adiante, não vai conseguir com esse novo conhecimento que o esmaga. Arfa com a cabeça apoiada sobre o volante.

Estaciona o carro sobre a calçada, com certeza vai levar uma multa, e sai cautelosamente. A pista de asfalto lhe parece alagadiça.

"Sr. Não-me-toque", diz ela.

Para provocá-lo. Kunicki não responde. Ela bate as portas do armário da cozinha de onde tira um pacote de chá, e aguarda o instante que ela lhe concedeu para reagir.

"O que está acontecendo com você?", pergunta. Dessa vez de uma maneira agressiva. Kunicki sabe que se ele não responder agora, ela vai partir para o ataque, portanto diz tranquilamente:

"Não está acontecendo nada. O que podia estar acontecendo?"

Ela bufa e enumera com uma voz monótona:

"Você não responde, não deixa ninguém tocar em você, se afasta para a beira da cama, não dorme à noite, não assiste à televisão, volta para casa tarde, cheira a bebida..."

Kunicki pondera como deveria se comportar. Sabe que, faça o que fizer, será errado. Portanto fica imóvel. Endireita-se na cadeira, olha para a mesa. Sente-se desconfortável como se tivesse engolido algo que não quer passar pela sua garganta. Sente uma agitação ameaçadora do ar na cozinha. Tenta pela última vez:

"É preciso chamar as coisas pelo nome...", começa a falar, mas ela o interrompe.

"Ora, quem dera saber que nome elas têm."

"O.k. Você não me disse o que realmente..."

Mas não termina a frase porque ela joga o chá no chão e sai da cozinha correndo. Um segundo depois a porta de entrada bate com estrondo.

Kunicki acha que ela é uma ótima atriz. Poderia fazer muito sucesso.

Ele sempre soube o que queria. Agora não sabe. Não sabe nada, nem sabe o que poderia saber. Abre as pequenas gavetas dos catálogos e olha desatentamente para as fichas enfiadas numa barra metálica. Não sabe como procurar nem o que procurar.

Passou a última noite na internet. E o que achou? Um mapa impreciso de Vis, o site do Departamento de Turismo da Croácia, os horários das balsas. Quando digitou o nome Vis apareceram dezenas de páginas. Mas poucas sobre a ilha. Os preços dos hotéis e das atrações. Assim como *Visible Imaging System* com fotos de satélites, pelo que entendeu. E *Vaccine Information Statements*. *Victorian Institute of Sport*. E ainda *System for Verification and Synthesis*.

A própria internet o guiava de uma palavra a outra, providenciava links, apontava com o dedo. Quando não sabia alguma coisa, silenciava discretamente ou mostrava insistente e incessantemente as mesmas páginas, até se tornar enfadonha. Nessas horas Kunicki tinha a impressão de ter chegado aos limites do mundo que ele conhecia, a um muro, à membrana da abóbada celeste. Não há como perfurá-la com a cabeça e olhar para fora.

A internet é um embuste. Promete muito — que vai cumprir a sua tarefa, achar aquilo que você está procurando; missão, realização, recompensa. Mas, essencialmente, essa promessa é uma isca, porque você logo cai hipnotizado, em transe. As trilhas logo se separam, duplicam e multiplicam, você as segue, correndo sem parar atrás do alvo que logo se desmancha e passa por metamorfoses. Perde-se o chão, o ponto de partida acaba sendo esquecido, e o objetivo some de vista, desaparece num piscar de olhos na troca de páginas subsequentes, anúncios que sempre prometem mais do que podem dar, fingindo descaradamente que debaixo da superfície da tela existe um cosmo. No entanto, não há nada mais ilusório, querido Kunicki. O que você está procurando, Kunicki? Aonde você quer chegar? Você tem vontade de abrir os braços num gesto de impotência e se lançar nesse abismo, mas não há nada mais ilusório do que isso: você descobre que a paisagem é apenas um papel de parede e não há como seguir adiante.

Seu escritório é pequeno, constituído por apenas um cômodo que ele aluga por uma mixaria no quarto andar de um prédio arruinado. Ao lado há uma imobiliária e um pouco mais adiante um estúdio de tatuagem. Cabe lá apenas uma escrivaninha e um computador. No chão, há pacotes com livros e, no parapeito da janela, um bule elétrico e um vidro com café.

Liga o computador e espera até ele despertar. Aí acende o primeiro cigarro. Revê as fotos, mas examina cada uma delas demorada e atentamente dessa vez, até chegar àquelas que ele tirou no fim — do conteúdo da bolsa dela espalhado em cima da mesa e daquele ingresso com o nome "Kairós", sim, ele até gravou esse nome: καιρός. Sim, aquela palavra lhe explicará tudo.

Então ele achou algo que não havia conseguido achar antes. Está tão excitado que precisa fumar um cigarro. Examina a palavra misteriosa, agora ela vai guiá-lo e ele a soltará feito uma pipa para voar, levada pelo vento. Vai segui-la. "Kairós", lê Kunicki, "kairós", repete incerto da maneira de pronunciá-la. Parece ser a língua grega, pensa com alegria, grego, e se lança na direção das estantes com livros, mas lá não há nenhum dicionário grego, apenas *Provérbios latinos úteis*, um livro que ele, na verdade, jamais usou. Agora já sabe que está no caminho certo. Já não pode parar mais. Espalha as fotos em que aparece o conteúdo da bolsa dela, foi bom ter tirado aquelas imagens naquela hora. Ele as dispõe uma ao lado da outra em fileiras uniformes como num jogo de paciência. Acende mais um cigarro e dá voltas em torno da mesa feito um detetive. Para, traga a fumaça do cigarro, examina a fotografia do batom e da caneta.

De repente, percebe que há diversas maneiras de olhar. Uma delas consiste em apenas ver objetos, bens pessoais úteis, íntegros e concretos, e imediatamente saber identificar a sua utilidade e a forma de usá-los. Existe também um olhar panorâmico, geral, graças ao qual é possível enxergar as relações entre os objetos e a sua rede de reflexos. Os objetos deixam de ser meros objetos e o fato de eles possuírem alguma utilidade é uma questão de segunda importância, é apenas uma aparência. Agora constituem sinais, apontam para algo que não está presente na imagem, remetem para fora dos moldes da fotografia. É preciso concentrar-se muito para poder manter esse olhar fixo, pois ele, em sua essência, é uma dádiva, uma bênção. O coração de Kunicki começa a bater mais forte. A caneta vermelha com a inscrição "Septolete" está profundamente imersa em um significado obscuro e impenetrável.

Ele reconhece o lugar, esteve lá pela última vez quando a água descia, logo após a enchente. A biblioteca, o respeitável Ossolineum, fica à margem do rio, vira o seu rosto para ele, aquilo é um erro fatal. Os livros deveriam ser guardados em terrenos mais elevados.

Lembra-se daquela visão quando o sol apareceu e o nível da água baixou. A enchente acumulou lodo e lama, mas alguns lugares foram limpos e os funcionários da biblioteca dispunham ali os livros para secarem. Colocavam-nos semiabertos sobre o chão, havia centenas, milhares deles. Nessa posição, nada natural para eles, lembravam seres vivos, um cruzamento de um pássaro com uma anêmona-do-mar. As mãos em luvas finas de látex desgrudavam pacientemente as folhas molhadas umas das outras para que frases e palavras individuais pudessem secar. Infelizmente, as páginas murcharam, escureceram por causa do lodo e da água, empenaram. As pessoas andavam por entre elas com cautela, mulheres em aventais brancos, como num hospital, abriam os volumes virando-os na direção do sol para que ele os lesse. No entanto, era uma visão essencialmente aterradora, algo como o encontro dos elementos. Kunicki ficou parado olhando para aquilo com horror, mas depois, animado pelo exemplo de um outro transeunte, se juntou entusiasmado àqueles que foram ajudar.

Hoje ele se sente incomodado nessa biblioteca no centro da cidade, lindamente restaurada depois da enchente, escondida em edifícios que circundam um pátio interno. Quando entra na sala de leitura enorme e espaçosa, vê mesas arranjadas uniformemente em fileiras separadas por uma distância discreta. Quase todas estão ocupadas, mas o que se vê são as costas inclinadas, encurvadas como árvores sobre um túmulo. Um cemitério.

Os livros arrumados sobre as prateleiras revelam às pessoas apenas as suas lombadas. É como se, pensa Kunicki, as pessoas fossem vistas apenas de perfil. Não seduzem com as capas coloridas, não se gabam das faixas onde cada palavra é superlativa. Obedientemente, feito recrutas, apresentam apenas os seus dados principais: título e autor, mais nada.

Em vez de brochuras, cartazes e folhetos, há catálogos. A equidade das pequenas fichas enfiadas em pequenas gavetas desperta respeito. Apenas algumas informações, números, uma curta descrição, nenhum tipo de gabação.

Nunca tinha estado aqui. Na época da faculdade usou apenas a moderna biblioteca universitária. Entregava o título e o autor anotado numa pequena folha de papel e, depois de quinze minutos, recebia o livro. Mesmo assim, não ia lá com muita frequência, ia raramente, na verdade, pois a maioria dos textos era fotocopiada. É a nova geração de literatura — um texto sem lombada, uma efêmera fotocópia, uma espécie de lenço de papel que assumiu o poder após a abdicação dos lenços de pano. Os lenços de papel foram responsáveis por uma pequena revolução, eliminando as diferenças entre as classes sociais. Após serem usados uma única vez, são descartados no lixo.

Tem diante de si três dicionários. *Dicionário greco-polonês*, editado por Zygmunt Węclewski, Lviv, 1929. Livraria de Samuel Bodek, rua Batory 20. *Dicionário de bolso greco-polonês*. Teresa Kambureli, Thanasis Kamburelis, Wiedza Powszechna, Varsóvia, 1999. E quatro volumes do *Dicionário greco-polonês* redigido por Zofia Abramowiczówna, 1962. Editora PWN. Lá, com dificuldade e usando o alfabeto tabular, decifra a sua palavra καιρός.

Lê apenas aquilo que está escrito em polonês, em alfabeto latino: “1. (Medida), a medida certa, adequação, moderação, diferença, significado; 2. (Lugar), um lugar vital e sensível no corpo; 3. (Tempo), tempo crítico, hora adequada, ocasião, oportunidade, o momento apropriado, o momento apropriado é efêmero; aqueles que compareceram inesperadamente; perder uma oportunidade; quando o momento apropriado chegou, ajudar no caso de uma tempestade, na hora certa, por ocasião, precocemente, períodos críticos, estados periódicos, sequência cronológica dos fatos, situação, estado das coisas, circunstâncias, perigo extremo, vantagem, proveito, com que finalidade?, o que vai lhe ajudar?, onde seria mais conveniente?".

Eis um dicionário. Kunicki pega o segundo, mais antigo, e percorre com os olhos as entradas miúdas, pulando as palavras em grego e tropeçando na escrita antiga: "medida certa, moderação, relação adequada, chegar ao destino, acima da medida, o momento certo, a hora certa, o momento favorável, ocasião conveniente, então apenas, tempo, hora, e no plural, circunstâncias, relações, tempos, casos, ocorrências, decisivos momentos revolucionários, perigos; a ocasião é propícia, surge a oportunidade, está na hora. Também se diz: algo acontece na hora certa". No dicionário mais novo fornecem entre colchetes a transcrição fonética da palavra: [kieros]. Além disso: "tempo meteorológico, tempo, época, como está o tempo? agora é a época das uvas, desperdiça o tempo, de tempos em tempos, certa vez, quanto tempo?, há muito tempo era preciso".

Kunicki lança um olhar desesperado pela sala de leitura. Vê o topo das cabeças debruçadas sobre os livros. Retorna aos dicionários, lê o verbete anterior, que parece quase igual, na verdade difere apenas por uma letra: καιριός. E aqui a definição é ainda um pouco diferente: "executado a tempo, certeiro, eficaz, mortal, fatal, a pergunta decisiva, e: um ponto perigoso do corpo onde os ferimentos são eficazes, o que é atual, o que tem que acontecer".

Kunicki recolhe os seus pertences e volta para casa. À noite acha na Wikipédia uma página sobre Kairós, na qual descobre que se trata apenas de um deus helênico de pouca importância, esquecido. E que foi descoberto em Trogir. Naquele museu se encontra a sua imagem, por isso ela anotou essa palavra. Só isso.

***

Quando seu filho era pequeno, ainda um bebê, Kunicki não pensava nele como um homem. E aquilo era bom porque eles eram próximos então. Um homem é sempre distante. Ele aprendeu a trocar as fraldas eficientemente com poucos movimentos das mãos e com um efeito especial — o clique dos botões de pressão. Mergulhava seu corpinho na banheira, ensaboava sua barriga, e depois o carregava envolto numa toalha até o quarto, onde o vestia com um macacão. Era fácil. Quando se tem um filho pequeno, não é preciso pensar em nada, tudo é óbvio e natural. O seu apego ao seio, o seu peso; o cheiro — familiar e comovente. No entanto, uma criança não é um homem. Ela vira homem quando se solta dos braços e diz "não".

Agora é o silêncio que o preocupa. O que o filho está fazendo? Kunicki para na porta e vê o filho sentado no chão no meio de blocos de montar. Senta-se junto do menino e pega um dos carros de plástico. Segue com ele por uma estrada pintada. Talvez devesse começar contando uma historinha sobre um carrinho que se perdeu. Já está se preparando para abrir a boca, mas o menino arranca o brinquedo da sua mão e lhe entrega outro — um caminhão de madeira carregado com blocos.

"Vamos construir", diz o pequeno.

"O que você quer construir?", Kunicki entra na conversa.

"Uma casa."

Muito bem, então. Uma casa. Posicionam os blocos em forma de um quadrado. O caminhão traz mais material.

"E que tal a gente construir uma ilha?", Kunicki pergunta.

"Não, uma casa", o pequeno responde e coloca os blocos desordenadamente, um em cima do outro. Kunicki os ajeita com delicadeza para que a construção não desabe.

"Você se lembra do mar?"

O menino acena com a cabeça num gesto de confirmação e o caminhão despeja um novo abastecimento do material. E agora Kunicki já não sabe o que dizer, sobre o que perguntar. Pulando para o tapete dirá que o tapete é uma ilha e que eles estão numa ilha, mas o menino se perde na ilha, e o papai fica preocupado pensando onde seu filho poderia estar. É o que diz, mas o efeito final não é muito convincente.

"Não", insiste o menino. "Vamos construir uma casa."

"Você se lembra de quando você e mamãe se perderam?"

"Não", o pequeno grita e derruba os blocos com alegria.

"Você já se perdeu alguma vez?", Kunicki pergunta outra vez.

"Não", responde a criança, e o caminhão bate e derruba a construção recém-erguida cujas paredes desabam. "Bum-bum", ri o menino.

Kunicki começa pacientemente a reconstruir a casa.

Quando ela retorna, Kunicki a vê a partir do chão, da perspectiva de uma criança. É grande, está corada por causa do frio e suspeitosamente excitada. Os seus lábios estão pintados de vermelho. Joga o xale vermelho (ou talvez carmim, ou púrpura) sobre o encosto da cadeira e abraça o pequeno. "Estão com fome?", pergunta. Kunicki tem a impressão de que uma rajada de vento entrou junto com ela no quarto, um vento gélido e impetuoso soprando do mar, uma brisa. Queria lhe perguntar: "Onde você esteve?", mas não pode se dar ao luxo.

De manhã ele tem uma ereção e precisa se virar de costas para ela; precisa ocultar essas constrangedoras ideias do corpo para que ela não as interprete como algum tipo de incentivo, uma tentativa de fazer as pazes ou qualquer tipo de afinidade. Vira-se para a parede e celebra essa ereção, essa inútil prontidão, esse estado de alerta, o seu membro teso e aderente; ele o tem exclusivamente para si.

A cabeça do pênis aponta para cima, para a janela, para o mundo, feito um vetor.

***

Pernas. Pés. Mesmo quando ele para ou quando se senta, elas seguem adiante, se movem virtualmente, não conseguem parar, percorrem um determinado espaço com passos miúdos e apressados. Quando ele quer contê-los, elas se rebelam. Kunicki tem medo de que as suas pernas explodam e comecem a correr e o levem numa direção não acordada previamente com ele, e pulem e batam os calcanhares no ar contra a sua vontade ou adentrem pátios soturnos de prédios de pedra velhos e mofados, subam escadas estranhas, levem-no através de alçapões para os telhados escorregadios e íngremes e o mandem se equilibrar sobre as suas telhas escamosas como se fosse um sonâmbulo.

Essas pernas agitadas devem ser o motivo pelo qual Kunicki não consegue dormir: da cintura para cima está sossegado, relaxado e sonolento; da cintura para baixo — indomável. Deve ser constituído por duas pessoas. A parte superior deseja paz e justiça. A inferior é transgressora e infringe todas as regras. A parte superior possui um nome, sobrenome, endereço fixo e CPF. A parte inferior não tem nada a dizer sobre ela própria, aliás, está farta de si mesma.

Queria aquietar essas suas pernas, untá-las com uma pomada calmante, pois aquela comichão interna realmente causa muita dor. Por fim, toma um sonífero. Dá um jeito nas pernas.

Kunicki tenta dominar os seus membros inferiores. Inventa maneiras de fazê-lo; permite que se movam incessantemente, mesmo os próprios dedos dos pés dentro dos sapatos, quando o resto do corpo permanece parado. E quando se senta — liberta-os também para que se agitem. Olha para a ponta dos seus sapatos e vê um delicado movimento do couro quando os seus pés começam a sua marcha obsessiva sem sair do lugar. Contudo, caminha muito pela cidade. Tem a impressão de que, dessa vez, atravessa todas as possíveis pontes sobre o Oder e sobre os canais. E de que não omitiu nenhuma delas.

A terceira semana de setembro é chuvosa e cheia de vento. É preciso tirar do armário as roupas de outono, casacos e galochas para o pequeno. Ele o pega no jardim de infância e vão andando apressadamente para o carro. O menino pula dentro de uma poça de água que respinga ao redor. Kunicki não o nota, pensa no que vai dizer, prepara frases prontas. Por exemplo: "Temo que a criança possa ter sofrido um choque", ou com mais autoconfiança: "Acho que meu filho sofreu um choque". Lembra-se da palavra "trauma", "sofrer um trauma".

Atravessam a cidade molhada, os limpadores de para-brisa trabalham na velocidade máxima e recolhem a água da vidraça, por um momento revelam um mundo borrado, inundado pela chuva.

Quinta-feira: é o seu dia. Às quintas, ele pega o filho no jardim de infância. Ela está ocupada, trabalha à tarde, tem algumas oficinas ou algo do tipo, volta tarde para casa, então Kunicki tem o filho só para ele.

Chegam a um prédio restaurado no próprio centro da cidade e por um momento procuram um lugar para estacionar.

"Aonde vamos?", pergunta o pequeno, e porque Kunicki não responde, ele começa a repetir sem parar: "Aondevamos? Aondevamos?".

"Fique quieto", diz o pai, mas em seguida explica: "Vamos visitar uma senhora".

O pequeno não protesta, deve estar curioso.

Não há ninguém na sala de espera e em pouco tempo aparece diante deles uma senhora alta de uns cinquenta anos e os convida para o consultório. A saleta é clara e agradável — no meio dela há um tapete grande, macio e colorido, e sobre ele brinquedos e blocos de montar. Um pouco mais distantes, um sofá e duas poltronas, uma escrivaninha e uma cadeira. A criança se senta com cuidado na beira da poltrona, mas os seus olhos se dirigem para os brinquedos. A mulher sorri e estende a mão para Kunicki e cumprimenta o garoto. Quando fala, se dirige de modo ostensivo à criança, como se não prestasse atenção no pai. Por isso Kunicki fala primeiro, antecipando as eventuais perguntas que ela possa fazer.

"Faz um tempo meu filho tem o sono afetado, fica nervoso e...", mente, mas a mulher não permite que termine.

"Primeiro vamos brincar", diz. Isso soa tão absurdo, Kunicki não sabe se vai brincar com ele também. Fica imóvel, surpreso.

"Quantos anos você tem?", a mulher pergunta à criança. O menino mostra três dedos.

"Fez três anos em abril", diz Kunicki.

Ela senta junto do menino no tapete, passa-lhe os blocos e diz: "O papai vai aguardar no corredor. Nós vamos brincar enquanto ele lê um pouco".

"Não", diz a criança, se levanta e corre até o pai. Kunicki entendeu. Tenta convencer o filho a ficar.

"A porta vai ficar aberta", assegura a mulher.

A aba da porta se fecha devagar, mas não por completo. Kunicki está sentado na sala de espera e consegue ouvir as suas vozes, embora indistintamente. Não sabe o que estão falando. Esperava várias perguntas, trouxe até o histórico médico do filho e agora lê que o parto foi natural, ocorreu no tempo previsto, dez pontos na escala de Apgar, vacinas, peso três quilos setecentos e cinquenta gramas, cinquenta e sete centímetros de comprimento. Quando se fala de um adulto, se usa a palavra "altura", já a criança é "comprida". Pega uma revista colorida de cima da mesa, abre mecanicamente e de imediato encontra anúncios de lançamentos de livros. Reconhece os títulos, compara os preços. Sente uma agradável onda de adrenalina — ele oferece preços mais baixos.

"Por favor, me diga o que aconteceu. O que o traz aqui?", a mulher pergunta.

Fica envergonhado. O que ele deve falar, que a sua mulher e o seu filho se perderam, sumiram por três dias, quarenta e nove horas, calculou com precisão. E não sabe onde estiveram. Sempre soube tudo sobre eles, e agora não sabe o mais importante. E depois, numa fração de segundo, se imagina dizendo: "Me ajude, por favor, hipnotize o menino e reconstrua, minuto por minuto, essas quarenta e nove horas. Preciso saber".

E ela, essa mulher alta e retesada como uma flecha, chega tão perto dele que Kunicki consegue sentir o cheiro antisséptico do seu suéter (antigamente, na sua infância, esse cheiro era característico das enfermeiras), pega a mão dele entre as suas mãos grandes e cálidas e a segura contra o peito.

No entanto, não é isso o que acontece. Kunicki mente: "Ultimamente ele tem estado agitado, acorda à noite, chora. Viajamos durante as férias em agosto, pensei que poderia ter passado por alguma experiência da qual não nos demos conta, ou algo que o deixou assustado...".

Está convencido de que ela não vai acreditar nele. A mulher pega uma caneta e começa a brincar com ela. Fala com um sorriso agradável e encantador.

"O senhor tem um filho inteligente, sociável e excepcionalmente bem desenvolvido. Às vezes um simples desenho animado pode provocar esse tipo de efeito. Não permita que ele assista a muita televisão. Na minha percepção, ele não tem nada, absolutamente nada."

E então olha para Kunicki com preocupação — ou pelo menos é o que lhe parece.

Quando saem do consultório e o menino acaba de dar "tchau-tchau, doutora", em seus pensamentos, Kunicki começa a chamá-la de "puta". O seu sorriso começa a lhe parecer falso. Ela também deve estar escondendo algo. Não lhe disse tudo. Agora sabe que não deveria ter ido lá. É possível que não haja homens psicólogos infantis na cidade? As mulheres teriam monopolizado as crianças? Nunca são claras; nunca se sabe, à primeira vista, se são fracas, fortes, como se comportam, o que querem; é preciso se manter atento. Ele se lembra da caneta que ela segurava na mão. Uma Bic amarela, igual àquela da foto do conteúdo da bolsa.

É terça-feira, ela está de folga. Desde a manhã está excitado, não consegue dormir, finge que não olha para o alvoroço matinal dela, passando de lá para cá, do quarto para o banheiro, da cozinha para o corredor e mais uma vez para o banheiro. Ouve um grito curto e impaciente da criança, provavelmente na hora em que ela amarra os sapatos dele. O som do spray do desodorante. O apito do bule.

Quando saem, enfim, ele para junto da porta e escuta para verificar se o elevador já chegou. Conta até sessenta — é o tempo que eles vão demorar para descer. Depois, calça os sapatos rapidamente e retira de uma sacola de plástico o casaco que comprara num brechó. Para passar despercebido. Tranca as portas sem fazer barulho atrás de si. Tomara que não precise esperar muito pelo elevador.

Sim, tudo corre bem. Segue atrás dela numa distância segura, vertiginosamente, com o casaco alheio. Os seus olhos estão fixos nas suas costas, queria saber se ela sente algum incômodo, parece que não, pois anda rápida e impetuosamente, poderia até dizer que com alegria. Ela e o filho pulam as poças de água, não contornam, mas pulam — por que será? De onde ela tira tanta alegria nessa manhã outonal e chuvosa, será que o café já começou a fazer efeito? Os outros parecem mais morosos e sonolentos, ela é mais viva, cheia de cor, e o seu xale rosa-choque é uma mancha brilhante sobre o fundo do dia acinzentado. Kunicki se agarra a ele como um náufrago se agarra a uma barra de ferro em brasa.

Por fim, eles chegam ao jardim de infância. Ele testemunha a sua despedida do filho, mas não se comove. Pode ser que durante esses abraços carinhosos ela suspire algo em seu ouvido, alguma palavra, exatamente aquela que Kunicki procura tão desesperadamente. Se ele a conhecesse, poderia digitá-la no buscador cósmico que, numa fração de segundo, lhe providenciaria uma resposta simples e concreta.

Agora a vê parada na faixa de pedestres, à espera do sinal verde. Pega o celular e digita algum número. Por um momento Kunicki fica na expectativa de que o seu próprio celular comece a tocar no bolso. Ela tem o seu próprio toque — o som de cigarra, sim, ele lhe atribuiu o som de cigarra, um inseto tropical. Mas o seu bolso permanece calado. Ela atravessa a rua falando depressa com alguém ao telefone. Agora ele precisa esperar o sinal mudar, é arriscado porque ela acaba de dobrar uma esquina e desaparecer. Então, imediatamente, assim que pode, aperta o passo e já está com medo de tê-la perdido, já está começando a ficar com raiva de si próprio e dessas luzes. Já pensou, perdê-la a duzentos metros de casa? Mas lá está ela; seu xale adentra as portas giratórias de uma loja grande, uma loja de departamentos recém-aberta que está quase vazia. Kunicki hesita, não sabe se deveria entrar lá atrás dela e se vai conseguir se esconder por entre as prateleiras. Mas precisa segui-la porque há uma saída na loja que dá para outra rua, então põe o capuz para cobrir a cabeça — o que é perfeitamente justificável, já que está chovendo —, e entra no estabelecimento. Ele a segue com o olhar andando devagar por entre as prateleiras, como se algo a detivesse, olha para os cosméticos e os perfumes. Para diante de uma das prateleiras e estende a mão para pegar algo. Segura um frasco na mão. Kunicki vasculha as meias em promoção.

Enquanto ela se dirige pensativa para a seção das bolsas, Kunicki pega o frasco na mão. Lê: Carolina Herrera. Gravar esse nome ou tirar logo da cabeça? Gravar, algo lhe diz. Tudo tem algum significado, nós só não sabemos qual, repete nos pensamentos.

Ele a avista de longe — está se vendo no espelho. Com uma bolsa vermelha na mão examina seu reflexo, primeiro de um lado e depois do outro. Em seguida, vai até à caixa, exatamente na direção de Kunicki. Ele se afasta em pânico e se esconde atrás das prateleiras com as meias. Abaixa a cabeça. Ela passa por ele como se fosse um fantasma. Mas logo depois se vira como se tivesse esquecido algo e o seu olhar pousa diretamente nele, curvado, com o capuz cobrindo a cabeça. Kunicki vê seus olhos arregalados de espanto, sente seu olhar tocar nele, deslizar e apalpá-lo.

"O que você está fazendo aqui? Tem alguma ideia do que você está parecendo?"

Depois, num instante, esses olhos amolecem, cobrem-se com uma espécie de bruma, e ela pestaneja: "Meu Deus, o que está acontecendo com você, o que aconteceu?".

É estranho, não era isso que Kunicki imaginara que fosse acontecer. Esperava uma briga. E ela o abraça e o aperta no seu colo, enfia o rosto nesse seu casaco esquisito de brechó. Kunicki solta um suspiro, um pequeno e redondo "ah", não sabe bem se é porque ficou surpreso com o seu comportamento, ou porque, de repente, queria cair no choro sobre o seu casaco de penas perfumado.

Ela chama um táxi e eles esperam em silêncio. Só dentro do elevador, ela lhe pergunta: "Como você está?".

Kunicki responde que está bem, mas sabe que estão indo para o confronto final. A sua cozinha se transformará num campo de batalha, e eles tomarão posições de ataque — ele provavelmente junto da mesa, e ela de costas para a janela, como de costume. E sabe que não deveria menosprezar esse momento importante, que talvez seja o último e único momento disponível para saber o que aconteceu naquele dia. Saber a verdade. Mas também tem consciência de que se encontra num campo minado. E cada pergunta será uma bomba. Não é covarde e não cessará até descobrir os fatos. Enquanto o elevador sobe, ele se sente como um terrorista com uma bomba escondida debaixo da roupa que vai explodir assim que a porta do seu apartamento se abrir, transformando tudo em pó.

Ele segura a porta com a perna para passar as sacolas de compras para dentro primeiro, e depois entra no apartamento. Na verdade, não nota nada de estranho, acende as luzes e leva as sacolas até a bancada na cozinha. Enche o copo com água e coloca nele um maço de salsinha murcho. A salsinha é o que lhe ajuda a recuperar os sentidos.

Ele atravessa o próprio apartamento feito um fantasma, tem a impressão de ser capaz de atravessar as paredes. Os cômodos estão vazios. Kunicki é um olho que brinca de quebra-cabeça: "Procure os detalhes que diferenciam estas duas imagens". E Kunicki os procura. Não tem dúvidas que elas diferem — o apartamento agora e o apartamento antes. É um jogo para pessoas pouco observadoras. O casaco dela já não está sobre o cabide, nem o xale, nem sequer o casaco do filho, tampouco a coleção de sapatos (restaram apenas os seus chinelos solitários) ou o guarda-chuva. O quarto da criança também parece quase completamente abandonado, ficaram apenas os móveis. No tapete há um carrinho abandonado, como um destroço de uma colisão cósmica inimaginável. Mas Kunicki precisa se certificar, por isso, com uma mão estendida à sua frente, anda de mansinho até o quarto, até o armário envidraçado, e desliza a porta pesada que se move relutante com um triste murmúrio. Ficou apenas a blusa de seda, elegante demais para ser usada. Pende solitária no armário. O movimento da porta faz a manga se agitar delicadamente — é como se ela, abandonada, estivesse feliz por ter sido enfim descoberta. Kunicki examina as prateleiras vazias no banheiro. Ficou apenas o seu kit de barbear, bem no canto. E a escova de dentes a pilhas.

Precisa de mais tempo para entender essa imagem. Toda a tarde, a noite, e ainda a manhã seguinte.

Por volta das nove horas da manhã, prepara um café forte e depois recolhe alguns dos artigos de toalete, tira algumas camisetas e calças do armário. Antes de sair, quando já está passando pela porta, verifica a carteira: os documentos e os cartões. Depois desce as escadas correndo até o carro. À noite nevou, então precisa limpar os vidros. Faz isso de qualquer jeito, com a mão. Conta com a possibilidade de chegar a Zagreb antes do cair da noite e em Split no dia seguinte. Isso quer dizer que amanhã vai ver o mar.

Dirige-se para o sul por uma estrada reta como uma flecha, na direção da fronteira com a República Tcheca.

A SIMETRIA DAS ILHAS

Na psicologia de viagem, costuma-se dizer que a impressão da semelhança de dois lugares é diretamente proporcional à distância entre eles. Aquilo que está próximo parece distinto, estranho. A psicologia de viagem afirma que muitas vezes descobrimos as maiores semelhanças nos confins mais distantes do mundo.

É fascinante, por exemplo, o fenômeno da simetria das ilhas. Inexplicável, ininteligível; um fenômeno que vale uma monografia à parte. Gotlândia e Rodes. Islândia e Nova Zelândia. Cada uma dessas ilhas, examinada sem o seu par, parece incompleta, imperfeita. As rochas nuas, calcárias de Rodes são complementadas pelas rochas cobertas de musgo na Gotlândia; o brilho ofuscante do sol se torna mais real só quando confrontado com a macia tarde dourada setentrional. Os muros medievais de uma cidade existem sob duas formas: dramática e melancólica. Os turistas suecos que estabeleceram em Rodes a sua colônia informal, não registrada na ONU, têm consciência disso.

SACO DE ENJOO

Num voo de Varsóvia para Amsterdam, sem me dar conta disso, comecei a brincar com um saco de papel. Só depois de um instante é que achei sobre ele uma inscrição grafada à mão com uma caneta esferográfica:

"12.10.2006. Um voo para a Irlanda, rumo ao desconhecido. Destino: Belfast. Estudantes da Politécnica de Rzeszów."

A inscrição tinha sido feita na parte inferior do saco, no espaço livre entre as duas laterais impressas, onde a mesma informação era repetida em diferentes idiomas: *air sickness bag... sac pour mal de l'air... Spuckbeutel... bolsa de mareo*. Entre aquelas palavras, uma mão humana escreveu aquelas outras, com o número 1 em destaque no início, como se por um momento o autor pusesse em dúvida a necessidade de deixar para trás essa expressão anônima de desassossego. Teria suposto que a inscrição sobre a bolsa encontraria o seu leitor? E que assim eu me tornaria testemunha de uma viagem alheia?

Fiquei comovida com esse ato de comunicação unilateral, estava curiosa sobre a mão que escrevera aquilo, e como eram os olhos que a guiaram ao longo da linha do texto impresso. Perguntava-me se tudo teria dado certo para esses estudantes de Rzeszów em Belfast. Na verdade, esperava encontrar a resposta em outro avião que pegasse no futuro.

Queria que escrevessem: "Deu tudo certo. Estamos voltando para a Polônia". No entanto, sei que apenas o desassossego e a incerteza fazem com que as pessoas escrevam sobre sacos de enjoo. Nem as derrotas nem o maior sucesso estimulam a escrita.

OS MAMILOS DO MUNDO

Estes jovens — uma moça, de no máximo dezenove anos, estudante de literatura escandinava, e o seu namorado, um loiro franzino com cabeleira dread, teimaram em fazer uma viagem de carona de Reykjavik até Ísafjörður. Foram absolutamente desaconselhados a fazer aquilo por dois motivos: primeiro, porque o trânsito é limitado, especialmente no norte, então poderiam ficar presos em algum lugar no caminho; segundo, porque a temperatura podia cair repentina e drasticamente. Mas esses jovens não escutaram. Ambas as advertências se confirmaram ponto por ponto: ficaram presos num ermo onde um carro os havia deixado antes de desviar para uma povoação distante, e, depois dele, nenhum outro apareceu. No período de uma hora, o tempo mudou de forma radical e começou a nevar. Cada vez mais apavorados, ficaram à beira da estrada que atravessava uma planície cheia de pedras vulcânicas, de um confim ao outro, e se aqueciam fumando cigarros com a esperança de que outro carro passasse por lá. Mas não passou. Ao que parecia, as pessoas desistiram de viajar para Ísafjörður naquela noite.

Não havia com que fazer uma fogueira — encontraram apenas um musgo úmido e frio, e raros arbustos que as chamas do fogo não queriam lamber e muito menos consumir. Acomodaram-se em seus sacos de dormir deitados sobre o musgo, por entre as pedras, e quando as nuvens de neve desapareceram, deixando descoberto um céu estrelado, viram rostos nas pedras vulcânicas e tudo começou a sussurrar, balbuciar e farfalhar. Descobriram também que bastava enfiar uma mão sob o musgo e as pedras para tocar na terra morna. A mão sente vibrações distantes e delicadas, movimentos remotos, respiração — não há dúvidas: a terra está viva.

Então eles aprenderam com os islandeses que nenhum mal real poderia lhes ter acontecido: aos indivíduos perdidos como eles, a terra é capaz de oferecer os seus mamilos quentes. É preciso mamá-los com gratidão e beber o seu leite. Dizem que o sabor é parecido com o leite de magnésia, aquele que se vende nas farmácias para tratar azia e hiperacidez.

POGO

Amanhã é Shabat. Jovens e imperitos chassidim dançam o pogo num calçadão ao ritmo de uma animada música sul-americana da moda. "Dançam" não é a palavra certa. Executam saltos extáticos e selvagens, giram em torno de seu próprio eixo sem sair do lugar, os seus corpos se chocam e são impelidos — eis a dança encenada por todos os adolescentes do mundo diante do palco de um show. Aqui a música vem de alto-falantes posicionados sobre um carro onde está um rabino que supervisiona tudo.

Algumas turistas escandinavas alegres se juntam aos rapazes e, desajeitadamente, mãos sobre os ombros, tentam dançar o cancã. E então um dos adolescentes as adverte:

"Pedimos que as mulheres que queiram dançar, o façam, por favor, mais ao lado."

PAREDE

Eis que certas pessoas acham que já chegamos ao fim da viagem.

A cidade é completamente branca, como ossos deixados no deserto, lambidos pelas línguas do calor, polidos pela areia. Parece uma colônia de coral calcificada que cobriu as colinas na época em que existia um mar ancestral.

Também se diz que a pista dessa cidade é irregular — difícil para todos os pilotos —, uma pista de onde os deuses se desprendiam da terra. Aqueles que têm a mínima noção sobre aqueles tempos infelizmente repetem relatos contraditórios. E hoje é impossível concordar com uma única versão.

Estejam todos atentos, peregrinos, turistas e errantes que conseguiram chegar até aqui, e que vieram de navios, aviões, andando pelas pontes e pelos estreitos, atravessando cordões de isolamento militares e arames farpados. Muitas vezes pararam os seus carros e as suas caravanas, verificaram detalhadamente os seus passaportes, olharam nos seus olhos. Tenham cuidado, sigam este labirinto de ruelas segundo as placas, as estações, não se deixem guiar pelo dedo indicador da sua mão estendida, pelos versos numerados de um livro, os algarismos romanos pintados nas paredes das casas. Não se deixem seduzir por barracas cheias de miçangas, *kilims*, narguilés, moedas desenterradas (supostamente) da areia do deserto, pirâmides de especiarias picantes; não se distraiam com a multidão colorida de pessoas como vocês, de todos os tipos possíveis, cores de pele, rostos, cabelos, trajes, gorros e mochilas.

No meio do labirinto não há nenhum tesouro, nem um Minotauro contra quem será preciso lutar; o caminho termina subitamente com uma parede branca, como toda a cidade, alta, impossível de ser trespassada. Dizem que é a parede de um templo invisível, mas fatos são fatos — chegamos ao fim, não há mais nada adiante.

Por isso não se espantem com a visão daqueles que ficam diante da parede, surpresos, ou daqueles que arrefecem as testas sobre as pedras frias, ou de outros ainda que se sentaram, cansados e decepcionados, e agora procuram aconchego na parede como crianças.

Está na hora de voltar.

SONHAR COM UM ANFITEATRO

Na minha primeira noite em Nova York, sonhei que estava vagando pelas ruas noturnas da cidade. Tinha, aliás, um mapa que checava de quando em quando, procurando uma saída desse labirinto quadriculado. De repente, acabava numa grande praça e via um enorme anfiteatro antigo. Parava, completamente surpresa. Nessa hora, um casal de turistas japoneses vinha até mim e o indicavam no meu mapa. Sim, realmente está lá, eu respirava aliviada.

No emaranhado das ruas paralelas e perpendiculares que se cruzavam como urdidura e trama, no meio dessa rede monótona, vi um grande olho redondo encarando o céu.

O MAPA DA GRÉCIA

Lembra um enorme Tao — ao olhar atentamente, é possível avistar um enorme Tao feito de água e terra. No entanto, em nenhum lugar um elemento domina o outro — eles se abraçam mutuamente: a terra com a água. Os estreitos do Peloponeso são o que a terra devolve à água, e Creta, o que a água devolve à terra.

Acredito que o formato mais belo é o do Peloponeso. Tem a forma de uma enorme mão materna, certamente não humana, que mergulha na água conferindo se a temperatura está adequada para o banho.

"Somos aqueles que vêm ao encontro", disse o professor enquanto esperavam pelo táxi, depois de saírem do enorme prédio do aeroporto. Ele aspirou com satisfação o suave e cálido ar grego.

Tinha oitenta e um anos e uma mulher vinte anos mais nova que ele, com quem prudentemente se casou quando o ar havia se esvaído do primeiro casamento, e depois que os filhos adultos tinham esvaziado o ninho. E fez bem porque agora a sua ex-esposa estava precisando de cuidados e passando o outono de sua vida numa boa casa de repouso.

O professor aguentou bem o voo, algumas horas de diferença não tinham grande importância; havia muito tempo o ritmo do seu sono lembrava uma sinfonia cacofônica, grades arbitrárias de horas inesperadamente sonolentas ou extremamente lúcidas. O fuso horário apenas alterou esses acordes caóticos de vigilância e sono por sete horas.

Um táxi com ar-condicionado os levou para o hotel; lá, Karen, a tal esposa mais nova do professor, ordenou habilmente o descarregamento das bagagens, recebeu na recepção as informações providenciadas pelos organizadores do cruzeiro, pegou a chave e, com certo esforço, e aceitando a ajuda do porteiro solícito, levou o marido para o quarto deles no segundo andar. Lá, o colocou cuidadosamente na cama, afrouxou o seu foulard e tirou os seus sapatos. E ele caiu no sono na hora.

Chegaram, enfim, a Atenas! Ela estava contente, aproximou-se da janela e ficou lutando por um instante com uma fechadura sofisticada. Atenas em abril. A primavera está trabalhando a todo vapor, as folhas invadindo febrilmente o espaço. As ruas já se encheram de poeira, que ainda não incomodava. Já o barulho, claro, como sempre. Ela fechou a janela.

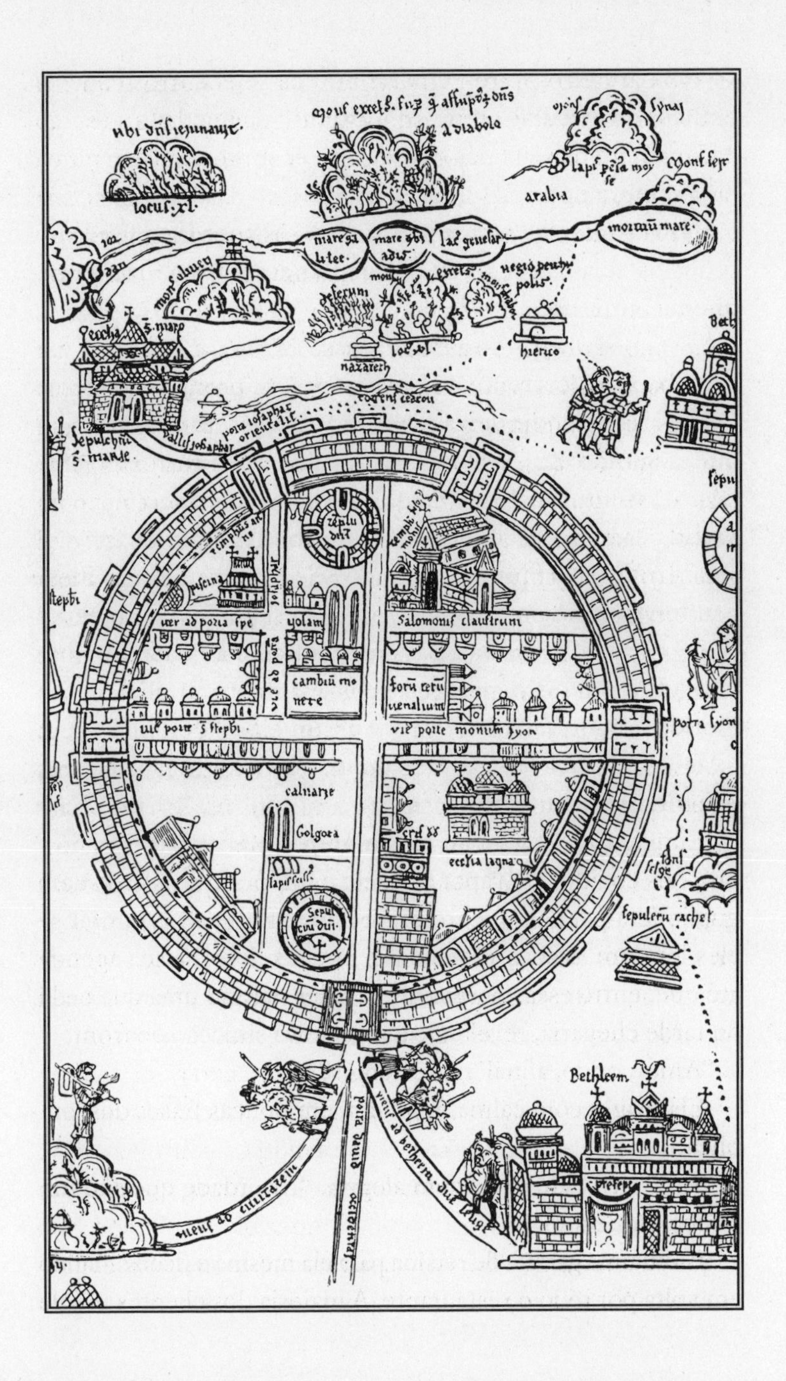

locus.xl.
arabia
mortuū mare
mare ga litee.
lac genesar
nazareth
hierico
torrens cedron
Salomonis claustrum
cambiū mo nete
forū reru venalium
vie porte monium syon
calvarie
Golgota
ecclia lagna
porta syon
sepulcrū rachel
Bethleem
porta david

No banheiro, Karen emaranhou os seus curtos cabelos brancos e entrou no chuveiro. Lá sentiu de imediato a tensão escorrer até os seus pés e desaparecer junto com a espuma para sempre no ralo.

Não há motivos para se preocupar — repetia lá no fundo —, todos os corpos precisam se adaptar ao mundo, não há nenhuma outra saída.

"Estamos chegando à meta", disse em voz alta, parada em pé debaixo da corrente de água morna. E, porque de alguma forma ela não podia deixar de pensar através de imagens — o que, segundo ela, deve ter prejudicado a sua carreira científica —, viu uma espécie de ginásio grego com seu bloco de partida característico, elevado por cabos, e os corredores, o seu marido e ela própria dirigindo-se desajeitada para a meta, mal tendo iniciado a competição. Em seguida, ela se envolveu com a toalha macia e passou hidratante cuidadosamente em todo o seu rosto, pescoço e colo. O cheiro familiar do cosmético a tranquilizou de vez, e assim ela se deitou por um instante na cama feita ao lado do marido e dormiu sem saber quando isso acontecera.

Enquanto jantavam no restaurante lá embaixo (linguado e brócolis cozidos no vapor para ele e um prato de salada com queijo feta para ela), o professor não parava de perguntar se eles levaram as suas anotações e os seus livros, a sua agenda, até que, entre essas perguntas simples, surgiu uma que cedo ou tarde chegaria, revelando a mais nova situação do front:

"Amor, onde, afinal, nós estamos?"

Ela reagiu com calma. Explicou em poucas frases descomplicadas.

"Ah, claro", ele disse com alegria. "É verdade que sou um pouco esquecido."

Pediu uma garrafa de retsina para ela mesma e ficou olhando em volta por todo o restaurante. A maioria dos clientes era de

NEW YORK
SÜDL. TEIL.
Maßstab 1:40000
Meter
Fernbahnen
Hochbahnen
Untergrundbahn
Straßenbahnen
Central Park
Roosevelt Hosp.
Blackwell's Island
Blackwell's Penitentiary
East Channel
West Channel
ISLAND CITY
HUNTER'S POINT
GREENPOINT
Prosp. Ch.
St. Thomas
St. Patricks Cathedral
Grand Central Station
Öffentl. Bibliothek (N.Y. Publ. Library)
Metropol. Opera Ho.
Carrick Theat.
Bellevue Hosp.
the Morgue
Madison Square
Gramercy Park
Union Square
Stuyvesant Square
Tompkins Square
N.York University
Astor Bibl.
Cooper Union
Tunnel d. Pennsylv. Bahn (im Bau)
Hudson River Tunnel (Projekt)
Lackawanna Stat.
Pennsyl. R.R. Stat.
Central R.R. of New Jersey Stat.
Williamsburg Br.
Suspension Br.
Brooklyn Br.
Manhattan Br. (i. Bau)
City Hall
Hall of Records
Tombs
Kriminal Ger.
Washington Mkt.
Fulton Mkt.
Prod. Börse
N. Zollamt
Battery Park
Aquarium (Castle Garden)
Barge Office
Tunnel d. Untergrundbahn (Brooklyn-Tunnel)
n. Liberty Isl.
n. State Isl.
n. Governor's Isl.
Wallabout Bay
U.S. Navy Yard
Borough Hall
Court Ho.
Hall of Rec.
Palmer's Dock
Newtown Creek
Windsor Theat.

turistas ricos — americanos, alemães, ingleses, assim como aqueles que perderam qualquer tipo de traços característicos graças ao livre fluxo do dinheiro pelo qual permitiam se guiar. Eram simplesmente bonitos, saudáveis e transitavam com uma facilidade despretensiosa entre várias línguas.

Um grupo agradável ocupava a mesa ao lado, pessoas talvez um pouco mais novas que ela, cinquentões alegres, saudáveis e corados. Três homens e duas mulheres. Em meio às suas gargalhadas (o garçom lhes traz mais uma garrafa do vinho grego), Karen certamente encontraria um lugar para ela. Pensou que podia deixar o marido, que com um garfo trêmulo arranhava o corpo pálido do peixe, pegar a sua retsina e naturalmente, como uma semente de dente-de-leão, pousar numa cadeira junto à sua mesa, a tempo de ainda participar dos últimos acordes das risadas e contribuir com o seu grave alto.

Mas, obviamente, não o fez. Recolheu, porém, os brócolis espalhados sobre a toalha de mesa que haviam pulado para fora do prato do professor, revoltados com a sua incompetência.

"Deuses!", disse com impaciência e pediu um chá de ervas ao garçom. Então, se voltando para ele: "Precisa de ajuda?".

"Não vou permitir que ninguém me alimente", ele respondeu e o seu garfo atacou o peixe com força redobrada.

Muitas vezes ficava com raiva dele. Esse homem era completamente dependente dela, mas se comportava como se fosse o contrário. Karen chegou à conclusão de que os homens, os mais espertos, talvez movidos por algum instinto de autopreservação, prestes a caírem em desespero, são atraídos cegamente por mulheres mais novas, mas não pelos motivos atribuídos pelos sociobiólogos. Não, não se trata de reprodução, dos genes, de preencher com o seu DNA os minúsculos canais da matéria por onde o tempo flui. Trata-se mais de um pressentimento que eles têm em todos os momentos de sua vida, um pressentimento cuidadosamente silenciado e oculto — que abandonados a si mesmos na companhia taciturna e desinteressante do tempo volátil, sucumbiriam a uma atrofia precipitada. É como se tivessem sido projetados para um período curto e intenso, uma ouverture, uma corrida cheia de emoções seguida de uma vitória, e logo depois, o esgotamento. Como se a excitação fosse o que os mantivesse vivos, aliás, uma estratégia de vida muito custosa; as reservas de energia um dia acabam e é quando se começa a viver a crédito.

Eles se conheceram numa festa na casa de um amigo em comum que comemorava a conclusão do período de dois anos de conferências em sua universidade. Isso foi há quinze anos. O professor lhe trouxe uma taça de vinho e quando a entregava, ela notou que a costura do seu colete de lã completamente fora de moda estava se desfazendo e uma longa linha escura esvoaçava delicadamente nos seus quadris. Karen acabara de chegar na universidade para substituir um professor que se aposentava e assumir os seus alunos. Mobiliava a sua casa alugada e se recuperava de um divórcio que podia ter sido mais doloroso se ela e o ex-marido tivessem filhos. Depois de quinze anos, ele a deixou por outra mulher. À época, Karen tinha um pouco mais de quarenta anos, já era livre-docente e havia publicado um par de livros. Era especialista em cultos antigos pouco conhecidos das ilhas gregas. Estudos da religião eram o seu campo.

Casaram-se alguns anos depois daquele encontro. A primeira mulher do professor estava seriamente doente, o que dificultou o divórcio. Mas até os filhos dele os apoiavam.

Muitas vezes ela refletia sobre sua vida e chegava à conclusão de que a verdade era simples: os homens precisavam mais das mulheres do que as mulheres precisavam deles. Aliás, Karen pensava, as mulheres poderiam viver tranquilamente sem os homens pois aguentam bem a solidão, cuidam da sua saúde, são mais resistentes, cultivam suas amizades — enquanto procurava mais qualidades, percebeu que estava descrevendo as mulheres como uma raça de cães de grande utilidade. Com certa satisfação começou a multiplicar essas qualidades caninas: aprendem com facilidade, não são agressivas, gostam de crianças, são amigáveis, caseiras. É fácil despertar nelas, especialmente quando jovens, um instinto misterioso e irresistível que só de vez em quando está ligado ao fato de ter filhos. É sem dúvida algo maior: é abranger o mundo, traçar trilhas, aconchegar os dias e as noites, estabelecer rituais calmantes. É relativamente fácil despertar esse instinto com pequenos exercícios de desamparo. Depois elas ficam cegas, o algoritmo entra em ação, e então eles podem montar acampamento, acomodarem-se em seus ninhos, jogando fora tudo que há ali, e elas nem sequer vão notar que o passarinho é um monstro e um enjeitado.

O professor se aposentou há cinco anos, recebeu prêmios e condecorações na despedida, a inclusão do seu nome no livro dos acadêmicos mais meritórios, uma publicação comemorativa com artigos dos seus discípulos. Além disso, uma série de festas foi dada em sua homenagem. Numa delas apareceu um humorista conhecido de televisão e aquilo foi, aliás, o que mais o animou e o deixou feliz.

Depois se acomodaram de vez numa casa pequena e confortável na cidade universitária e lá ele se dedicou a "arrumar os papéis". De manhã, Karen lhe preparava um chá e um ligeiro café da manhã. Recebia a sua correspondência e respondia às cartas e aos convites, o que consistia principalmente em escrever recusas educadas. De manhã, tentava acordar tão cedo quanto ele e, morrendo de sono, fazia um café para ela e um mingau para o marido. Cuidava da roupa dele. Por volta de meio-dia, vinha a empregada, portanto Karen tinha algumas horas para se ocupar das suas coisas enquanto ele cochilava.

À tarde, preparava mais um chá, dessa vez de ervas, e depois o despachava para o seu passeio solitário diário. Mais tarde, a leitura de Ovídio, o jantar e a preparação para a noite de sono. E isso tudo variado pela administração de comprimidos e gotas. Durante esses cinco anos tranquilos, havia apenas um convite por ano que ela aceitava — os cruzeiros de verão pelas ilhas gregas num navio luxuoso onde o professor ministrava palestras diárias aos passageiros. Sem contar os sábados e domingos, havia dez palestras sobre os assuntos que mais os fascinavam, alterados a cada ano; não existia nenhuma lista fixa de tópicos.

O navio se chamava *Posídon* (as negras letras gregas destacavam-se sobre a brancura do casco: ΠΟΣΕΙΔΩΝ) e contava com dois conveses, onde havia um restaurante, salão de bilhar, café, salão de massoterapia, solário e cabines confortáveis. Havia anos, eles ocupavam a mesma com uma grande cama de casal, um banheiro, uma mesinha de centro com duas poltronas e uma escrivaninha microscópica. O piso era coberto com um carpete macio cor de café, e Karen, ao olhar para ele, nutria a esperança de achar entre os seus longos fios o brinco que tinha perdido havia quatro anos. A cabine dava diretamente para o convés da primeira classe, e à noite, quando o professor já estava dormindo, Karen gostava de usufruir dessa comodidade — ficava junto dos balaústres e fumava o seu único cigarro diário olhando para as luzes pelas quais eles passavam à distância. Naquelas horas, o convés, aquecido pelo sol durante o dia, devolvia o calor, e o ar frio e escuro vinha da água. Assim, Karen tinha a impressão de que seu corpo marcava a fronteira entre o dia e a noite.

"Salve, Posídon, o salvador das naus, o domador dos corcéis, que cinge a terra, cabelos negros e afortunados, seja favorável aos navegantes", dizia em voz baixa e lançava ao deus o cigarro mal aceso, a sua ração diária; uma pura extravagância.

A rota do navio não mudara em cinco anos.

O cruzeiro partia de Pireu e se dirigia a Elêusis, depois para Corinto, e dali iria de novo para o sul e para a ilha de Poros, onde os turistas podiam visitar o templo de Posídon e vaguear pela cidadezinha. Em seguida o itinerário os guiava até as ilhas Cíclades — tudo sem pressa, até mesmo vagarosamente, para que todos pudessem se deleitar com o sol e o mar, com as paisagens das cidades localizadas nas ilhas, cidades de paredes brancas e telhados cor de laranja que cheiravam a pomares cítricos. A alta temporada ainda não havia começado, portanto não haveria multidões de turistas — o professor sempre se referia a eles com aversão, não conseguia esconder a impaciência, pois acreditava que eles olham, mas não veem, apenas deslizam o olhar, avistando só aquilo que o guia impresso em milhões de exemplares lhes indica, um equivalente livresco do McDonald's. Mais tarde, paravam em Delos, onde o templo de Apolo despertava seu interesse, e por fim atravessavam as ilhas do arquipélago Dodecaneso para chegar a Rodes, lá terminar a jornada e retornar para casa no avião que decolava do aeroporto local.

Karen gostava muito daquelas tardes, quando atracavam em pequenos portos e, vestidos adequadamente para passeio — o professor com o seu foulard essencial —, iam até a cidade. Grandes balsas atracavam ao porto com frequência e nessas horas os comerciantes locais abriam na hora as suas lojas para oferecer aos turistas toalhas com o nome da ilha, conjuntos de conchas, esponjas, misturas de ervas em cestinhas de bom gosto, ouzo ou simplesmente sorvetes.

O professor andava com vigor e usava a bengala para apontar os monumentos — portões, chafarizes, ruínas cercadas com barreiras frágeis, contando detalhes que os seus locutores jamais encontrariam nos melhores guias. No entanto, esses passeios não faziam parte do contrato, onde constava apenas uma palestra por dia.

Começava assim: "Acredito que, para viver, os seres humanos precisam das mesmas condições climáticas que as frutas cítricas".

Erguia os olhos para o alto, para um telhado pontilhado com pequenas luzes redondas e permanecia assim por um tempo mais longo do que admissível.

Karen apertava as mãos com tanta força que as suas articulações ficavam brancas, mas aparentemente conseguia manter um sorriso curioso, levemente provocativo — sobrancelhas erguidas e ironia no rosto.

"Este é o nosso ponto de referência", seu marido continuava. "Não é por acaso que o território da civilização grega coincide, grosso modo, com as terras onde crescem os cítricos. Fora desse espaço ensolarado e vivificante, tudo está sujeito a uma vagarosa, porém inevitável degeneração."

Aquilo parecia uma decolagem longa e demorada. Karen sempre via a mesma imagem: o avião do professor se desequilibra, as rodas caem nos sulcos, talvez até derrapam e saem da pista — vai decolar do gramado. Contudo, a aeronave se ergue, enfim, balançando e sacudindo-se para os lados, mas já se sabe que vai voar. Karen respira aliviada, sorrateiramente.

Ela conhecia os temas das palestras, conhecia seus contornos pelas fichas preenchidas com a letra miúda do professor, e pelas próprias anotações que ele fazia, que ela usava para ajudá-lo. Mesmo se algo acontecesse com ele, Karen poderia se levantar do seu lugar na primeira fileira e retomar a palestra a partir da metade de qualquer frase que o professor dissesse, e prosseguir pela trilha traçada. Porém, uma coisa era certa: ela não conseguiria falar com tanta eloquência e não se permitiria as pequenas extravagâncias com as quais ele atraía a atenção dos ouvintes. Karen sempre esperava pelo momento em que o professor se levantaria e começaria a andar, o que significava — voltando a uma das imagens dela — que o seu avião atingia a altitude de cruzeiro, tudo estava em ordem, e ela podia subir tranquilamente para o segundo convés e, com alegria, estender a sua vista sobre a superfície da água, fixá-la sobre os mastros dos iates que passavam e os topos das montanhas visíveis por entre uma leve neblina branca.

Ela olhava para os ouvintes — estavam sentados num semicírculo; aqueles na primeira fila faziam anotações sobre as mesinhas dobráveis diante deles, apontavam avidamente as palavras do professor. E as pessoas sentadas nas últimas fileiras, em algum lugar próximo das janelas, que adotaram uma postura relaxada e ostensivamente indiferente, também ouviam. Karen sabia que no meio deles surgiam os mais curiosos, os que depois correriam atrás do professor com perguntas e com quem, naquelas horas, ela precisava travar pequenas lutas, protegendo o marido das consultas adicionais gratuitas.

Aquele homem, seu marido, a deixava perplexa. Parecia saber tudo sobre a Grécia, tudo o que fora escrito, desenterrado, dito. O seu conhecimento era não só enorme, mas mesmo monstruoso; composto de textos, citações, referências, notas de rodapé, palavras sobre vasos trincados decifradas arduamente, desenhos difíceis de serem entendidos, escavações, paráfrases em textos posteriores, cinzas, correspondências e concorrências. Havia nele algo inumano — para conseguir abranger todo aquele conhecimento o professor tinha que ter feito algum procedimento biológico, permitido que ele se implantasse em seus tecidos, aberto o seu corpo para ele, tornando-se um ser híbrido. De outra forma seria impossível.

É óbvio que um acervo de conhecimento tão grande não pode ser ordenado; tem, aliás, a forma de uma esponja, de um coral marinho que cresce por anos até criar as formas mais fantásticas. Trata-se de um conhecimento que já alcançou a massa crítica e agora passou para outro estado — parece se multiplicar, reproduzir, organizar em formas complicadas e bizarras. As associações viajam por rotas atípicas, as semelhanças se descobrem em versões inesperadas, como os parentescos nas novelas brasileiras, onde se descobre que um personagem pode ser o filho, marido ou a irmã de qualquer outro personagem. Descobre-se que as trilhas já traçadas não possuem nenhum valor, e aquelas consideradas impossíveis de se percorrer se transformam em estradas cômodas. Algo que havia anos não tinha importância, de repente, na cabeça do professor, vira o ponto de partida de uma grande descoberta, de uma verdadeira mudança de paradigma. Sem dúvida, ela tinha consciência de ser esposa de um grande homem.

Quando o professor falava, o rosto dele mudava, como se as palavras retirassem dali vestígios de velhice e cansaço. Surgia uma outra face: os olhos brilhavam, as bochechas se erguiam e esticavam. A desagradável sensação de máscara que esse rosto causava ainda há pouco, se esvaía, uma mudança que parecia ter sido causada por um narcótico, um pouquinho de anfetamina. Qualquer que fosse a droga, ela sabia que quando o seu efeito acabasse, seu rosto voltaria a se congelar, os olhos ficariam opacos, o corpo se deixaria cair na cadeira mais próxima e ele adquiriria a aparência impotente que ela conhecia tão bem. E ela teria que levantá-lo cuidadosamente segurando o seu braço, lhe dar um empurrãozinho e conduzi-lo arrastando os pés, vacilante, até a cabine para tirar uma soneca depois de ter gasto muita energia.

Conhecia bem o desenrolar das palestras. Contudo, todas as vezes que o observava, sentia prazer ao fazê-lo porque era algo comparável a colocar uma rosa do deserto na água, como se ele estivesse falando de si mesmo, e não da Grécia. Era óbvio que todos os personagens que mencionava eram ele próprio. Todos os problemas políticos eram os seus problemas, inclusive particulares. As ideias filosóficas, que eram o que lhe tirava o sono, pertenciam a ele. Os deuses, esses ele conhecia pessoalmente — quantas vezes almoçaram juntos no restaurante próximo de casa, passaram noites conversando, beberam juntos um mar Egeu de vinho. Sabia os seus endereços e números de telefone, poderia ligar para eles a qualquer hora do dia e da noite. Conhecia Atenas como a palma da sua mão, embora não (desnecessário dizer) a cidade da qual eles tinham acabado de zarpar — essa, para dizer a verdade, não lhe despertava o menor interesse. Interessava-lhe a antiga Atenas, digamos que dos tempos de Péricles, cuja planta se sobrepunha ao mapa da cidade atual e fazia com que ela se tornasse fantasmagórica, irreal.

Já de manhãzinha, ainda em Pireu, enquanto embarcavam, Karen fez a sua análise particular dos companheiros de viagem. Todos, até os franceses, falavam inglês. Os táxis os traziam diretamente do aeroporto em Atenas ou dos hotéis. Eram bem-educados, bonitos, inteligentes. Aqui está um casal de cinquentões, esbeltos, provavelmente mais velhos do que se podia avaliar pela aparência, usando roupas naturais de linho e algodão em cores claras. Ele brinca com uma caneta, ela está sentada ereta, mas relaxada, como alguém treinado em técnicas de relaxamento. Mais adiante, uma jovem mulher, com os olhos vítreos por causa das lentes de contato, está tomando notas, é canhota, a sua letra é grande e redonda, desenha oitos nas margens do papel. Atrás dela há dois gays elegantes, impecáveis, um deles usa óculos engraçados à la Elton John. Junto da janela — pai e filha, o que mencionam logo ao se apresentar, o homem deve recear ser acusado de ter um caso com uma menor de idade; a moça anda vestida de preto, com a cabeça quase rapada, tem belos lábios escuros e carnudos, inchados por um desdém difícil de ocultar. Mais um casal — ambos de cabelos brancos, são suecos, supostamente ictiólogos, foi a informação que Karen gravara da lista dos participantes das palestras recebida previamente. São calmos e muito parecidos, embora não seja uma semelhança de nascença, mas daquele tipo que é possível alcançar só depois de longos anos de casados. Há também alguns jovens — é a sua primeira viagem de cruzeiro, não têm certeza se essa Grécia Antiga foi uma boa escolha, ou se prefeririam conhecer os mistérios das orquídeas ou os ornamentos do Oriente Médio da virada do século. Será um lugar adequado para eles esse navio com esse homem idoso que começa a palestra falando de frutas cítricas? Karen observou demoradamente um homem de cabelos ruivos e pele clara vestido com calças jeans folgadas de cintura alta, que coçava a barba loira-clara por fazer com um gesto reflexivo. Parecia ser alemão. Um belo alemão. Além dessas, havia mais uma dezena de pessoas que, concentradas e em silêncio, fitavam o palestrante.

Eis um novo tipo de mente, Karen pensou, que não confia nas palavras dos livros, nos melhores manuais, compêndios, monografias e enciclopédias — uma mente maltratada ao longo do curso dos estudos, e que agora sofre de um soluço mental. Tinha sido corrompida pela facilidade de decompor em elementos primários qualquer construção, mesmo a mais complexa. De levar ao absurdo qualquer argumentação impensada, aceitar a cada par de anos uma linguagem em voga completamente nova, que — feito a versão mais atualizada e comercializada de um canivete suíço — é capaz de fazer tudo com tudo: abrir uma lata, eviscerar um peixe, interpretar um romance, prever o desenrolar da situação política na África central. É a mente de um enxadrista, uma mente que sabe usar as notas de rodapé e referências com a mesma destreza com que usa um garfo e uma faca. Uma mente racional e discursiva, solitária e estéril. Uma mente que tem consciência de tudo, até mesmo do fato de que entende pouco, mas se movimenta com velocidade e agilidade, um impulso eletrônico inteligente, sem limitações, que liga tudo a tudo, convencido de que aquele todo tem algum sentido, embora não saibamos qual.

O professor começou a divagar com verve sobre a etimologia do nome Posídon e Karen virou o rosto na direção do mar.

Depois de cada palestra, ele precisava que ela lhe confirmasse que tudo correra bem. Na cabine, quando trocavam de roupa antes do jantar, ela o envolveu num abraço e os seus cabelos cheiravam a um suave xampu de camomila. Estavam prontos para sair — ele com um leve blazer escuro e o seu foulard antiquado favorito no pescoço, e ela com um vestido verde de seda. Ficaram parados no meio da cabine apertada com os rostos virados na direção das janelas. Ela lhe entregou um copo de vinho. O professor tomou um gole, sussurrou uma série de palavras e em seguida mergulhou os dedos nele, para depois respingá-lo cuidadosamente por toda a cabine — sem sujar o carpete macio cor de café. As gotas foram absorvidas pelo estofado escuro da poltrona, sumiram por entre os móveis; não deixarão nenhum vestígio. Ela fez o mesmo.

No jantar, o homem dourado se juntou à mesa que eles compartilhavam com o capitão do navio, e ela notou que seu marido não ficou contente com aquilo. No entanto, o jovem mostrou-se gentil e cortês. Apresentou-se dizendo que era programador, trabalhava com computadores em Bergen, abaixo do círculo polar. Era norueguês. Na luz suave dos abajures, a sua pele, os seus olhos e a armação fina dos seus óculos pareciam feitos de ouro. A camisa de linho branca encobria desnecessariamente o torso dourado.

O homem estava interessado em uma palavra dita pelo professor durante a palestra que, aliás, havia sido explicada com precisão.

"A 'contuição'", disse o professor com uma impaciência cuidadosamente velada, "é, como já disse, uma espécie de introspecção que espontaneamente revela a presença de uma força supra-humana, uma espécie de unidade acima da diversidade. Amanhã desenvolverei esse assunto", acrescentou com a boca cheia.

"Certo", falou o outro, impotente. "Mas o que isso quer dizer?"

Não recebeu a resposta, pois o professor permaneceu pensativo por algum tempo, visivelmente vasculhando os acervos de sua memória abismal, e por fim, com a ajuda de sua mão que traçava pequenos círculos no ar, recitou:

"Porém deves te afastar de tudo isso e não olhar, mas, como que cerrando os olhos, substituir essa visão e despertar uma outra, que todos têm, mas poucos usam."

Estava tão orgulhoso de si próprio que ficou corado.

"Plotino."

O capitão acenou com a cabeça com conhecimento de causa, e em seguida fez um brinde, pois era o seu quinto cruzeiro juntos:

"A este pequeno aniversário redondo."

Estranhamente, naquela hora Karen pensou que seria o último.

"Tomara que nos encontremos aqui no ano que vem", disse ela.

O professor, agora animado, contava ao capitão e ao homem de cabelos ruivos, que se apresentou como Ole, sobre a sua ideia mais recente.

"Uma viagem seguindo os passos de Ulisses", esperou um instante para que pudessem se impressionar com a ideia. "Obviamente, uma viagem aproximada. Seria preciso pensar em como resolver isso em termos logísticos", olhou para Karen, e ela refutou:

"Ulisses precisou de vinte anos para completá-la."

"Não importa", o professor respondeu com alegria. "No mundo de hoje é possível fazê-la em duas semanas."

Ela e o tal Ole trocaram um olhar fortuito.

Naquela mesma noite ou na noite seguinte, Karen teve um orgasmo espontâneo enquanto sonhava. De alguma forma, ele estava relacionado com o norueguês de cabelos ruivos, mas não sabia como, pois não se lembrava de quase nada do que acontecera no sonho. Ela conhecera aquele homem dourado, profundamente. Acordou surpresa, sentindo nítidas contrações no útero, espantada, e por fim, envergonhada. Sem perceber que o fazia, começou a contá-las e captou as últimas quatro.

No dia seguinte, quando navegavam ao longo da costa, Karen admitiu honestamente a si própria que já não havia mais nada para ser visto em muitos daqueles lugares.

O caminho para Elêusis — uma estrada asfaltada cheia de automóveis em alta velocidade; trinta quilômetros de feiura e banalidade, um acostamento ressecado, casas de concreto, anúncios, estacionamentos e uma terra que nem sequer vale a pena ser cultivada. Armazéns, rampas de carga, um porto enorme e sujo, uma termoelétrica.

Quando desembarcaram, o professor conduziu o grupo inteiro para as ruínas do templo de Deméter que estava com um aspecto muito triste. Os passageiros não escondiam a sua decepção, então ele mandou que se imaginassem recuando no tempo.

"Naquela época, esta estrada que vem de Atenas era estreita e estava mal pavimentada com pedras. Vejam, uma multidão de pessoas vai se dirigindo por ela na direção de Elêusis. Vão caminhando, levantando a poeira temida pelos governantes mais poderosos do mundo. Essa turba apinhada grita, o som de centenas de gargantas."

O professor parou, encravou os calcanhares na terra, amparou-se com a bengala e disse:

"Isso deve ter soado mais ou menos assim", suspendeu a voz por um instante, para tomar ar e depois bradou com toda a força de sua velha garganta. E de repente sua voz se revelou poderosa e cristalina. O seu lamurio foi propagado pelo ar ardente de tal modo que todos olharam para cima: os turistas que vagueavam por entre as pedras, o vendedor de sorvetes e os operários que montavam grades protetoras porque a alta temporada já estava prestes a começar, e uma criança pequena que cutucava um besouro assustado com um pedaço de pau, e dois burros que pastavam à distância, do outro lado da encosta.

"Iacos! Iacos!", gritava o professor com os olhos cerrados.

Mesmo depois que sua voz silenciou, o grito continuou suspenso no ar, de modo que tudo prendeu a respiração por meio minuto, por algumas dezenas de estranhos segundos. Chocados com esse comportamento excêntrico, os ouvintes não tiveram coragem de se entreolhar. Mas Karen ficou toda vermelha, como se ela tivesse gritado daquela maneira estranha. Afastou-se para o lado para se refrescar do constrangimento e do calor.

Mas o velho homem não parecia nada embaraçado.

"... talvez seja mesmo possível", ela o ouviu dizer, "olhar para o passado, lançar o olhar para lá como se fosse espiar para dentro de uma espécie de *panopticum*, ou, caros amigos, tratar o passado como se ele ainda existisse, mas tivesse sido transferido para outra dimensão. Talvez seja necessário mudar apenas a nossa forma de enxergar as coisas, olhar para tudo meio de soslaio. Pois se o futuro e o passado são infinitos, então não existe na realidade nenhum 'outrora'. Diversos momentos do tempo ficam suspensos no espaço como se fossem lençóis, ou telas, em que se projeta um determinado momento; o mundo é composto desses momentos imóveis, enormes metaimagens, entre as quais saltamos, de uma para dentro de outra."

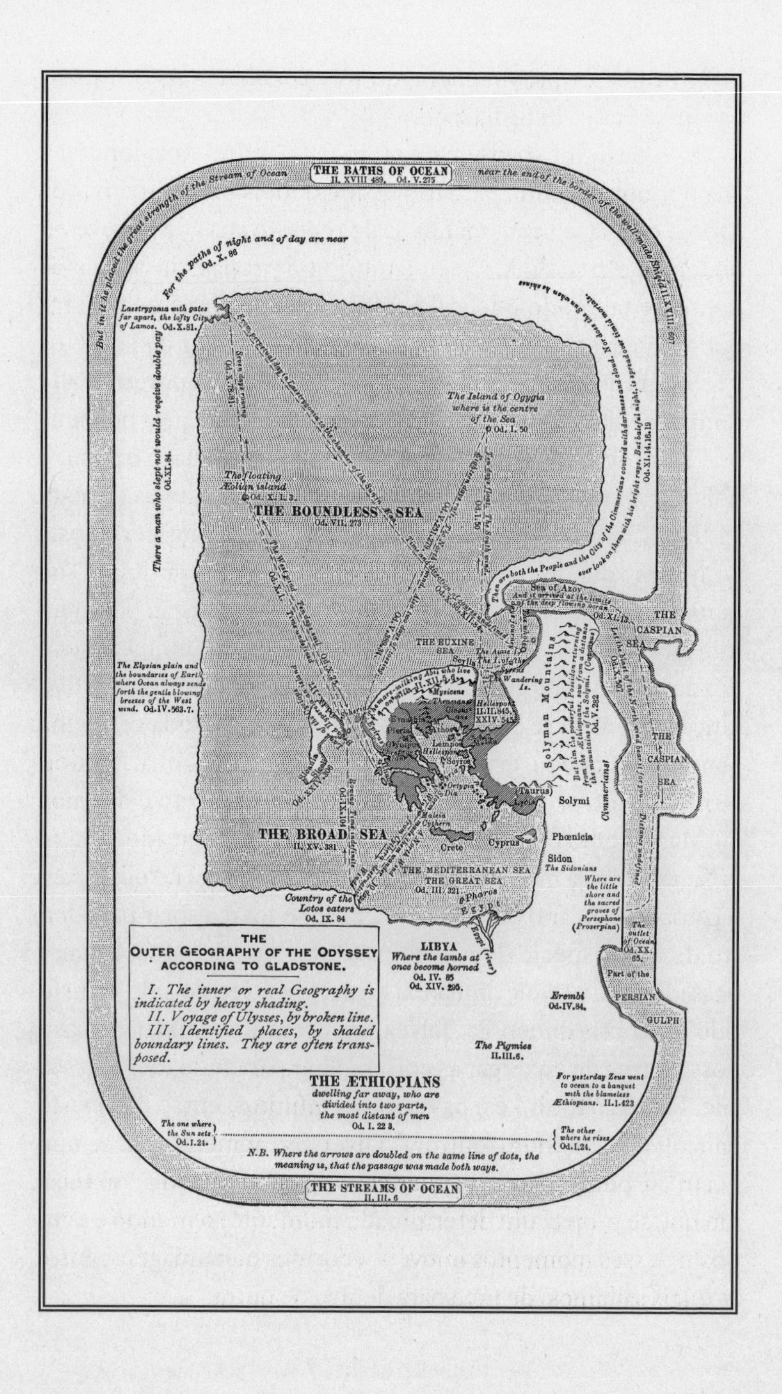
THE BATHS OF OCEAN
Il. XVIII 489. Od. V. 275
But in it he placed the great strength of the Stream of Ocean
near the end of the border of the wall-made Shield Il. XVIII. 607
For the paths of night and of day are near
Od. X. 86
Laestrygonia with gates far apart, the lofty City of Lamos. Od. X. 81.
There a man who slept not would receive double pay
Od. XI. 84.
The Island of Ogygia where is the centre of the Sea
Od. I. 50
The floating Æolian island
Od. X. I. 3.
THE BOUNDLESS SEA
Od. VII. 273
The Elysian plain and the boundaries of Earth where Ocean always sends forth the gentle blowing breezes of the West wind. Od. IV. 563.7.
Sea of Azov
THE CASPIAN SEA
THE EUXINE SEA
Solyman Mountains
Solymi
Phœnicia
Sidon
The Sidonians
Cimmerians
Cyprus
Crete
THE BROAD SEA
Il. XV. 381
THE MEDITERRANEAN SEA
THE GREAT SEA
Od. III. 321.
Pharos
Egypt
Country of the Lotos eaters
Od. IX. 84
Where are the little shore and the sacred groves of Persephone (Proserpina)
The outlet of Ocean Od. XX. 65.
Part of the PERSIAN GULPH
THE OUTER GEOGRAPHY OF THE ODYSSEY ACCORDING TO GLADSTONE.
I. The inner or real Geography is indicated by heavy shading.
II. Voyage of Ulysses, by broken line.
III. Identified places, by shaded boundary lines. They are often transposed.
LIBYA
Where the lambs at once become horned
Od. IV. 85
Od. XIV. 295.
Erembi
Od. IV. 84.
The Pigmies
Il. III. 6.
For yesterday Zeus went to ocean to a banquet with the blameless Æthiopians. Il. I. 423
THE ÆTHIOPIANS
dwelling far away, who are divided into two parts, the most distant of men
Od. I. 22 3.
The one where the Sun sets
Od. I. 24.
The other where he rises
Od. I. 24.
N.B. Where the arrows are doubled on the same line of dots, the meaning is, that the passage was made both ways.
THE STREAMS OF OCEAN
Il. III. 6

Ele silenciou por um momento para descansar, já que estavam subindo uma ladeira, e depois de um instante, Karen o ouviu espremer as palavras enquanto respirava ofegante:

"Na verdade, não existe nenhum movimento. Assim como aquela tartaruga do paradoxo de Zenão, não nos deslocamos para lugar nenhum, apenas vagamos para dentro do momento. Não existe nenhum fim ou destino. O mesmo, aliás, poderia ser aplicado ao espaço — já que todos somos igualmente distantes da eternidade, tampouco existe um 'algures' —, ninguém está ancorado num determinado dia ou lugar."

À noite, Karen fez um balanço mental de quanto a expedição lhe custou: o nariz e a testa queimados pelo sol, a perna esfolada até sangrar. Uma pedrinha afiada entrou debaixo da tira de couro de uma das sandálias do professor e ele não a sentiu. Era sem dúvida um sintoma sério da arteriosclerose, da qual ele sofria havia muitos anos.

Ela conhecia muito bem esse corpo, até bem demais — franzino e afundado, a pele ressecada coberta de manchas marrons. As sobras de pelos brancos no peito, um pescoço frágil que sustenta a cabeça trêmula com esforço, ossos finos debaixo de uma finíssima película de pele e um esqueleto que parecia feito de alumínio de tão leve que era, como o de um passarinho.

Por vezes ele adormecia antes que ela o despisse e fizesse a cama. Naquelas horas, ela precisava tirar o seu blazer e os seus sapatos e encorajá-lo, imerso no sono, a se mudar para a cama.

Todas as manhãs tinham o mesmo problema — os sapatos. O professor sofria de um mal — unhas encravadas. Os dedos ficavam inflamados, inchados, as unhas se levantavam furando as meias e roçavam dolorosamente a parte interna do bico dos sapatos. Colocar um pé tão dolorido num sapato preto de couro seria uma crueldade desnecessária. Portanto, no dia a dia, o professor usava sandálias, e quanto aos outros tipos de sapatos, eles mandavam fazê-los por encomenda no único sapateiro que ainda havia na vizinhança. Por um preço altíssimo, ele fazia sapatos macios e folgados, com um bico largo e arredondado para o professor.

Ao cair da noite, ele ficou com febre, provavelmente com uma insolação. Por isso Karen desistiu de jantar à mesa e pediu para trazerem a refeição para a cabine.

De manhã, quando o navio estava chegando a Delos, logo depois de escovar os dentes e fazer a barba vagarosamente, eles subiram juntos para o convés com os biscoitos que haviam sido servidos no dia anterior como merenda. Quebravam-nos em pedaços e jogavam no mar. Era cedo, todos ainda deviam estar dormindo. O sol já perdera o seu rubor, brilhava, a cada instante ganhava mais intensidade. A água estava dourada como mel, espessa, as ondas cessaram, e o enorme ferro solar as pressionava, sem deixar nenhuma dobra. O professor pôs o braço nas costas de Karen. Aquele era, essencialmente, o único gesto que podia ser feito diante de uma epifania tão evidente.

Olhar em torno de si mais uma vez como se estivesse olhando uma pintura onde, debaixo de milhões de detalhes, a forma se ocultava. Depois de se ver isso, é difícil esquecer que se esteve lá.

Não vou falar sobre todos os dias passados nesse cruzeiro ou relatar todas as palestras. Quem sabe, aliás, talvez Karen as publique um dia. A embarcação navegava, todas as noites havia festas com danças sobre o convés, os passageiros com as taças na mão, encostados nas grades mantendo conversas preguiçosas. Outros fitavam o mar noturno, uma escuridão fria e cristalina iluminada de quando em quando pelas luzes de grandes navios, aqueles com capacidade para milhares de passageiros que a cada dia atracavam num porto diferente.

Vou mencionar apenas uma palestra, por acaso a minha preferida. Foi Karen quem teve a ideia de falar sobre os deuses que não foram mencionados nas páginas dos livros famosos e populares, aqueles não mencionados por Homero e depois ignorados por Ovídio; que não se distinguiram o bastante com dramas ou romances; eram insuficientemente tenebrosos, espertos, efêmeros; conhecidos apenas por fragmentos de rochas, por menções, evidências de bibliotecas consumidas por chamas. Mas graças a isso, preservaram algo que os reconhecidos perderam para sempre — a divina volatilidade e intangibilidade, a fluidez das formas e a incerteza da genealogia. Eles emergiam das sombras, da ausência de forma, e voltavam a mergulhar na escuridão. Como o tal de Kairós que age sempre no ponto da interseção do tempo humano linear com o divino — circular, assim como no ponto da interseção do tempo e do espaço, no momento que se abre por um instante para situar aquela possibilidade única, certa e irrepetível. É o ponto em que a linha reta que corre de lugar nenhum para lugar nenhum se encontra por um instante com o círculo.

Ele entrou com um passo ágil, arrastando os pés e ofegando, e ficou junto de sua cátedra — uma simples mesa de restaurante — e tirou um embrulho de debaixo do braço. Ela conhecia os seus métodos. O embrulho era uma toalha, trazida diretamente do banheiro de sua cabine. Sabia bem que quando começasse a desembrulhá-lo, a sala ia ficar em silêncio, e os pescoços de quem estivesse nas últimas fileiras se esticariam. As pessoas são como crianças. Debaixo da toalha havia ainda um xale vermelho e lá no fundo brilhava algo branco, aparentemente um pedaço de mármore, o fragmento de uma rocha. A tensão na sala crescia, e ele, consciente da curiosidade que despertara, a celebrava com um sorriso astucioso, estendendo os seus gestos, como se estivesse atuando num filme.

Em seguida, ergueu quase até a altura dos olhos esse pedaço de placa clara sobre a palma da mão, parodiando Hamlet, e começou:

Quem e de onde é o seu escultor?
De Sicião.
Qual seu nome?
Lísipo.
E quem é você?
Kairós, que a tudo domina.
Por que você anda na ponta dos pés?
Percorro o mundo continuamente.
Por que você tem asas em cada pé?
Porque eu voo com o vento.
E por que leva uma navalha na mão direita?
Para que os homens saibam que sou mais afiado que qualquer lâmina.
E os cabelos, por que caem sobre os seus olhos?
Para que aquele que vem ao meu encontro me possa agarrar.
Mas, em nome de Zeus, por que sua nuca está calva?
Para que ninguém por quem já passei com os meus pés alados possa me agarrar por trás, mesmo que queira.
Por que o escultor criou você?
Por sua causa, estrangeiro, e me colocou à entrada como uma advertência.

Iniciou com esse belo epigrama de Posidipo — que deveria ser usado como um epitáfio. O professor aproximou-se das cadeiras na primeira fileira e passou a prova da existência do deus às mãos da plateia. A moça dos lábios inchados e presunçosos estendeu a mão para pegar a estátua com um cuidado exagerado, estendendo a língua levemente por causa da emoção. Passou-a adiante, e o professor ficou esperando em silêncio até que o pequeno deus percorresse a metade do caminho, e depois, com uma expressão impassível no rosto disse:

"Não se preocupem, por favor, é apenas uma réplica em gesso comprada na loja do museu. Custou quinze euros."

Karen ouviu o murmúrio de risadas e o barulho de corpos que se mexiam, uma cadeira arranhando o chão, tudo isso era um sinal visível de que a tensão havia sido quebrada. Começou bem. Parecia bem-disposto.

Ela saiu sorrateiramente para o convés e acendeu um cigarro olhando para a ilha de Rodes, cada vez mais próxima, as grandes balsas, praias ainda vazias nessa época do ano e a cidade que, feito uma colônia de insetos, foi subindo pela encosta íngreme na direção do sol ofuscante. Estava parada ali, tomada por uma sensação de paz que a envolveu de repente, sem saber de onde vinha.

Viu as margens da ilha e as suas grutas, claustros e naves esculpidas nas rochas pela água que lhe lembravam templos estranhos. Algo os havia construído cuidadosamente durante milhões de anos, a mesma força que impelia e balançava esse pequeno barco em que navegavam. Uma força espessa e transparente que também possuía as suas oficinas sobre a terra.

Eis os protótipos das catedrais, torres esbeltas e catacumbas — pensava Karen. Essas camadas dispostas uniformemente nas margens, pedras perfeitamente redondas, trabalhadas com zelo ao longo dos séculos, grãos de areia, ovais das cavernas, veias de granito no arenito, o seu desenho assimétrico e intrigante, a linha irregular da costa da ilha, as tonalidades da areia nas praias. Construções monumentais e bijuteria delicada. Diante daquilo, o que poderiam ser aquelas pequenas fileiras de casas ao longo da costa? Esses pequenos portos, barquinhos, lojinhas humanas onde são vendidas presunçosamente ideias antigas, na sua versão simplificada e em miniatura?

Naquele momento, Karen se lembrou de uma gruta submersa que eles viram uma vez em algum lugar do mar Adriático. A Gruta de Posídon, onde os raios de sol penetravam uma vez por dia através de uma abertura na abóbada da caverna. Ela lembrava o quanto ficou impressionada ao ver o feixe de luz quando, afiado feito um alfinete, penetrava a água verde e, por um curto momento, revelava o fundo arenoso. Tudo aquilo durava apenas um breve momento antes que o sol seguisse adiante.

O cigarro desapareceu com um chiado nos enormes lábios do mar.

O professor dormia de lado com a mão sob a bochecha e os lábios semiabertos. A barra da calça tinha subido e revelava agora uma meia de algodão cinzenta. Ela se deitou delicadamente ao seu lado, a abraçou pela cintura e beijou as suas costas vestidas com o colete de lã. Pensou que, quando ele se fosse, ela teria que ficar ainda por um tempo, apenas para ordenar todas as coisas deles e abrir espaço para os outros. Vai recolher as suas anotações, editá-las e certamente publicá-las. Resolverá todos os assuntos pendentes com as editoras; alguns dos seus livros já viraram manuais. E, essencialmente, não há nada que impeça que ela continue as suas palestras, embora não saiba se a universidade lhe fará essa proposta. Mas com certeza vai querer assumir esses seminários móveis no *Posídon* (se for convidada). Aí, com certeza acrescentará muitas das suas próprias coisas. Ficou refletindo, pensando que ninguém nos ensina a envelhecer, não sabemos como é. Quando somos jovens, temos a impressão de que essa doença afeta unicamente os outros. E que nós, por motivos desconhecidos, permaneceremos jovens. Tratamos os idosos como se eles próprios tivessem culpa, como se fossem responsáveis por sua moléstia, assim como pela diabete ou pela arteriosclerose. No entanto, os mais inocentes padecem dessa doença. E quando os seus olhos já estavam se fechando, mais uma reflexão passou pela sua cabeça: o fato de que as suas costas permanecem desprotegidas. Quem vai abraçá-las?

De manhã, o mar estava tão calmo e o tempo tão ensolarado que todos subiram para o convés. Alguém teimava dizendo que com um tempo tão bom seria possível ver o monte Ararat no fundo do litoral turco. Mas viam apenas uma costa alta e rochosa. A partir do mar, o maciço parecia imponente, salpicado com manchas claras de rochas nuas que lembravam ossos. O professor estava em pé, encolhido, semicerrando os olhos e com o pescoço enrolado com o xale negro da esposa. Karen viu uma imagem: eles dois nadando submersos, pois o nível da água estava alto, como nos tempos do dilúvio. Movimentavam-se num espaço esverdeado e iluminado que desacelerava os movimentos e abafava as palavras. O xale já não balançava mais de forma desagradável, mas ondulava, silencioso, e os olhos escuros do marido a fitavam suave e delicadamente, diluídos pelas onipresentes lágrimas salgadas. Os cabelos ruivos de Ole brilhavam com mais força e todo seu corpo parecia uma gota de resina que caiu na água e que logo endureceria para sempre. E, no alto, acima das suas cabeças, as mãos de alguém tinham acabado de soltar um pássaro à procura de terra firme, e em breve descobririam que realmente já sabiam para onde estavam navegando. E naquele instante a mesma mão apontou para o topo de uma montanha, um lugar seguro para um recomeço.

No mesmo momento, ela ouviu gritos na proa e logo em seguida um apito histérico de advertência. O capitão, que antes estava por perto, agora corria na direção da ponte do comando, o que deixou Karen apavorada, já que ele sempre se portava com elegância. Imediatamente os passageiros começaram a gritar e a agitar os braços, aqueles que estavam inclinados sobre o balaústre arregalavam os olhos, virados não para o mítico Ararat, mas para algo embaixo. Karen sentiu o navio frear bruscamente e com tamanha força que de repente o convés parecia fugir debaixo dos seus pés e no último momento ela se agarrou ao metal do balaústre. Queria segurar a mão do marido, mas o viu recuar com passos pequenos, como se estivesse assistindo a um filme projetado no sentido contrário. No rosto dele havia uma expressão de diversão e espanto, mas nenhum traço de medo. Os seus olhos diziam algo do tipo: me segure. Depois ela o viu batendo as costas e a cabeça contra a estrutura metálica das escadas, ricochetear e cair de joelhos. No mesmo instante, ressoou o estrondo de uma colisão na parte frontal do navio, os gritos dos passageiros e o barulho de boias e um bote salva-vidas caindo na água, pois — como Karen conseguiu deduzir pelos berros — acabaram de atropelar um pequeno iate.

Em volta dela, no convés, as pessoas que haviam caído estavam se erguendo. Todos estavam bem, e ela ficou ajoelhada junto do marido tentando reanimá-lo com delicadeza. O professor piscava, piscava demoradamente e depois falou com bastante clareza: "Me ajude a me levantar!". Mas já não havia como fazê-lo, o seu corpo se recusava a cooperar, então Karen pousou a cabeça dele no seu colo e esperou por ajuda.

O seguro-saúde, muito bem escolhido, permitiu que ainda no mesmo dia o professor fosse transportado de helicóptero de Rodes a um hospital em Atenas e lá submetido a exames detalhados. A tomografia revelou uma lesão no hemisfério esquerdo e hemorragias extensas impossíveis de serem contidas. Karen ficou ao seu lado até o fim, acariciando a sua mão já inerte. O lado direito do corpo ficou inteiramente paralisado, o olho permaneceu semicerrado. Karen ligou para os filhos do professor e eles já deviam estar a caminho. Permaneceu junto dele durante a noite inteira, sussurrando em seu ouvido, acreditando que ele estava ouvindo e entendendo. Ela o guiava por uma estrada empoeirada por entre anúncios, armazéns, rampas, garagens sujas, pelo acostamento da autoestrada durante toda a noite.

Mas o oceano vermelho na cabeça do professor se expandia alimentado pelos afluentes dos rios sanguíneos, e aos poucos transbordava, cobrindo sucessivos espaços — primeiro as planícies da Europa, onde nasceu e foi criado. Desapareceram inundadas cidades, pontes e barragens construídas com tanto esforço pelas gerações de seus antepassados. O oceano chegava à porta da sua casa com telhado de palha e a invadia com avidez. Desenrolou um tapete vermelho sobre o piso de pedra, as tábuas de madeira esfregadas todos os sábados, e apagou, enfim, a chama do fogareiro, alcançando os aparadores e as mesas. A seguir, derramou-se sobre as estações e os aeroportos de onde o professor zarpava para o mundo. Afundaram-se nele as cidades para as quais viajara e, dentro delas, as ruas onde morara em quartos alugados, os hotéis baratos onde se hospedara, os restaurantes onde havia jantado. A superfície vermelha cintilante do oceano agora alcançava as primeiras prateleiras das suas bibliotecas preferidas, as folhas nos livros inchavam, inclusive aqueles em que o seu nome aparecia na capa. A língua vermelha lambia as letras e fazia a tinta negra se desmanchar. O vermelho encharcou os pisos e as escadas que ele subiu e desceu para receber os boletins escolares dos seus filhos, assim como a calçada pela qual caminhou solenemente para assumir o seu cargo na universidade. As manchas vermelhas já se acumulavam sobre os lençóis em que ele e Karen haviam caído pela primeira vez para desatar os nós dos seus corpos maduros e desajeitados. O líquido espesso colava para sempre as divisórias da sua carteira, onde guardava cartões de crédito, passagens aéreas e as fotos dos netos. A corrente derramava-se sobre estações, trilhos, aeroportos e pistas de decolagem — nenhum avião levantará voo, nenhum trem jamais partirá de lá para qualquer destino.

O nível do oceano subia impiedosamente, as águas arrastavam palavras, termos, memórias; as luzes nas ruas se apagavam sob elas, as lâmpadas dos postes estouravam, os cabos entravam em curto, toda a rede de conexões se transformava numa teia morta, inútil, aleijada, num telefone mudo. As telas se apagavam. E, por fim, esse oceano vagaroso e infinito alastrou-se até o hospital e a própria cidade de Atenas, os templos, os caminhos e olivais sagrados, a ágora vazia nesta hora do dia, a estátua clara da deusa e a sua oliveira, todos ficaram inundados de sangue.

Ela estava ao seu lado quando eles tomaram a decisão de desligar a máquina, que já não era necessária, e quando as suaves mãos de uma enfermeira grega cobriram, com um único movimento, o seu rosto com um lençol.

O corpo foi cremado, e Karen, junto com os filhos dele, espalhou as cinzas pelo mar Egeu, acreditando que o professor teria ficado contente com esse tipo de funeral.

ESTOU

Amadureci. No início, ao acordar em lugares desconhecidos, pensava que estava em casa. Só depois de um momento reconhecia pormenores antes ignorados, e agora revelados pela luz do dia. As cortinas pesadas do hotel, o formato da televisão, minha mala bagunçada, toalhas brancas dobradas impecavelmente. O novo lugar revelava-se de trás das cortinas, velado, misterioso, na maioria das vezes cor de creme ou amarelo, banhado pela luz dos postes na rua.

Porém, depois entrei na fase que os psicólogos de viagem chamam de "Não sei onde estou". Acordava completamente desorientada. Procurava — como um alcoólatra depois de porre — evocar a lembrança daquilo que fazia na noite anterior, onde estive, aonde os caminhos me levaram, recapitulava tudo, detalhe por detalhe para decifrar o aqui e agora. E quanto mais demorava esse procedimento, maior o pânico, um estado desagradável parecido com a labirintite, vertigens, náuseas. Onde, diabos, estou? No entanto, os detalhes do mundo são misericordiosos e enfim me levavam às pistas corretas. Estou em M. Estou em B. Este é um hotel e aquele é o apartamento de minha amiga, a sala de estar da família N. O sofá dos meus amigos.

Esse tipo de despertar era igual a carimbar a minha passagem para seguir caminho.

Porém, existe ainda a terceira etapa, que, de acordo com a psicologia de viagem, é a etapa-chave. Ela cinge tudo e constitui o objetivo final. Não importa para onde você viaja, sempre estará nessa determinada direção. "Não importa onde estou", não faz diferença. Estou.

SOBRE AS ORIGENS DAS ESPÉCIES

Somos testemunhas do surgimento de novos seres que já conquistaram todos os continentes e a maioria dos nichos ecológicos. São gregários e anemófilos, se deslocam sem nenhuma dificuldade por grandes distâncias.

Agora os vejo das janelas de um ônibus, essas anêmonas aéreas, bandos inteiros acampados no deserto. Espécimes solitários agarram-se às franzinas plantinhas desérticas e flamulam ruidosamente — talvez seja a sua maneira de se comunicar.

Os especialistas dizem que as sacolas de plástico constituem um novo capítulo da existência terrena, rompendo com os hábitos ancestrais da natureza: são feitas unicamente de sua superfície, ocas por dentro, e essa resignação histórica de qualquer conteúdo inesperadamente lhes propicia enormes vantagens evolutivas. São móveis e leves; suas orelhas preênseis permitem que se enganchem em objetos ou órgãos de outros seres e dessa maneira ampliem o seu habitat. Começaram pelos subúrbios e lixões e demoraram algumas temporadas de ventos para chegar à província e aos ermos distantes. Conquistaram enormes áreas do globo — desde os grandes cruzamentos das autoestradas até praias sinuosas, praças abandonadas em frente a supermercados, até as encostas rochosas dos Himalaias. À primeira vista, parecem delicadas e frágeis, mas é apenas uma ilusão — são duradouras, quase indestrutíveis; os seus corpos efêmeros demoram por volta de trezentos anos para se decompor.

Nunca antes lidamos com uma forma de existência tão agressiva. Há pessoas que, em seu êxtase metafísico, acham que a natureza delas é a apropriação do mundo e a conquista dos continentes; que são forma pura à procura de sua substância, mas se entedia imediatamente com ela e se lança de volta ao vento. Elas afirmam que as sacolas plásticas são olhos errantes, pertencentes a um irreal "lá", observadores misteriosos que participam desse *panopticum*. Outros, os mais pés no chão, afirmam que hoje em dia a evolução promove formas efêmeras, que povoam o mundo por um tempo breve, mas em troca se tornam onipresentes.

O ITINERÁRIO FINAL

O propósito desta peregrinação foi um outro peregrino; hoje, por fim, eu cheguei até ele, afundado em acrílico ou (como nas outras salas) submetido à plastinação. Esperei na fila para vê-lo e para avançar atrás dos outros ao longo de espécimes lindamente iluminados e descritos em duas línguas. Expostos diante de nós, pareciam mercadorias valiosas trazidas do além-mar, para o deleite dos olhos.

Primeiro, fiquei examinando cuidadosamente os espécimes afundados em acrílico, pequenos fragmentos do corpo — seria possível dizer: uma exposição de parafusos, vãos, chavetas e juntas soldadas, essas partes miúdas e normalmente não valorizadas do corpo, de cuja existência nem nos lembramos. É um bom método — nenhum acesso de ar, nenhuma evaporação ou perigo de dano. Se explodir uma guerra, essa mandíbula que estava diante de mim há um instante tem chances de sair ilesa, mesmo debaixo dos escombros ou por entre as cinzas. Se houvesse uma erupção vulcânica, um deslizamento de terra ou se o mar transbordasse, os futuros arqueólogos poderiam se alegrar com esse achado.

Mas este era apenas o início. Nós, peregrinos, avançávamos em silêncio, em fila indiana, os que estavam atrás apressavam delicadamente os que vinham na frente. O que nós temos aqui, o que haverá agora, que parte do corpo nos mostrarão os plastinadores habilidosos, os herdeiros dos embalsamadores, os curtidores de couro, os anatomistas e os taxidermistas.

Eis uma coluna vertebral retirada do corpo, exposta numa vitrine de vidro. Mantendo todas as suas curvaturas naturais, lembrava o Alien, um passageiro que viaja num corpo humano para o seu destino, uma enorme centopeia. Um Gregor Samsa composto de antenas de insetos, feixes nervosos, feito com um rosário de pequenos ossos entrançados com vasos sanguíneos. Era possível rezar seguidas vezes a "Oração pelos fiéis defuntos" sobre ela, até que alguém finalmente se comovesse e permitisse seu descanso eterno.

Mais adiante havia um homem inteiro, um corpo, ou melhor dizendo: um cadáver cortado ao meio no sentido longitudinal que revelava a fascinante ordem dos órgãos internos. O rim se destacava com uma beleza extraordinária, uma monstruosa fava, uma semente sagrada da deusa do subterrâneo.

E ainda mais adiante, na sala seguinte, havia um homem, um corpo masculino, esbelto, de olhos oblíquos. Apesar de estar privado das pálpebras e da pele, revelou a nós, os peregrinos, os pontos iniciais e finais dos músculos. Você sabia que os músculos sempre começam mais próximos do eixo central do corpo e terminam na parte exterior, mais afastada? E que dura-máter não é uma estrela pornô exótica, mas a meninge? E que os músculos correm do ponto inicial ao ponto-final? E que o músculo mais forte do corpo humano é a língua?

Diante do espécime composto apenas de músculos, nós, peregrinos, checávamos involuntariamente se aquilo que a inscrição afirmava era verdade, flexionando nossos músculos estriados, os músculos que obedeciam à nossa vontade. Infelizmente, também existem músculos desobedientes, sobre os quais não temos nenhum poder, assim, não há nada que possamos fazer com eles. Eles se estabeleceram em nós num passado remoto e agora comandam os nossos reflexos.

Depois aprendemos muito sobre o funcionamento do cérebro, percebendo que devemos a existência de cheiros, a expressão de emoções e as reações de lutar ou fugir às amígdalas. E ao hipocampo, esse cavalo-marinho, a memória de curta duração.

Já a área septal é um pequeno segmento nas amígdalas que regula a relação entre o prazer e o vício. Devemos nos lembrar disso quando tivermos que lidar com nossos maus hábitos. É preciso saber a quem orar para interceder por nós e nos apoiar.

O espécime seguinte era composto de um cérebro e nervos periféricos cuidadosamente dispostos sobre uma superfície branca. Esse desenho vermelho sobre o fundo branco podia ser tomado por um mapa do metrô — eis a estação central e, partindo dela, a artéria principal de comunicação com as outras linhas ramificando-se para os lados. Era preciso admitir que tudo tinha sido muito bem pensado.

Os espécimes modernos eram multicoloridos, com cores vivas. Os vasos sanguíneos, as veias e as artérias estavam dispostos em líquido para destacar bem as suas redes tridimensionais. A solução em que flutuavam pacificamente decerto era Kaeiserling III, pois é ele que possui as melhores propriedades de conservação.

Nos amontoamos ainda junto do Homem Feito Exclusivamente de Vasos Sanguíneos, que lembrava uma espécie de fantasma anatômico. Era um fantasma que assombrava locais bem iluminados, ladrilhados, algo entre um açougue e um salão de beleza. Suspiramos, pois nunca havíamos pensado que possuíamos tantas veias e veinhas. Não era de estranhar que sangrássemos ao menor rompimento da integridade da nossa pele.

Ver é saber, não tínhamos dúvidas quanto a isso. De tudo, gostamos mais das seções transversais.

Um desses homens-corpos jaz diante de nós cortado em fatias. Graças a isso temos a possibilidade de conhecer pontos de vista completamente inesperados.

O PROCESSO DA PRESERVAÇÃO POLIMÉRICA, PASSO A PASSO:

– primeiro, o corpo é preparado tradicionalmente para a dissecação, inclusive com a retirada de todo o sangue;

– durante a dissecação expõem-se as partes que serão apresentadas — por exemplo, quando se trata de músculos, é preciso retirar a pele e o tecido adiposo. Nessa etapa o corpo ganha a posição desejada;

– em seguida, submerge-se o espécime assim preparado em um banho de acetona para desidratá-lo;

– depois mergulha-se o espécime desidratado em um banho de polímeros de silicone e fecha-se numa câmara de vácuo.

– no vácuo, a acetona evapora e é substituída pelo polímero de silicone, que penetra os recantos mais profundos dos tecidos;

– o silicone endurece, mas permanece maleável.

Toquei num rim e num fígado assim — lembravam um brinquedo de borracha dura, uma bola que se joga a um cachorro para ele buscar. A fronteira entre o artificial e verdadeiro aqui se tornou muito suspeita. Tive também a suspeita inquietante de que essa técnica transformaria para sempre o original numa cópia.

EMBARQUE

Ele tira os sapatos, pousa a mochila aos seus pés e espera a hora do embarque. Tem uma barba escura por fazer, já está quase calvo, está entre os quarenta e os cinquenta anos. Parece um homem que acabou de perceber que não era muito diferente dos outros, isto é: que alcançou uma espécie de iluminação. Em seu rosto é possível ver ainda as reminiscências desse choque: olhos que só fitam o chão em torno dos sapatos, provavelmente para não deslizar o olhar pelos outros. Nenhuma expressão facial ou gestos, que já são desnecessários. Depois de um momento, tira um caderno, um bloco de anotações costurado à mão, certamente comprado numa daquelas lojas que vendem produtos baratos do Terceiro Mundo por preços altos; na capa feita de papel reciclado há uma inscrição negra que diz *Traveller's Log Book*. Um terço já está preenchido.

Abre-o sobre o seu colo e a sua caneta esferográfica preta escreve a primeira frase.

Então, eu também tiro o meu diário de viagem e começo a escrever sobre o homem que escreve. É muito provável que ele esteja anotando: "Uma mulher que anota. Ela tirou os sapatos, colocou a mochila aos seus pés...".

Não tenham vergonha — penso nos outros que estão aguardando a abertura do portão de embarque —, peguem os seus diários de viagem e escrevam, pois somos muitos, os que escrevemos. Não deixaremos transparecer que estamos nos examinando mutuamente, não ergueremos a vista acima dos nossos sapatos. Continuaremos nos anotando mutuamente, é a forma mais segura de comunicação. Verteremos uns aos outros em letras e iniciais, nos eternizaremos, nos plastinaremos, afundando uns aos outros no formol das frases.

Depois de retornar para casa, depositaremos o diário de viagem junto com os outros. Há uma caixa atrás do armário onde os guardamos, a gaveta mais baixa da escrivaninha, a prateleira na mesinha da cabeceira. Lá já relatamos as nossas viagens, os preparativos para elas e os nossos felizes retornos. Os momentos de encanto propiciados pelo pôr do sol numa praia suja cheia de garrafas de plástico e certa noite num hotel com o sistema de aquecimento eficiente demais, funcionando a todo vapor. Uma rua exótica onde um cachorro doente nos implorou por algo para comer e nós não tínhamos nem uma migalha para lhe dar. E as crianças que nos cercaram numa cidadezinha onde o ônibus parou para esfriar o radiador. Há lá uma receita de sopa de amendoim que tinha o gosto de caldo de pano sujo e há também um engolidor de fogo com os lábios queimados. Calculávamos as despesas diligentemente e tentávamos, sem êxito, desenhar a forma do ornamento que chamou a nossa atenção no metrô por um momento. Um sonho estranho que nos ocorreu no avião e a beleza de uma monja budista de vestes cinzentas que por um instante ficou numa fila à nossa frente. Há de tudo ali, até um marinheiro que sapateia num cais deserto de onde um dia zarpavam navios de passageiros.

Quem vai lê-lo?

Em breve o portão de embarque será aberto. As comissárias de voo se agitam atrás do balcão e os passageiros, que até então estavam letárgicos, se levantam dos assentos colocando a sua bagagem de mão em ordem. Procuram o seu cartão de embarque, deixam sem nenhum pesar os jornais não lidos até o fim. Todos fazem um exame de consciência silencioso: eles têm tudo, o passaporte e a passagem, o cartão de crédito e uma quantia suficiente de dinheiro trocado. E aonde vai. E para quê. E se lá vai encontrar aquilo que procura, e se escolheu o destino certo.

As comissárias de bordo, belas como anjos, verificam se estamos aptos para viajar e, com um delicado gesto, nos permitem submergir nas curvas suaves atapetadas do túnel que nos levará a bordo do avião e, depois, por um caminho aéreo e frio na direção de novos mundos. O sorriso delas encerra — ou assim nos parece — uma espécie de promessa de que talvez estejamos renascendo agora, dessa vez na hora certa e no lugar certo.

Itinerarium

1. Viena — Narrenturm, Pathologisch-anatomisches Bundesmuseum, Spitalgasse 2
2. Viena — Josephinum, Museum des Instituts für Geschichte der Medizin, Währingerstrasse 25
3. Dresden — Deutsches Hygiene Museum, Lingnerplatz 1, Dresden Gläesernen Menschen
4. Berlim — Berliner Medizinhistorisches Museum der Charité, Charitéplatz 1
5. Leiden — Museum Boerhaave, St. Caecilia Hospice, Lange St. Agnietenstraat 10
6. Amsterdam — Vrolik Museum, Academisch Medisch Centrum, Meibergdreef 15
7. Riga — Pauls Stradiņs Medicīnas vēstures muzejs, 1 Antonijas iela, oraz Jēkaba Prīmaņa anatomijas muzejs, Konvalda bulvāris 9
8. São Petersburgo — Museum of Anthropology and Ethnography (Kunstkamerr), Universitetskaya Naberazhnaya, 3
9. Filadélfia — Mütter Museum, 19 South 22nd Street

Agradecimentos

Agradeço a Fundação de Literatura Holandesa, assim como a Casa Internacional da Literatura Passa Porta, em Bruxelas.

Sou grata a Lech Trzcionkowski pela primorosa tradução do epigrama de Posidipo sobre Kairós e por concordar em publicá-la.

Olga Tokarczuk

Fontes das citações

p. 32: Êxodo 27,19 de acordo com *A Bíblia de Jerusalém*. São Paulo: Paulus, 2002.
p. 32: Émile Cioran, *Wyznania i anatemy*, trad. Krzysztof Jarosz, Cracóvia, 2006.
p. 76: Benedykt Chmielowski, *Nowe Ateny*, Cracóvia, 2003.
p. 77: Herman Melville, *Moby Dick czyli Biały Wieloryb*, trad. Bronisław Zieliński, Szczecin, 1987 (por motivos artísticos as citações de *Moby Dick* não foram destacadas no texto).
p. 312: *Requiem aeternam*.
pp. 340-1: *Słownik grecko-polski*, org. Zygmunt Węclewski, Lviv, 1929; *Podręczny słownik grecko-polski*, Teresa Kambureli, Thanasis Kamburelis, Varsóvia, 1999; *Słownik grecko-polski*, ed. Zofia Abramowiczówna, Varsóvia, 1962.

Créditos das imagens

Mapas e desenhos retirados de *The Agile Rabbit Book of Historical and Curious Maps*, © The Pepin Press, Amsterdam, 2005.

p. 15: Panorama comparativo de rios importantes (sem data)
p. 45: Detalhes de São Petersburgo, 1850
p. 61: Boufarik, Argélia, 1882
p. 82: Mapa chinês, 1984
p. 113: Parc de Monceau, 1878
p. 180: Mapa chinês, 1984
p. 184: Europa, *c.* 1750
p. 222: Nova Zembla, Rússia, 1855
pp. 242-3: Mapa russo (sem data)
p. 359: Plano de Jerusalém baseado em manuscrito de 1200 (sem data)
p. 361: Nova York (sem data)
p. 376: Peregrinações de Ulisses a partir de um mapa da *Odisseia*, 1911

Grafia atualizada segundo o Acordo Ortográfico da Língua Portuguesa de 1990, que entrou em vigor no Brasil em 2009.

capa
Flávia Castanheira
ilustração de capa
Talita Hoffmann
tratamento de imagens
Carlos Mesquita
preparação
Manoela Sawitzki
revisão
Jane Pessoa
Erika Nogueira Vieira

2ª reimpressão, 2025

Dados Internacionais de Catalogação na Publicação (CIP)

Tokarczuk, Olga (1962-)
Correntes / Olga Tokarczuk ; tradução Olga Bagińska-Shinzato. — 1. ed. — São Paulo : Todavia, 2021.

Título original: Bieguni
ISBN 978-65-5692-148-8

1. Literatura polonesa. 2. Romance. 3. Ficção contemporânea. I. Bagińska-Shinzato, Olga. II. Título.

CDD 891.85

Índice para catálogo sistemático:
1. Literatura polonesa : Romance 891.85

Bruna Heller — Bibliotecária — CRB 10/2348

todavia
Rua Luís Anhaia, 44
05433.020 São Paulo SP
T. 55 11. 3094 0500
www.todavialivros.com.br

fonte
Register*
papel
Pólen natural 80 g/m²
impressão
Geográfica